P9-AEX-101

Milan Kundera

La plaisanterie

Traduction du tchèque
par Marcel Aymonin
entièrement révisée
par Claude Courtot
et l'auteur,
version définitive

Gallimard

Milan Kundera est né en Tchécoslovaquie. En 1975, il s'installe en France.

PREMIÈRE PARTIE

LUDVIK

Ainsi, après bien des années, je me retrouvais chez moi. Debout sur la grand-place (qu'enfant, puis gamin, puis jeune homme, j'avais mille fois traversée), je ne ressentais nulle émotion ; au contraire, je pensais que cet espace dont le beffroi (semblable à un reître sous son heaume) surplombe les toits rappelait le vaste terrain d'exercice d'une caserne, et que le passé militaire de cette ville de Moravie, jadis rempart contre les raids des Magyars et des Turcs, avait imprimé sur sa face la marque d'une irrévocable hideur.

Des années durant, rien ne m'avait attiré vers ma ville natale ; je me disais qu'elle m'était devenue indifférente, et cela me paraissait naturel : depuis quinze ans déjà je vis ailleurs, je n'ai plus ici que quelques connaissances, voire des copains (que je préfère du reste éviter), ma mère est enterrée dans une tombe étrangère dont je ne m'occupe pas. Mais je m'abusais : ce que j'appelais indifférence était en fait de la rancune ; les raisons m'en échappaient, car il m'était arrivé des choses bonnes ou mauvaises dans cette ville comme dans toutes les autres, en tout cas cette rancune était là ; j'en avais pris conscience à l'occasion de mon voyage : la tâche qui m'amenait ici, j'aurais pu, tout compte fait, l'accomplir aussi bien à Prague, mais j'avais été soudain irrésistiblement attiré par l'occasion offerte de l'exécuter dans ma ville natale justement parce qu'il s'agissait d'une tâche cynique et terre à terre qui, avec dérision, m'acquittait du soupçon de revenir ici sous l'effet d'un mièvre attendrissement sur le temps perdu.

Une fois encore je parcourus d'un œil narquois la place disgracieuse avant de lui tourner le dos pour prendre la rue de l'hôtel où ma chambre était retenue pour la nuit. Le portier me tendit une clé à poire de bois en disant : « Deuxième étage. » La chambre n'était pas très engageante : un lit contre le mur, au milieu une petite table avec une seule chaise, à côté du lit une prétentieuse table de toilette en acajou avec miroir, près de la porte un lavabo écaillé absolument minuscule. Je posai ma serviette sur la table et j'ouvris la fenêtre : la vue donnait sur une cour et sur des maisons présentant à l'hôtel leur dos nu et sale. Je fermai la fenêtre, abaissai les rideaux et m'approchai du lavabo qui comportait deux robinets marqués l'un en rouge, l'autre en bleu ; je les essayai, l'eau en coulait également froide. J'examinai la table, laquelle, à la rigueur, suffirait, une bouteille et deux verres y trouvant fort bien place ; malheureusement, une seule personne pouvait s'y installer, faute d'une seconde chaise dans la pièce. Ayant poussé la table vers le lit, je tentai de m'asseoir sur celui-ci, seulement il était trop bas et la table trop haute ; de plus, il s'enfonçait tellement sous moi qu'il fut aussitôt évident que non seulement il ne pourrait servir que malaisément de siège, mais qu'en outre il remplirait de façon douteuse son office de lit. Je m'y appuyai sur les poings ; après quoi je m'y étendis en soulevant avec précaution mes pieds chaussés afin d'éviter de salir couverture et drap. Le matelas se creusant sous mon poids, j'y étais allongé comme dans un hamac ou une tombe étroite : il n'était pas possible d'imaginer que quelqu'un partageât ce lit avec moi.

Je m'assis sur la chaise, le regard perdu vers les rideaux éclairés en transparence, et je réfléchis. A cet instant, des pas et des voix se firent entendre du corridor ; deux personnes, un homme et une femme, bavardaient et chacune de leurs paroles était intelligible : ils parlaient d'un certain Petr qui s'était enfui de chez lui, et d'une tante Klara qui était idiote et gâtait le petit ; puis se faisaient entendre une clé tournée dans la serrure, une porte qui s'ouvrait et les voix qui poursuivaient dans la chambre à côté ; j'entendis les soupirs de la femme (oui, même les soupirs me parvenaient !) et la décision de l'homme de dire une bonne fois deux mots à Klara.

Je me levai, ma résolution était prise ; je me lavai encore les mains dans le lavabo, les essuyai avec la serviette et quittai l'hôtel sans bien savoir d'abord où j'irais au juste. Je savais simplement que si je ne voulais pas compromettre le succès de tout mon voyage (voyage considérablement long et fatigant) à cause de la seule imperfection de ma chambre d'hôtel, je devais, encore que je n'en eusse pas la moindre envie, faire un appel discret à quelque ami d'ici. Je passai rapidement en revue tous les visages du temps de ma jeunesse, mais pour les écarter aussitôt, parce que le caractère confidentiel du service sollicité m'imposerait l'obligation de jeter un pont laborieux par-dessus les nombreuses années pendant lesquelles je ne les avais pas vus — et cela me déplaisait. Puis je me rappelai qu'ici vivait sans doute un homme à qui j'avais, ici même, autrefois procuré une situation et qui serait, tel que je le connaissais, très heureux d'avoir l'occasion de me rendre service à son tour. C'était un être étrange, tout à la fois d'une sourcilleuse moralité et curieusement inquiet et instable, d'avec qui, à ce que je savais, sa femme avait divorcé depuis des années pour cette simple raison qu'il vivait n'importe où, pourvu que ce ne fût pas avec elle et leur fils. Je tremblais maintenant à l'idée qu'il eût pu se remarier, circonstance propre à compliquer l'accomplissement de ma demande, et je pressai le pas en direction de l'hôpital.

Cet hôpital est un ensemble de bâtiments et de pavillons semés çà et là sur un vaste espace de jardins ; je pénétrai dans la petite guérite qui jouxte le portail et je priai le concierge assis derrière une table de me mettre en communication avec la virologie ; il poussa l'appareil sur le bord de la table de mon côté et dit : « Zéro deux ! » Je formai donc le zéro deux pour apprendre que le docteur Kostka était parti depuis quelques secondes et qu'il était en train de gagner la sortie. Je pris place sur un banc proche de la grande porte pour être sûr de ne pas le manquer, je regardai distraitement les hommes errant par là en peignoir d'hôpital à rayures bleues et blanches, et puis je le vis : il venait, songeur, grand, maigre, sympathique dans son manque d'apparence, oui, c'était bien lui. Je me levai de mon banc et marchai droit à sa rencontre, comme si je voulais le bousculer ; il me jeta un regard mécontent, mais aussitôt me reconnut et ouvrit les bras. J'eus l'impression que sa surprise était presque heureuse et la spontanéité de son accueil me fit plaisir.

Je lui expliquai que j'étais arrivé moins d'une heure

plus tôt pour une affaire sans importance qui me retiendrait ici environ deux jours, et il manifesta tout de suite un étonnement joyeux de ce que ma première visite ait été pour lui. Il me fut tout à coup désagréable de n'être pas venu le trouver dans un esprit désintéressé, rien que pour lui, et que la question que je lui posai (je lui demandai jovialement s'il s'était déjà remarié) parût refléter une sincère attention, alors qu'elle procédait, au fond, d'un bas calcul. Il me dit (à ma satisfaction) qu'il était toujours seul. Je déclarai que nous avions beaucoup de choses à nous raconter. Il en convint et regretta de ne disposer, malheureusement, que d'un peu plus d'une heure, vu qu'il lui fallait encore retourner à l'hôpital et, le soir, prendre un car pour quitter la ville. « Vous n'habitez pas ici ? » dis-je, effrayé. Il m'assura que si, un studio dans un immeuble neuf, mais qu' « il est pénible de vivre en solitaire ». Il apparut que Kostka avait dans une autre ville, à vingt kilomètres, une fiancée, institutrice, disposant elle-même d'un deux-pièces. « Vous vous installerez chez elle par la suite ? » lui demandai-je. Il dit qu'il trouverait difficilement ailleurs un travail aussi intéressant que celui que je lui avais procuré et qu'inversement sa fiancée aurait du mal à obtenir une place ici. Je me mis à vitupérer (de bon cœur) les lenteurs de la bureaucratie, incapable de faciliter les choses pour qu'un homme et une femme puissent vivre réunis. « Rassurez-vous, Ludvik, me dit-il avec une douce indulgence, ce n'est quand même pas tellement insupportable ! Le voyage me coûte certes de l'argent et du temps, mais ma solitude demeure intacte et je suis libre. — Pourquoi avez-vous, vous, un tel besoin de liberté ? lui demandai-je. — Et vous-même ? dit-il. — Je cours les filles, répondis-je. — Ce n'est pas pour des femmes, c'est pour moi qu'il me faut ma liberté », dit-il et il ajouta : « Écoutez, venez un moment chez moi, avant que je ne parte. » Je ne demandais que cela.

Sortis de l'enceinte de l'hôpital, nous parvînmes bientôt à un groupe d'immeubles neufs qui, l'un à côté de l'autre, jaillissaient sans harmonie d'un sol poussiéreux non aplani (sans gazon, sans trottoirs, sans chaussées) et formaient un triste décor aux confins des champs, vastes et plats, qui s'étendaient jusqu'aux lointains. Nous franchîmes une porte, montâmes un escalier trop étroit (l'ascenseur ne marchait pas) et nous arrêtâmes au troisième étage où je reconnus le nom de Kostka sur la carte de visite. Lorsque, ayant traversé l'entrée, nous fûmes dans la pièce, j'étais plus que satisfait : un large et confortable divan occupait un coin ; outre le divan, il y avait une petite table, un fauteuil, une grande bibliothèque, un tourne-disque et un poste de radio.

Je fis à Kostka l'éloge de sa chambre et lui demandai comment était sa salle de bains. « Rien de luxueux », dit-il, content de l'intérêt que je marquais, et il me fit passer dans l'entrée d'où s'ouvrait la porte de la salle de bains, petite mais très agréable, avec baignoire, douche, lavabo. « Quand je vois ce magnifique appartement, il me vient une idée, dis-je. Que faites-vous demain après-midi et demain soir ? — Hélas, s'excusa-t-il avec confusion, demain j'aurai une longue journée de service, je ne rentrerai guère qu'aux alentours de sept heures. Le soir, vous ne serez pas libre ? — Il se peut que j'aie ma soirée libre, répondis-je, mais, avant, vous ne pourriez pas me prêter votre studio pour l'après-midi ? »

Ma question l'étonna, mais sur-le-champ (comme s'il craignait que je ne le soupçonne de manquer d'empressement) il me dit : « Bien volontiers, il est à vous. » Et de poursuivre, comme s'appliquant à refuser de chercher les mobiles de ma demande : « Si vous avez des difficultés pour vous loger, vous pouvez coucher ici dès aujourd'hui, car je reviendrai seulement demain matin, et même pas, du reste, puisque j'irai directement à l'hôpital. — Non, c'est inutile. Je suis à l'hôtel. Ce qu'il y a, c'est que ma chambre est assez inhospitalière, et, demain après-midi, j'aurais besoin d'un cadre agréable. Évidemment, pas pour m'y trouver seul. — Oui, fit Kostka en baissant légèrement la tête, je m'en doute. » Au bout d'un instant, il dit : « Je suis heureux de pouvoir faire du bien pour vous. » Puis il ajouta encore : « En supposant, évidemment, que ce soit vraiment du bien. »

Après quoi nous prîmes place autour de la petite table (Kostka avait préparé du café) et bavardâmes un moment (assis sur le divan, j'en constatais avec plaisir la fermeté, il ne s'écrasait ni ne grinçait). Kostka annonça ensuite qu'il allait devoir regagner l'hôpital, aussi se hâta-t-il de m'initier à certains secrets ménagers : il faut serrer à fond en refermant le robinet de la baignoire, l'eau chaude coule, contrairement à toutes les habitudes, du robinet marqué de la lettre F, la prise de courant pour le fil du tourne-disque est cachée sous le divan et il y a dans la petite armoire une bouteille de vodka tout juste entamée. Ensuite, il me remit un trousseau de deux clés et me montra celle de la porte de l'immeuble et celle du studio. Ayant couché dans d'innombrables lits, au cours de ma vie, je me suis construit un culte particulier pour les clés, et je glissai donc celles-ci dans ma poche avec une jubilation silencieuse.

Kostka exprima en partant le vœu que son studio me procure « vraiment quelque chose de beau ». « Oui, lui dis-je, il va me permettre d'effectuer une belle destruction. — Vous pensez que les destructions peuvent être belles ? » dit Kostka, et moi je souris dans mon for intérieur parce que, à travers cette question (proférée doucement mais conçue combativement), je le reconnus exactement tel qu'il était (sympathique et comique à la fois) lors de notre première rencontre quinze ans plus tôt. Je lui répliquai : « Je sais que vous êtes un paisible ouvrier sur l'éternel chantier divin et qu'entendre parler de destructions vous déplaît, mais qu'y puis-je : je ne suis pas, quant à moi, un apprenti maçon de Dieu. Au surplus, si les apprentis maçons de Dieu construisent ici-bas des édifices en murs vérita-bles, il y a peu de chances que nos destructions puissent leur porter préjudice. Or, il me semble qu'à la place de murs je ne voie partout que des décors. Et la destruction des décors est une chose tout à fait juste. »

Nous nous retrouvions là où nous nous étions séparés la dernière fois (peut-être quelque neuf ans plus tôt) ; notre différend revêtait à présent une allure métaphorique parce que nous en connaissions bien le fond et n'éprouvions pas la nécessité d'y revenir ; nous avions besoin de nous répéter seulement que nous n'avions pas changé, que nous étions toujours tous deux pareillement différents l'un de l'autre (à cet égard, je dois dire que j'aimais cette dissemblance chez Kostka et que j'avais, pour cela, plaisir à discuter avec lui parce que ainsi je pouvais toujours, au passage, vérifier qui, en fait, je suis et ce que je pense). Donc, afin de m'enlever toute incertitude à son sujet, il me répondit : « Ce que vous venez de dire sonne bien. Mais dites-moi : sceptique comme vous l'êtes, où prenez-vous l'assurance qui vous fait distinguer le décor du mur ? Ne vous est-il jamais arrivé de douter que les illusions dont vous vous moquez ne soient vraiment qu'illusions ? Et si vous vous trompiez ? Et si c'étaient des valeurs, et vous un destructeur de valeurs ? » Il dit ensuite : « Une valeur galvaudée et une illusion démasquée ont le même pitoyable corps, elles se ressemblent et rien n'est plus aisé que de les confondre. »

Tandis que j'accompagnais Kostka pour regagner l'hôpital à l'autre bout de la ville, je jouais avec les clés au fond de ma poche et je me sentais bien au côté de l'ami de vieille date qui était capable d'essayer de me convaincre de sa vérité n'importe quand et n'importe où, voire maintenant, en traversant le terrain raboteux des quartiers neufs. Kostka savait évidemment que nous aurions pour nous toute la soirée du lendemain, aussi laissa-t-il bientôt la philosophie pour passer aux affaires banales, se persuadant de nouveau que je l'attendrais demain chez lui lorsqu'il rentrerait à sept heures (lui-même ne possédait pas d'autre trousseau de clés), et me demandant si je n'avais véritablement plus besoin de rien. Je me palpai le visage et dis qu'il me restait à passer chez le coiffeur, vu que j'avais une barbe indésirable. « A la bonne heure, fit

Kostka, je vais vous procurer un rasage de faveur ! »

Je ne déclinai pas les bons offices de Kostka et me laissai emmener dans un petit salon où devant trois glaces étaient plantés trois grands fauteuils pivotants dont deux étaient occupés par des hommes qui avaient la tête inclinée et le visage ouaté de mousse. Deux femmes en blouse blanche se penchaient sur eux. Kostka s'approcha de l'une d'elles et lui chuchota quelque chose ; la femme essuya son rasoir avec une serviette et appela dans l'arrière-boutique : une jeune fille en blouse blanche en sortit pour donner ses soins au monsieur abandonné dans son fauteuil, tandis que la femme à laquelle Kostka avait parlé m'adressait une brève inclination de tête et m'invitait de la main à m'asseoir dans le fauteuil libre. Kostka et moi prîmes congé l'un de l'autre en nous serrant la main et je m'installai, la tête reposant sur le coussinet qui servait d'appui, et, comme depuis tant d'années je n'aimais pas regarder mon visage, j'esquivai le miroir placé devant moi, levai les yeux et les laissai errer parmi les taches du plafond blanchi à la chaux.

Je maintins mes yeux au plafond même après avoir senti sur mon cou les doigts de la coiffeuse qui glissaient sous le col de ma chemise le bord d'un linge blanc. Puis la coiffeuse s'éloigna d'un pas, je n'entendis plus que le va-et-vient du rasoir sur le cuir à repasser et je me figeai dans une sorte d'immobilité béate pleine d'heureuse indifférence. Peu après, je sentis sur mes joues les doigts humides m'appliquer onctueusement la crème sur la peau et je m'avisai de cette chose singulière et incongrue : une inconnue qui ne m'est rien, à qui je ne suis rien non plus, me caresse

22

doucement. Après cela, avec un blaireau, la coiffeuse se mit à étendre le savon et il me sembla que je n'étais peut-être même pas assis, mais que simplement je flottais dans l'espace blanc semé de taches. Et alors je m'imaginai (parce que, même dans les moments de repos, les idées ne suspendent pas leurs jeux) que j'étais une victime sans défense, totalement livré à la femme qui avait affilé le rasoir. Et comme mon corps se dissolvait dans l'espace et que je percevais uniquement mon visage touché par les doigts, je me figurai sans peine que ses mains suaves tenaient (faisaient tourner, caressaient) ma tête comme si elles ne la rattachaient aucunement à un corps, mais la considéraient seulement en soi, de telle façon que la lame tranchante qui attendait sur la tablette voisine n'avait plus qu'à parachever cette belle autonomie de ma tête.

Puis, les caresses cessèrent et j'entendis la coiffeuse s'écarter afin, cette fois, de vraiment saisir le rasoir, et je me dis à ce moment (car les pensées continuaient leurs jeux) qu'il me fallait voir quelle apparence avait au juste la maîtresse (l'élévatrice) de ma tête, mon tendre assassin. Je décollai mes yeux du plafond et regardai dans le miroir. Je fus stupéfié : le jeu dont je m'amusais prit subitement des contours bizarrement réels ; il me semblait que cette femme qui se penchait sur moi dans la glace, je la connaissais.

D'une main, elle maintenait le lobe de mon oreille, de l'autre elle raclait méticuleusement la mousse savonneuse de mon visage ; je l'observais, et son identité, l'instant d'avant perçue avec étonnement, s'effritait lentement et disparaissait. Puis elle se courba au-dessus du lavabo, avec deux doigts fit tomber du

23

rasoir un paquet de mousse, se redressa et fit légèrement pivoter le fauteuil ; nos regards alors se croisèrent une seconde et à nouveau il me parut que c'était elle ! Assurément, ce visage était un peu différent, comme si c'était celui de sa sœur aînée, devenu gris, fané, un peu creusé ; mais cela faisait quinze ans que je l'avais vue pour la dernière fois ! Pendant cette période le temps avait imprimé un masque trompeur sur ses traits authentiques, mais par bonheur ce masque avait deux orifices par où de nouveau pouvaient me regarder ses yeux, réels et vrais, tels que je les avais connus.

Mais après survint un nouveau brouillage de la piste : un autre client entra dans le salon, vint se placer derrière mon dos, sur une chaise, pour attendre son tour ; bientôt il s'adressa à ma coiffeuse ; il discourait sur l'été splendide et sur la piscine en construction en bordure de la ville ; la coiffeuse répondait (j'enregistrais sa voix plutôt que ses paroles, au reste insignifiantes) et je constatai que je ne reconnaissais pas cette voix ; le son en était désinvolte, dépourvu d'anxiété, presque vulgaire, c'était une voix tout à fait étrangère.

Maintenant elle me lavait le visage, qu'elle pressait entre ses paumes, et moi (malgré la voix), je me reprenais à croire que c'était bien elle, que j'éprouvais encore, après quinze ans, le contact de ses mains sur mon visage, qu'elle me caressait de nouveau, me caressait longuement avec tendresse (j'oubliais complètement que ce n'étaient point caresses mais ablutions) ; sa voix étrangère n'arrêtait pas cependant de répondre je ne sais quoi au bavardage croissant du type, mais je refusais de croire à la voix, je voulais plutôt avoir foi en ses mains ; à ses mains je m'obstinais à la reconnaître ; à la douceur de leur toucher je m'efforçais de discerner si c'était elle et si elle m'avait reconnu.

Ensuite, elle prit une serviette et me sécha les joues. Le bavard s'esclaffa bruyamment d'une blague qu'il venait de raconter et je remarquai que ma coiffeuse n'avait pas ri, que donc elle ne prêtait sans doute pas grande attention à ce que le type lui disait. Cela me troubla parce que j'y voyais la preuve qu'elle m'avait reconnu et qu'elle ressentait une agitation contenue. Je résolus de lui parler dès que j'aurais quitté mon siège. Elle me débarrassa de la serviette que j'avais autour du cou. Je me levai. Je tirai un billet de cinq couronnes de la poche intérieure de mon veston. J'attendais une nouvelle rencontre de nos regards pour pouvoir lui adresser la parole en l'appelant par son prénom (le type continuait son bavardage), mais elle tournait la tête avec indifférence, elle prit l'argent d'un geste bref, impersonnel, si bien que je me fis brusquement l'effet d'un fou qui a cru à ses propres mirages et je n'eus absolument pas le courage de lui dire un seul mot.

Curieusement insatisfait, je sortis du salon ; tout ce que je savais, c'est que je ne savais rien et que c'était une énorme *grossièreté* que d'hésiter sur l'identité d'un visage autrefois tant aimé.

Bien entendu, il n'était pas difficile d'apprendre la vérité. En hâte je me rendis à l'hôtel (en chemin j'aperçus sur le trottoir d'en face un vieil ami de jeunesse, Jaroslav, chef d'un orchestre avec cymbalum, mais, comme si j'avais fui la musique lancinante et trop forte, je détournai vivement le regard), et de là je téléphonai à Kostka ; il était encore à l'hôpital.

« Dites-moi, cette coiffeuse à qui vous m'avez confié, elle s'appelle Lucie Sebetkova ?

— Aujourd'hui, elle porte un autre nom, mais c'est bien elle. Comment se fait-il que vous la connaissiez ? dit Kostka.

— Ça remonte terriblement loin », répondis-je et, sans même songer à dîner, je quittai l'hôtel (déjà la nuit tombait), pour flâner encore.

DEUXIÈME PARTIE

HELENA

1

Ce soir j'irai me coucher tôt, je ne sais pas si je pourrai m'endormir, mais j'irai me coucher tôt, Pavel est parti cet après-midi pour Bratislava, moi demain de bonne heure en avion jusqu'à Brno et après en car, ma petite Zdena restera deux jours toute seule à la maison, ça ne la dérangera pas, elle ne tient guère à notre compagnie, du moins pas à la mienne, elle adore Pavel, Pavel est sa première idole masculine, il faut reconnaître qu'il sait s'y prendre avec elle, comme il l'a toujours su avec toutes les femmes, moi comprise et ça reste vrai, cette semaine, il a recommencé à se comporter avec moi de la même manière qu'autrefois, il me tapotait le visage et me promettait qu'il passerait me prendre en Moravie à son retour de Bratislava, d'après lui il faut que nous nous remettions à causer, peut-être en est-il lui-même arrivé à reconnaître que ça ne peut plus continuer ainsi, peut-être veut-il que tout redevienne entre nous comme avant, mais pourquoi y pense-t-il si tard, maintenant que j'ai rencontré Ludvik ? J'en suis tout angoissée, pourtant je ne dois pas être triste, je ne dois pas, *que la tristesse ne soit jamais liée à mon nom*, cette phrase de Fucik est ma devise, même torturé, même sous la potence, Fucik n'était jamais triste, et peu m'importe qu'aujourd'hui la joie soit passée de mode, je suis idiote, c'est possible, mais les autres ne le sont pas moins avec leur scepticisme mondain, je ne vois pas pourquoi je devrais renoncer à ma bêtise pour adopter la leur, je ne veux pas couper ma vie en deux, je veux que ma vie à moi soit une, d'un bout à l'autre, et c'est pour cela que Ludvik m'a tellement plu, quand je suis avec lui, je n'ai pas besoin de changer d'idéaux ni de goûts, c'est un homme ordinaire, simple, clair, et c'est cela que j'aime, que j'ai toujours aimé.

Je n'ai pas honte d'être comme je suis, je ne peux être différente de celle que j'ai toujours été, jusqu'à dix-huit ans, je n'ai connu que l'appartement bien rangé de la bourgeoisie provinciale bien rangée, et l'étude, l'étude, la vie réelle se déroulait au-delà de sept murailles, lorsque, ensuite, je suis arrivée à Prague en quarante-neuf, ça a été le miracle, un bonheur si violent que jamais je ne l'oublierai, et c'est pour cela précisément que je suis toujours incapable d'effacer Pavel de mon âme, même si je ne l'aime plus, même s'il m'a fait du mal, je ne peux pas, Pavel, c'est ma jeunesse, Prague, la faculté, la Cité universitaire et surtout le célèbre Ensemble Fucik de chants et de danses, ensemble estudiantin, personne ne sait plus à présent ce que cela représentait pour nous, c'est là que j'ai connu Pavel, il était ténor et moi contralto, nous avons pris part à des centaines de concerts et de séances récréatives, chantant des chansons soviétiques, des chansons politiques de chez nous, et, bien sûr, des chansons populaires, celles-ci étaient nos préférées, je m'étais alors à ce point éprise des airs de Moravie que moi, native de Bohême, je me sentais morave, j'ai fait de ces chansons le leitmotiv de mon existence, pour moi elles se confondent avec cette époque, avec mes jeunes années, avec Pavel, je les entends chaque fois que le soleil pour moi va se lever, ces jours-ci je les entends.

Comment je me suis d'abord attachée à Pavel, je ne pourrais le dire aujourd'hui à personne, c'est comme de la mauvaise littérature, un jour anniversaire de la Libération il y avait un grand meeting sur la place de la Vieille-Ville, notre Ensemble était lui aussi de la fête, nous allions partout en groupe, petite cohorte parmi des dizaines de milliers de gens, sur la tribune nos hommes d'État et aussi des étrangers, beaucoup de discours et beaucoup d'ovations, puis Togliatti à son tour s'est approché du micro pour une brève allocution en italien et, comme toujours, la place a répondu en criant, en battant des mains, en scandant des mots d'ordre. Par hasard Pavel se trouvait près de moi dans cet immense tohu-bohu et je l'entendais crier tout seul quelque chose dans cette tempête, quelque chose de spécial, je regardais sa bouche et j'ai compris qu'il chantait, il criait plutôt qu'il ne chantait, il voulait que nous l'entendions et que nous nous joignions à lui, il entonnait un chant révolutionnaire italien qui figurait à notre répertoire et qui était très populaire à l'époque : *Avanti popolo, alla riscossa, bandiera rossa, bandiera rossa...*

C'était lui tout craché, il ne se contentait jamais de s'adresser à la raison, il voulait atteindre les sentiments, j'ai trouvé que c'était magnifique de saluer sur une place de Prague un dirigeant ouvrier italien en lui chantant une chanson révolutionnaire de son pays, j'ai souhaité que Togliatti soit ému comme je l'étais moi-même d'avance et donc, de tout mon souffle, je me suis associée à Pavel, d'autres et encore d'autres se sont associés à nous, finalement notre Ensemble au grand complet a crié cette chanson, mais la clameur de la place était terriblement puissante et nous n'étions qu'une poignée, nous étions cinquante et eux cinquante mille au moins, écrasante supériorité, lutte désespérée, pendant toute la première strophe, on a pensé qu'on allait succomber, que personne ne percevrait même ce qu'on chantait, quand le miracle a eu lieu, petit à petit des voix nous rejoignaient plus nombreuses, les gens commençaient à comprendre et, lentement, la chanson se dégageait du grand vacarme de l'esplanade comme un papillon d'une gigantesque et grondante chrysalide. Enfin ce papillon, ce chant, tout au moins ses quelques dernières mesures ont volé jusqu'à la tribune, et nous, avidement, nous fixions les traits de l'Italien grisonnant, comblés lorsqu'il nous a semblé que d'un mouvement de la main il réagissait à la chanson, et moi j'étais même certaine d'avoir vu des larmes dans ses yeux.

Et dans cet enthousiasme et cette émotion, je ne sais comment j'ai saisi Pavel par la main et Pavel m'a rendu mon étreinte et lorsque le calme est revenu sur la place et qu'un nouvel orateur s'est mis devant le micro, j'ai eu peur qu'il ne me lâche la main, mais il l'a gardée, nous avons continué à nous tenir jusqu'à la fin du meeting et nous ne nous sommes pas détachés l'un de l'autre même après la dispersion et, plusieurs heures durant, nous nous sommes promenés à travers Prague en fleurs.

Sept ans plus tard, la petite Zdena avait déjà cinq ans, je n'oublierai jamais cela, il m'a dit, *nous ne nous sommes pas mariés par amour, mais par discipline de parti,*

32

je sais bien qu'on était en train de se disputer, que c'était un mensonge, que Pavel m'avait épousée par amour et qu'il a changé seulement par la suite, mais c'est quand même affreux qu'il ait pu me dire cela, lui justement qui n'a jamais cessé de démontrer que l'amour d'aujourd'hui est autre, qu'il n'est pas une fuite loin des gens mais un réconfort dans le combat, c'est du reste ainsi que nous le vivions, à midi nous n'avions même pas le temps de déjeuner, nous avalions deux petits pains secs au secrétariat de l'Union de la Jeunesse, après nous restions parfois sans nous voir jusqu'au bout de la journée, d'ordinaire j'attendais Pavel aux environs de minuit lorsqu'il rentrait de ses interminables réunions qui duraient des six ou huit heures, à mes moments de liberté je lui recopiais les rapports qu'il présentait à toutes sortes de conférences et de stages de formation, ces textes avaient à ses yeux une extrême importance, je suis seule à savoir le prix qu'il attachait au succès de ses interventions politiques, cent fois il répétait dans ses allocutions que l'homme nouveau diffère de l'ancien par le fait qu'il a rayé de sa vie le divorce entre le privé et le public, et voilà qu'il me reproche, après des années, que les camarades n'aient pas, alors, respecté sa vie privée.

Nous nous fréquentions depuis près de deux ans et je commençais à ressentir une pointe d'impatience, rien d'étonnant, nulle femme n'entend se satisfaire d'une simple amourette d'étudiant, Pavel, lui, s'en contentait, accoutumé à ce confort sans obligation, tout homme est un peu égoïste et il appartient à la femme de se défendre et de préserver sa mission de femme, cela, malheureusement, Pavel le comprenait moins bien que nos camarades de l'Ensemble, qui l'ont convoqué devant le comité, j'ignore ce qu'on lui a dit là, jamais nous n'en avons parlé, il est probable en tout cas qu'ils n'ont pas pris de gants avec lui, car on était très strict en ce temps-là, soit, on allait trop loin, mais trop de morale vaut mieux que pas assez comme maintenant. Pendant pas mal de temps Pavel m'a évitée, je pensais avoir tout gâché, j'étais au désespoir, je voulais mettre fin à mes jours, mais ensuite il est venu me trouver, j'avais les genoux qui tremblaient, il m'a demandé pardon et m'a offert en cadeau une breloque avec l'image du Kremlin, son plus précieux souvenir, jamais je ne le détacherai, ce n'est pas seulement un souvenir de Pavel, mais davantage, de bonheur, j'ai fondu en larmes et, quinze jours après, c'était notre mariage, auquel l'Ensemble tout entier a assisté, et qui a duré vingt-quatre heures, on a chanté, on a dansé et je répétais à Pavel, si nous devions nous deux nous trahir, nous trahirions tous ceux qui célèbrent ces noces avec nous, nous trahirions et la manifestation de la place de la Vieille-Ville et Togliatti, j'ai envie de rire aujourd'hui quand je pense à tout ce que nous avons finalement trahi par la suite...

2

Je réfléchis à ce que je mettrai demain, par exemple mon pull rose et mon imper, c'est encore ce qui me va le mieux pour la taille, je ne suis plus très mince, mais quoi ! si j'ai des rides, pour compenser je possède d'autres charmes qu'une fille jeune n'a pas, charme de la femme qui a vécu, pour Jindra, j'ai certainement ce charme, le pauvre gosse, je vois encore son désappointement quand il a su que je prenais l'avion de bon matin et que lui ferait le voyage tout seul, il est ravi lorsqu'il peut être avec moi, devant moi il aime se faire valoir du haut de sa virilité de dix-neuf ans, avec moi il ferait certainement du cent trente pour que je l'admire, ce petit laideron, avec ça, comme technicien et comme chauffeur, tout à fait impeccable, les journalistes l'emmènent volontiers pour les petits reportages à l'extérieur et, après tout, quel mal s'il m'est agréable de savoir de quelqu'un qu'il a du plaisir à me voir, ces dernières années je ne suis plus tellement bien vue à la radio, il paraît que je suis une sale vache, fanatique, dogmatique, chien de garde du Parti et tout et tout, seulement, ce qu'il y a, moi je ne rougirai jamais de l'aimer, le Parti, de lui sacrifier tous mes loisirs. D'abord, qu'est-ce qu'il me reste dans la vie ? Pavel a d'autres femmes, je ne cherche plus à savoir lesquelles, la petite adore son père, mon travail, toujours la même chose depuis dix ans déjà, reportages, interviews, émissions sur l'accomplissement du plan, sur les étables modèles, sur les trayeuses, et mon foyer pareillement sans espoir, seul, le Parti ne s'est jamais rendu coupable à mon endroit et je l'ai toujours payé de la même monnaie, même aux heures où tous avaient envie de l'abandonner, en cinquante-six, avec ce déferlement des crimes de Staline, les gens étaient devenus fous alors, ils crachaient sur tout, ils prétendaient que notre presse mentait, les maisons de commerce nationalisées ne marchaient pas, la culture suffoquait, les coopératives rurales n'auraient pas dû voir le jour, l'Union soviétique était un pays sans liberté et le pire était qu'ainsi s'exprimaient des communistes mêmes, dans leurs réunions à eux, Pavel aussi parlait de cette façon, et tout le monde l'applaudissait, Pavel a toujours été applaudi, dès son enfance, fils unique, sa mère dort avec sa photo, enfant prodige mais homme simplement moyen, ne fume pas, ne boit pas, mais incapable de vivre sans vivats, c'est son alcool, sa nicotine, si bien qu'il jubilait de pouvoir empoigner le cœur des auditoires qu'il haranguait sur l'horreur des procès staliniens avec un élan tel qu'un peu plus les gens auraient éclaté en sanglots, je sentais comme il était heureux dans son indignation, et je le haïssais.

Le Parti, par bonheur, a su taper sur les doigts des hystériques, ils se sont tus, Pavel, comme les autres, a mis une sourdine, son poste de professeur de marxisme à l'Université était trop avantageux pour qu'il le mette en jeu, pourtant un quelque chose restait dans l'air, des germes d'apathie, de méfiance, d'incroyance, germes foisonnant en silence, secrètement, je me demandais que faire contre cela, sinon m'attacher au Parti plus étroitement encore qu'auparavant, comme si le Parti était une créature vivante, à qui je puisse me confier maintenant qu'en somme je n'ai plus rien à dire à personne, et pas seulement à Pavel, les autres, eux non plus, ne m'aiment guère, on s'en est bien aperçu quand il a fallu régler cette pénible affaire, un de nos rédacteurs, un homme marié, entretenait une liaison avec une technicienne, une jeune célibataire, irresponsable et cynique, l'épouse, dans son désespoir, vient demander l'aide de notre comité, nous étudions le cas pendant des heures, nous faisons venir à tour de rôle la femme, la technicienne et les témoins appartenant au service, nous nous efforçons de comprendre tous les aspects de l'affaire et de nous montrer équitables, le rédacteur reçoit un blâme du Parti, la technicienne est admonestée et tous les deux doivent, devant le comité, promettre de rompre. Hélas, les paroles ne sont que des paroles, ils les ont dites pour nous calmer, ils ont continué de se fréquenter, mais, a beau mentir qui vient de loin, nous n'avons pas été longs à découvrir la vérité et, alors, j'ai été pour la solution la plus sévère et j'ai proposé que le collègue soit exclu du Parti, pour avoir sciemment abusé et trompé le Parti, car enfin qu'est-ce qu'un communiste qui ment à son Parti, je déteste le mensonge, cependant ma proposition n'a pas été adoptée, le rédacteur s'en est tiré avec un nouveau blâme et la technicienne a dû quitter la radio.

Ils se sont bien vengés, ils m'ont fait passer pour un monstre, une bête fauve, toute une campagne, ils se sont mis à espionner ma vie privée, c'était mon talon d'Achille, une femme ne peut se passer de sentiment, ou alors ce n'est pas une femme, pourquoi le nier, je cherchais l'amour ailleurs puisque je n'en avais pas sous mon toit, je le cherchais du reste vainement, un beau jour on m'a attaquée là-dessus en réunion publique, j'étais une hypocrite, je clouais les gens au pilori sous prétexte qu'ils détruisaient les ménages, j'avais la prétention de les exclure, de les chasser, de les anéantir, alors que moi-même j'étais infidèle à mon mari autant que je le pouvais, ils s'exprimaient ainsi en séance, mais derrière mon dos ils me traînaient carrément dans la boue, pour la galerie j'étais une bonne sœur, et dans le privé une putain, comme s'ils n'avaient pas su comprendre que moi, justement parce que je savais ce que c'était qu'un mariage malheureux, j'étais, pour cette raison précise, exigeante envers les autres, non parce que je les détestais mais par amour, par amour de l'amour, par amour de leur foyer et de leurs enfants, parce que je voulais voler à leur secours, moi aussi j'ai enfant et foyer et je tremble pour eux !

Mais quoi, ils ont peut-être raison, je suis peut-être vraiment une mégère et il faut vraiment laisser aux gens leur liberté, personne n'a le droit de se mêler de leurs histoires personnelles, peut-être avons-nous véritablement mal conçu tout ce monde où nous sommes, et peut-être suis-je réellement un odieux flic qui met son nez dans des affaires qui ne le regardent en rien, seulement moi, je suis comme ça et j'agis toujours comme je le sens, il est maintenant trop tard pour changer, j'ai toujours pensé que la créature humaine était indivisible, seul le bourgeois dans son imposture se partage en un être public et un homme privé, tel est mon credo, je me suis toujours conduite d'après cela, cette fois-là comme les autres.

Que j'aie pu être méchante, j'en conviens sans qu'il faille pour cela m'appliquer la question, j'ai en horreur ces gamines-là, ces petites garces cruelles dans leur jeunesse, dépourvues du moindre brin de solidarité avec la femme un peu plus âgée, comme si un jour elles n'auront pas à leur tour trente ans et trente-cinq ans et quarante ans, et qu'on ne vienne pas me raconter qu'elle l'aimait, qu'est-ce que celle-là peut bien savoir de l'amour, elle couche avec le premier venu, sans complexe, sans pudeur, je suis offensée si quelqu'un ose me comparer à des garces pareilles pour l'unique motif que, mariée, j'ai eu plusieurs liaisons. La différence, c'est que moi j'ai toujours cherché l'amour et si je me trompais, si je ne le trouvais pas là où je le cherchais, je me détournais, avec la chair de poule, et m'en allais ailleurs, je savais pourtant combien il serait simple d'oublier bel et bien mon juvénile rêve d'amour, franchir la frontière pour me retrouver sur les terres de cette étrange liberté où n'existe ni honte, ni retenue, ni morale, dans le domaine de cette bizarre liberté ignoble où tout est permis, où il suffit d'entendre, au-dedans de soi, la pulsation du sexe, cette bête.

Et je sais également que si je passais cette frontière, je cesserais d'être moi, deviendrais quelqu'un d'autre, je ne sais pas qui, et cela, cette effroyable mutation m'épouvante, voilà pourquoi je cherche l'amour, avec l'acharnement du désespoir je cherche un amour où je pourrais vivre telle que j'ai toujours été, telle que je suis encore, avec mes anciens rêves et mes idéaux, car je ne veux pas que ma vie se casse par le milieu, je veux qu'elle demeure une de bout en bout, et c'est à cause de cela que j'ai été à ce point suffoquée quand je t'ai connu, Ludvik, Ludvik...

3

Cela avait été au fond franchement comique la première fois que j'étais entrée dans son bureau, il ne m'avait pas spécialement captivée, sans la moindre gêne j'avais dit quels renseignements j'attendais de lui, quelle idée je me faisais de ce reportage radiophonique, mais lorsque ensuite il m'a adressé la parole, je me suis aperçue soudain que je m'embrouillais, que je bafouillais, que je m'expliquais sottement et lui, devant mon trouble, a détourné sur-le-champ l'entretien sur moi, si j'étais mariée, si j'avais des enfants, où j'allais d'habitude en vacances, il dit aussi que je paraissais jeune et que j'étais jolie, il voulait me soulager de mon trac, c'était gentil de sa part, j'ai tant connu de ces vantards tout juste bons à jeter de la poudre aux yeux, même s'ils ne savent pas le dixième de ce qu'il savait, lui, Pavel n'aurait pas arrêté de parler de lui-même, mais le plus comique était qu'au bout d'une heure d'entretien je n'étais pas plus avancée qu'avant sur son institut, chez moi, je m'étais attelée à mon papier, ça ne marchait pas du tout, mais ça m'arrangeait plutôt, j'avais au moins un prétexte pour lui téléphoner, accepterait-il de lire ce que j'avais écrit. Nous nous sommes retrouvés dans un café, mon malheureux reportage faisait quatre pages, il l'a lu galamment et a souri, l'a déclaré excellent, dès le premier instant il m'avait laissé entendre que je l'intéressais en tant que femme et non comme journaliste, je ne savais pas si cela devait me réjouir ou me vexer, il se montrait en tout cas charmant, nous nous comprenions, il n'est pas de ces intellectuels en chambre qui m'assomment, il a derrière lui une riche existence, il a même travaillé dans les mines, je lui ai dit que j'aimais les gens de cette sorte, mais j'étais surtout restée abasourdie d'apprendre qu'il était de Moravie, qu'il avait joué dans un orchestre avec cymbalum, je ne pouvais en croire mes oreilles, j'entendais le leitmotiv de ma vie, je voyais du lointain venir à moi ma jeunesse et je me sentais lui succomber.

Il m'a demandé ce que je faisais toute la sainte journée, je lui ai raconté et il m'a dit, j'entends encore sa voix, mi-gouailleuse, mi-apitoyée, vous vivez mal, Helena, puis il a déclaré qu'il faudrait changer ça, que je devrais me décider à mener une vie différente, me consacrer un peu plus aux *joies de l'existence*. Je lui ai répliqué que je n'avais rien contre, que j'avais toujours été une fervente de la joie, que rien ne m'irritait davantage que toutes ces mélancolies et autres cafards dans le vent, et il m'a rétorqué que ma profession de foi ne voulait rien dire, que les sectateurs de la joie étaient, pour la plupart, les gens les plus tristes, oh ! comme vous avez raison ! avais-je envie de m'écrier, et puis il a annoncé net qu'il viendrait me prendre le lendemain à quatre heures devant la radio, que nous ferions ensemble une balade quelque part dans la nature, aux environs de Prague. J'essayais de protester, voyons, je suis mariée, je ne peux pas aller me promener comme ça dans la forêt en compagnie d'un homme, d'un étranger, Ludvik a répondu en plaisantant qu'il n'était pas un homme mais seulement un scientifique, et en

même temps il était devenu triste, très triste ! Je l'ai
remarqué et j'ai ressenti une bouffée de chaleur, plaisir
de constater qu'il me désirait, et qu'il me désirait
d'autant plus que je lui rappelais que j'étais mariée,
comme ça je devenais plus inaccessible, on désire
toujours, par-dessus tout, l'inaccessible, avec avidité,
je buvais cette tristesse de ses traits et à cet instant j'ai
compris qu'il était amoureux de moi.

Et le lendemain, d'un côté la Vltava, de l'autre la
pente abrupte de la forêt, c'était romantique, j'aime ce
qui est romantique, mon comportement devait être un
peu fou, peut-être déplacé de la part de la mère d'une
gamine de douze ans, je riais, gambadais, je lui ai pris
la main et l'ai obligé à courir avec moi, nous nous
sommes arrêtés, mon cœur cognait, nous étions face à
face, presque à nous toucher, Ludvik s'est incliné
légèrement et m'a donné un rapide baiser, je lui ai
échappé aussitôt pour m'emparer encore de sa main et
nous avons recommencé un peu à courir, au moindre
effort je souffre de palpitations, il suffit que je monte
un étage, j'ai donc vite ralenti le pas, ma respiration
s'est apaisée peu à peu et tout à coup je me suis rendu
compte que je fredonnais doucement les deux premières mesures d'un air morave, mon air favori, et
quand il m'a semblé qu'il me comprenait, j'ai continué
à pleine voix, je n'avais pas honte, je sentais tomber de
moi les années, les soucis, les chagrins, des milliers
d'écailles grises, et puis après, installés dans un petit
bistrot, nous avons mangé du pain et des saucisses,
tout était parfaitement ordinaire et simple, le garçon
grognon, la nappe tachée, l'aventure était quand même
merveilleuse, je dis à Ludvik, savez-vous seulement

que je m'en vais dans trois jours en Moravie faire un reportage sur la Chevauchée des Rois. Il m'a demandé où exactement et, après ma réponse, il a dit que c'était là qu'il était né, nouvelle coïncidence qui me laissa toute chose, et Ludvik dit : Je me rendrai libre pour aller avec vous là-bas.

J'ai eu peur, je me suis souvenue de Pavel, cette pauvre lueur d'espérance qu'il avait rallumée en moi, je ne suis pas cynique envers mon mariage, je suis prête à tout faire pour le sauver, ne serait-ce qu'à cause de la petite Zdena, mais pourquoi mentir, surtout à cause de moi, à cause de tout ce qu'il y a eu, à cause du souvenir de ma jeunesse, mais je n'ai pas trouvé la force de dire non à Ludvik, je n'ai pas eu ce courage, et voilà, les dés sont jetés à présent, la petite Zdena dort, moi j'ai peur et Ludvik à cette heure est déjà en Moravie et il m'attendra demain à ma descente du car.

TROISIÈME PARTIE

LUDVIK

1

Oui ; je suis allé flâner. J'ai fait halte sur le pont de
la Morava et regardé le courant. Qu'elle est vilaine,
cette Morava (rivière si brune qu'on croirait que son lit
contient de la glaise liquide plutôt que de l'eau) et
combien lugubre sa rive : une rue de cinq maisons
bourgeoises à un étage, séparées, chacune pour soi
plantée là, orpheline saugrenue ; peut-être devaient-
elles constituer l'embryon d'un quai dont l'ambition
prétentieuse ne se réalisa jamais ; deux d'entre elles
portent, en céramique et en stuc, des angelots et des
motifs qui sont déjà crevassés : l'ange n'a plus d'ailes et
les motifs, décapés par endroits jusqu'à la brique, sont
devenus inintelligibles. Là où la rue des maisons
orphelines se termine, il n'y a plus que les pylônes en
fer des lignes électriques, de l'herbe avec quelques oies
attardées, et puis des champs, des champs sans horizon
et qui s'en vont nulle part, des champs parmi lesquels
disparaît la glaise liquide de la Morava.

Les villes savent se servir l'une de l'autre comme
d'un miroir, et moi, dans ce panorama (je le connaissais bien, enfant, mais alors il ne me disait rien du tout)
je vis d'un seul coup Ostrava, cette ville de mineurs
semblable à un gigantesque dortoir provisoire, pleine
de bâtiments abandonnés et de rues malpropres débouchant sur le vide. J'étais pris au piège ; je me trouvais
sur ce pont comme un homme exposé au tir d'une
mitrailleuse. Je ne voulais pas contempler plus long-

temps la rue abandonnée et ses cinq maisons éperdues, parce que je me défendais de penser à Ostrava. Donc je fis demi-tour pour suivre la rive à rebrousse-courant.

Par là passait un petit chemin bordé d'un côté par une épaisse rangée de peupliers : une étroite allée-point de vue. Sur la droite, le talus couvert d'herbe et de plantes folles descendait jusqu'au niveau de l'eau ; plus loin, au-delà de la rivière, le regard découvrait des entrepôts, des ateliers et les cours de médiocres fabriques ; à gauche du sentier, c'était d'abord une interminable décharge d'ordures, suivie de vastes champs que piquaient les assemblages métalliques des pylônes portant les câbles à haute tension. Dominant tout cela, j'allais le long de l'allée étroite, comme si j'arpentais quelque longue passerelle au-dessus des eaux — et si je compare ce paysage entier à une immense étendue d'eau, c'est parce que j'en sentais le froid me pénétrer ; et que je longeais cette allée comme si je risquais d'en dégringoler. Je me rendais compte en même temps que l'étrange atmosphère du paysage n'était qu'un décalque de ce que je m'étais interdit d'évoquer après la rencontre de Lucie ; comme si mes souvenirs refoulés imprégnaient tout ce que j'apercevais en ce moment autour de moi, le désert des champs et des cours et des hangars, l'opacité de la rivière et cette froidure omniprésente qui conférait son unité à l'ensemble du décor. J'eus conscience que je n'esquiverais pas mes souvenirs ; ils m'assiégeaient.

2

Par quel itinéraire je suis arrivé au premier naufrage de ma vie (et, par son entremise peu aimable, à Lucie), il ne serait pas difficile de le rapporter sur un ton léger et même amusant : tout fut la faute de ma funeste propension aux blagues ineptes comme de la funeste inaptitude de Marketa à comprendre la blague. Marketa était de ces femmes qui prennent toute chose au sérieux (par là s'identifiant à merveille au génie même de l'époque) et auxquelles les fées ont dès le berceau accordé que la capacité de croire serait leur qualité majeure. Je ne veux pas insinuer par euphémisme qu'elle était peut-être simplette ; non : elle était passablement douée et sagace, et de surcroît si jeune (avec ses dix-neuf ans) et si jolie que sa naïve crédulité s'inscrivait plutôt au compte de ses charmes que de ses lacunes. Tous, à la faculté, l'aimions bien et avions plus ou moins tenté sa conquête, ce qui ne nous empêchait pas (quelques-uns du moins) de nous payer sa tête, doucement et en toute gentillesse.

Assurément, l'humour et Marketa, ça n'allait guère ensemble, et moins encore avec l'esprit du temps. C'était la première année après Février quarante-huit ; une vie nouvelle avait commencé, vie vraiment différente, dont la physionomie, telle qu'elle s'est fixée dans mes souvenirs, était d'un sérieux rigide, avec ceci d'étonnant que ce sérieux n'avait rien de sombre, mais au contraire les dehors du sourire ; oui, ces années-là se déclaraient les plus joyeuses de toutes, et quiconque n'exultait pas devenait aussitôt suspect de s'affliger de la victoire de la classe ouvrière ou bien (manquement non moins grave) de plonger en *individualiste* au fond de ses chagrins intimes.

Je n'avais pas, alors, beaucoup de chagrins intimes, au contraire, j'avais un considérable sens de la plaisanterie et pourtant on ne peut pas dire que j'ai pleinement réussi au regard joyeux de l'époque : mes blagues manquaient par trop de sérieux, tandis que la joie contemporaine ne souffrait pas les facéties ou l'ironie, étant, je le répète, une joie grave qui s'intitulait fièrement « l'optimisme historique de la classe victorieuse », une joie ascétique et solennelle, en un mot la Joie.

Je me rappelle qu'à la faculté nous étions alors organisés en « cercles d'études » qui se réunissaient fréquemment pour procéder à la critique et à l'autocritique publiques de tous leurs membres, à partir de quoi une note appréciative était établie sur le compte de chacun. Comme tous les communistes, j'exerçais de multiples fonctions (j'occupais un poste important à l'Union des Étudiants) et comme, par ailleurs, mes études ne marchaient pas mal, une telle note appréciative ne pouvait me causer de grands ennuis. Pourtant, les formules élogieuses qui sanctionnaient mon activité, ma diligence, mon attitude positive à l'égard de l'État, du travail et ma connaissance du marxisme, étaient généralement assorties d'une phrase relevant que ma personnalité attestait des « résidus d'individualisme ». Pareille réserve n'était pas nécessairement inquiétante, car le bon usage voulait que l'on insérât une observation critique dans les notes personnelles les plus brillantes, à celui-ci on reprochait un « faible intérêt pour la théorie révolutionnaire », à celui-là « de la froideur envers autrui », à un autre son manque de « vigilance et de circonspection », à tel autre enfin un « mauvais comportement à l'égard des femmes » ; bien entendu, dès l'instant qu'une restriction de ce genre n'était plus isolée, qu'une autre venait la corser, ou bien s'il advenait qu'on se vît mêlé à quelque conflit ou encore que l'on fût une cible de suspicion ou de dénigrement, les « résidus d'individualisme » ou le « mauvais comportement à l'égard des femmes » pouvaient devenir germe de catastrophe. Et, comme une étrange fatalité, un tel germe veillait sur la fiche de renseignements de chacun, oui, de chacun d'entre nous.

Parfois (sportivement plus que par appréhension véritable) je m'élevais contre les accusations d'individualisme et j'exigeais des preuves de mes camarades d'études. De particulièrement concrètes, ils n'en avaient pas ; ils disaient : « Parce que tu te conduis comme ça. — Je me conduis comment ? demandais-je. — Tu as tout le temps un drôle de sourire. — Et alors ? J'exprime ma joie ! — Non, tu souris comme si tu pensais quelque chose que tu gardes pour toi. »

Quand les camarades jugèrent que mon comportement et mes sourires sentaient l'intellectuel (autre péjoratif célèbre de ce temps), j'en arrivai finalement à les croire, incapable que j'étais d'imaginer (c'était au-dessus de mon audace) que tous les autres fussent dans l'erreur, que la Révolution elle-même, l'esprit du temps, pût se tromper, tandis que moi, individu, j'aie pu avoir raison. Je me mis à surveiller quelque peu mes sourires, et ne tardai pas à déceler au-dedans de moi une mince fissure qui s'ouvrait entre celui que j'étais et celui que (selon l'esprit du temps) je devais et voulais être.

Mais qui donc étais-je alors en vérité ? A cette question je veux répondre en toute honnêteté : J'étais celui qui avait plusieurs visages.

Et leur nombre allait croissant. Un mois à peu près avant les vacances, je commençais à me rapprocher de Marketa (elle était en première et moi en deuxième année) et je faisais de mon mieux pour lui en imposer, de la même façon bête que les hommes de vingt ans de tous les temps : je m'affublais d'un masque ; je feignais d'être plus vieux (mentalement et par mes expériences) ; je feignais de garder mes distances par rapport à toutes choses, de considérer le monde de haut et de porter par-dessus ma peau un second épiderme, invisible et à l'épreuve des balles. Je me doutais (du reste à juste titre) que la plaisanterie exprime clairement la distance et, si j'ai toujours aimé plaisanter, avec Marketa je le faisais d'une façon particulièrement zélée, artificielle et affectée.

Mais qui étais-je réellement ? Force m'est de le redire : J'étais celui qui avait plusieurs visages.

Pendant les réunions, j'étais sérieux, enthousiaste et convaincu ; désinvolte et taquin en compagnie des copains ; laborieusement cynique et sophistiqué avec Marketa ; et quand j'étais seul (quand je pensais à Marketa), j'étais humble et troublé comme un collégien.

Ce dernier visage était-il le vrai ?

Non. Tous étaient vrais : je n'avais pas, à l'instar des hypocrites, un visage authentique et d'autres faux. J'avais plusieurs visages parce que j'étais jeune et que je ne savais pas moi-même qui j'étais et qui je voulais être. (N'empêche que la disproportion existant entre tous ces visages me donnait le trac ; à aucun d'eux je ne collais tout à fait et derrière eux j'évoluais pataud, à l'aveuglette.)

La machinerie psychique et physiologique de l'amour est si compliquée qu'à une certaine période de la vie le jeune homme doit se concentrer presque exclusivement sur sa seule maîtrise, si bien que lui échappe l'objet même de l'amour : la femme qu'il aime (de même qu'un jeune violoniste ne peut s'attacher à la teneur d'un morceau tant qu'il n'a pas réussi à dominer la technique manuelle au point de n'y plus penser pendant qu'il joue). J'ai parlé de mon émoi de collégien lorsque je songeais à Marketa et je dois ajouter qu'il ne découlait pas tant de mon état d'amoureux que de ma gaucherie et du manque d'assurance dont j'éprouvais le poids qui, infiniment plus que Marketa, régentait mes sensations et mes pensées.

Pour faire pièce à cet embarras et à cette maladresse, je prenais avec Marketa des airs supérieurs : je m'évertuais à la contredire ou, carrément, à me moquer de toutes ses opinions, ce qui n'était pas bien difficile, car malgré son talent (et sa beauté qui — comme chaque beauté — suggérait à son entourage une inaccessibilité apparente), c'était une fille innocemment candide ; toujours incapable de regarder *au-delà* d'une chose, elle ne voyait que cette chose elle-même ; elle entendait souverainement la botanique, mais il n'était pas rare qu'elle ne comprît pas une histoire drôle de ses camarades d'études ; elle cédait à toutes les ardeurs enthousiastes de l'époque, mais, témoin de telle ou telle pratique politique ressortissant à la maxime « la fin justifie les moyens », son intellect, comme devant une histoire drôle, à l'instant s'enrayait ; pour cela, d'ailleurs, les camarades estimèrent qu'elle avait besoin de fortifier son ardeur par la connaissance de la stratégie et de la tactique du mouvement révolutionnaire, et ils décidèrent qu'elle devrait, au cours des vacances, participer à un stage de formation du Parti, pendant quinze jours.

Cette décision ne m'arrangeait pas du tout, parce que ces deux semaines, justement, j'avais projeté de les passer seul à Prague avec Marketa pour amener notre relation (laquelle avait consisté jusque-là en promenades, entretiens et quelques baisers) un peu plus loin ; hormis ces quinze jours-là, je n'avais pas le choix (devant consacrer un mois à une brigade agricole et les deux dernières semaines de vacances à ma mère, en Moravie), aussi étais-je meurtri de jalousie du fait que Marketa ne partageait pas mon affliction, ne s'irritait nullement du stage, pis, avait le front de me dire qu'elle s'en réjouissait d'avance !

Du stage (organisé dans un vague château du centre de la Bohême), elle m'envoya une lettre à son image : débordant d'un consentement sincère à tout ce qu'elle vivait ; tout l'enchantait, y compris le quart d'heure de gymnastique matinale, les rapports, les séances de discussion, les chansons ; elle m'écrivait qu'un « esprit sain » régnait là-bas ; et par zèle, elle ajouta encore qu'en Occident la révolution n'allait pas traîner.

Tout bien considéré, j'étais, au fond, d'accord avec chacune des assertions de Marketa, comme elle je croyais même à la révolution en Europe de l'Ouest ; il n'y avait qu'une chose que je n'approuvais pas : qu'elle se sentît contente et heureuse tandis que j'étais en mal d'elle. Alors, j'achetai une carte postale et (pour la blesser, la choquer, la dérouter) j'écrivis : L'optimisme est l'opium du genre humain ! L'esprit sain pue la connerie. Vive Trotski ! Ludvik.

3

A ma carte provocatrice, Marketa répondit par une carte d'un libellé aussi bref que plat et ne réagit point aux lettres que je lui envoyai dans le courant des vacances. Quelque part dans les montagnes, je faisais les foins avec une brigade d'étudiants, et le mutisme de Marketa m'accablait d'une lourde tristesse. De là, je lui écrivais des lettres quasi quotidiennes, chargées d'une passion implorante et mélancolique ; je la suppliais de faire en sorte que nous puissions nous voir au moins pendant les quinze derniers jours des vacances, j'étais prêt à ne pas aller chez moi en Moravie, à renoncer à aller voir ma mère délaissée, prêt à me rendre n'importe où pour être avec Marketa ; tout cela non seulement parce que je l'aimais, mais essentiellement parce qu'elle était l'unique femme à mon horizon et que ma situation de garçon sans fille était pour moi intolérable. Mais Marketa ne répondait pas à mes lettres.

Je ne comprenais pas ce qui se passait. Je me rendis à Prague en août et réussis à la trouver chez elle. Nous fîmes ensemble notre promenade coutumière au bord de la Vltava et dans l'île qui s'appelle la Prairie impériale (ce morne pré jalonné de peupliers et de terrains de jeu déserts) et Marketa affirma que rien n'était changé entre nous ; de fait elle se comportait comme avant, seulement, justement, cette permanence pétrifiée (baiser pétrifié, conversation pétrifiée, sourire pétrifié) était déprimante. Lorsque je demandai à Marketa de la rencontrer le lendemain, elle me dit de lui téléphoner, qu'on se mettrait d'accord après.

Je donnai le coup de fil ; à l'appareil, une voix féminine, pas la sienne, m'annonça que Marketa avait quitté Prague.

J'étais malheureux comme seul peut être malheureux un garçon de vingt ans quand il n'a pas de femme ; garçon encore passablement timide, qui n'avait connu l'amour physique que peu de fois, au vol et imparfaitement, et qui, cependant, n'arrêtait pas de s'en tourmenter l'esprit. Les jours insupportablement traînaient leur longueur et leur vanité ; je ne pouvais pas lire, je ne pouvais pas travailler, trois fois par jour j'allais au cinéma, coup sur coup à toutes les séances, en matinée, en soirée, uniquement afin de tuer le temps, pour assourdir le hululement continu de chat-huant qu'émettait mon être profond. Moi, de qui Marketa avait (grâce à ma superbe soigneusement cultivée) l'impression que j'étais, à peu de chose près, blasé à force de femmes, je n'osais pas adresser un mot aux jeunes filles dans la rue, à ces jeunes filles dont les jambes splendides me faisaient mal à l'âme.

C'est donc de bon cœur que je saluai le mois de septembre quand, enfin, il arriva et, avec lui, la rentrée, de deux ou trois jours précédée par la reprise de mes tâches à l'Union des Étudiants où j'avais un bureau pour moi seul et toute une série d'obligations variées. Dès le lendemain, un coup de fil m'appelait au secrétariat du Parti. A partir de cet instant, tout, jusqu'aux plus petits détails, s'est gravé dans ma mémoire : La journée était baignée de soleil, je sortis de l'immeuble de l'Union des Étudiants et sentis que la tristesse qui m'avait embrumé tout au long des vacances lentement s'éloignait de moi. J'éprouvais une agréable curiosité en me rendant au secrétariat. Je sonnai à la porte que vint m'ouvrir le président du comité, un grand jeune homme au visage étroit, aux cheveux clairs, aux yeux d'un bleu polaire. Je dis « Honneur au travail » comme les communistes se saluaient à l'époque. Il ne répondit pas à mon salut et dit : « Va au fond, on t'attend là-bas. » Au fond, dans la dernière pièce du secrétariat, m'attendaient trois membres du comité des étudiants du Parti. Ils me dirent de m'asseoir. Je m'assis et compris que ça ne tournait pas rond. Les trois camarades, que je connaissais bien et avec qui j'avais coutume de bavarder gaiement, affichaient des mines inabordables ; certes, ils me tutoyaient (suivant la règle entre camarades), sauf que soudain ce n'était plus un tutoiement *amical*, mais officiel et *menaçant*. (J'avoue ressentir, depuis, une aversion pour le tutoiement ; à l'origine, il doit traduire une intimité confiante, mais si les gens qui se tutoient ne sont pas intimes, il prend subitement une signification opposée, il est l'expression de la grossièreté, de sorte que le monde où le tutoiement est d'usage commun n'est pas un monde d'amitié générale, mais un monde d'omniprésent irrespect.)

J'étais donc assis devant trois étudiants tutoyants qui me posèrent une première question : si je connaissais Marketa. Je dis que je la connaissais. Ils me demandèrent si j'avais échangé de la correspondance avec elle. Je répondis que oui. Ils me demandèrent si je ne me rappelais pas ce que je lui avais écrit. Je dis que je ne m'en souvenais plus, seulement la carte postale au texte provocant surgit tout à coup devant mes yeux et je commençai à flairer le vent. Tu ne peux pas te rappeler ? me demandaient-ils. Non, disais-je. Et Marketa, qu'est-ce qu'elle t'écrivait ? Je haussai les épaules, afin d'éveiller l'impression que ses lettres traitaient de choses intimes dont il m'était impossible de faire état ici. Au sujet du stage, elle ne t'a rien écrit ? me demandèrent-ils. Si, dis-je, en effet. Et quoi donc ? Qu'elle se plaisait là-bas, répondis-je. Et puis quoi encore ? Que les exposés étaient intéressants et que le collectif était bon, dis-je. Elle t'a écrit qu'un esprit sain animait le stage ? Oui, dis-je, elle a dû m'écrire quelque chose comme ça. Elle t'a écrit qu'elle apprenait à connaître la force de l'optimisme ? demandèrent-ils ensuite. Oui, dis-je. Et toi, l'optimisme, qu'est-ce que tu en penses ? demandèrent-ils. L'optimisme ? Qu'est-ce que je dois en penser ? demandai-je. Personnellement, tu te considères comme un optimiste ? me demandèrent-ils. Sans doute, dis-je timidement. Je blague volontiers, je suis quelqu'un de plutôt gai, notai-je pour essayer d'imprimer un tour plus léger à l'interrogatoire. Même un nihiliste peut être gai, observa l'un d'eux, il peut se gausser des gens qui souffrent. Et de poursuivre : Un cynique aussi peut être gai ! Tu crois qu'il est possible de construire le socialisme sans optimisme ? demanda un autre. Non, dis-je. Alors toi, par conséquent, tu n'es pas partisan de l'édification du socialisme chez nous, déclara le troisième. Comment ça ? protestai-je. Parce que, pour toi, l'optimisme est l'opium du genre humain ! éclatèrent-ils. Quoi, l'opium du genre humain ? protestai-je encore. Pas d'échappatoire, tu as écrit ça ! Marx a qualifié la religion d'opium de l'humanité, mais à tes yeux l'opium, c'est notre optimisme ! Tu l'as écrit à Marketa. Je serais curieux de savoir ce qu'en diraient nos ouvriers et nos travailleurs de choc qui dépassent les plans, s'ils apprenaient que leur optimisme, c'est de l'opium, enchaîna aussitôt l'autre. Et le troisième ajouta : Pour un trotskiste, l'optimisme édificateur n'est jamais rien de plus que de l'opium. Et toi, tu es un trotskiste ! Grands dieux, où avez-vous pris ça ? protestai-je. Tu l'as bien écrit, oui ou non ? Il se peut que j'aie écrit une chose pareille, à la rigolade, ça fait tout de même déjà deux mois, je ne m'en souviens plus. Nous pouvons te rafraîchir la mémoire, dirent-ils, et ils me donnèrent lecture de ma carte postale : L'optimisme est l'opium du genre humain ! L'esprit sain pue la connerie ! Vive Trotski ! Ludvik. Dans le minuscule local du secrétariat politique, ces phrases prenaient une résonance si formidable qu'elles m'effrayèrent sur le moment, je sentis qu'elles recelaient une puissance dévastatrice à laquelle je ne résisterais pas. Camarades, c'était seulement pour faire une farce, dis-je, et je sentis que personne ne pourrait me croire. Vous trouvez ça drôle, vous ? dit l'un des camarades à l'adresse des deux autres. Ceux-ci hochèrent la tête. Il faudrait que vous connaissiez Marketa ! dis-je. Mais nous la connaissons, me répliquèrent-ils. Eh bien, vous voyez, dis-je. Marketa prend tout au sérieux, nous l'avons toujours un peu fait marcher histoire de la mettre dans l'embarras. Intéressant, dit l'un des camarades, d'après tes lettres suivantes il ne nous semble pas que tu n'aies pas pris Marketa au sérieux. Quoi, vous avez lu toutes mes lettres à Marketa ? Ainsi donc, sous prétexte que Marketa prend toute chose au sérieux, s'interposa un autre, toi, tu l'emmènes en bateau. Mais dis-nous un peu, qu'est-ce qu'elle prend au sérieux ? Le Parti, par exemple, l'optimisme, la discipline, pas vrai ? Et tout cela, qu'elle prend au sérieux, elle, tu ne fais qu'en rire. Camarades, comprenez-moi, dis-je, je ne me rappelle même pas comment j'ai écrit cela, ça s'est fait très vite, deux lignes comme ça, pour blaguer, je n'ai même pas pensé à ce que je griffonnais, si j'avais eu une idée mauvaise, je n'aurais tout de même pas expédié ça à un stage du Parti ! Comment tu as écrit cela, c'est sans importance. Que tu l'aies écrit vite ou lentement, sur ton genou ou bien sur une table, tu n'as pu écrire que ce qu'il y avait en toi. Rien d'autre. Il se peut que si tu avais réfléchi davantage, tu n'aurais pas écrit cela. De cette façon, tu l'as écrit sans masque. Comme ça, au moins, nous savons qui tu es. Nous savons que tu as plusieurs visages, un pour le Parti et un second pour les autres. J'eus le sentiment que mes dénégations étaient désormais dépouillées de toute efficacité. J'exposai les mêmes encore plusieurs fois : qu'il s'agissait d'une plaisanterie, que ce n'étaient que des mots sans signification derrière lesquels se cachait simplement mon état d'âme et ainsi de suite. Ils ne voulurent rien entendre. Ils dirent que j'avais écrit sur une carte ouverte, que n'importe qui avait pu la lire, que ces mots avaient une portée *objective* et qu'ils n'étaient assortis d'aucune explication touchant mon état d'âme. Après quoi, ils me demandèrent tout ce que j'avais lu de Trotski. Rien, leur dis-je. Ils me demandèrent qui m'avait prêté ces bouquins. Personne, leur dis-je. Ils me demandèrent quels trotskistes je rencontrais. Aucun, leur dis-je. Ils m'annoncèrent qu'ils me relevaient séance tenante de mes fonctions à l'Union des Étudiants et me prièrent de leur remettre la clé du bureau. Je l'avais dans ma poche et la leur donnai. Ils dirent ensuite que, sur le plan du Parti, mon organisation de base à la faculté des Sciences réglerait mon cas. Ils se levèrent sans me regarder. Je dis « Honneur au travail » et partis.

Il me revint un peu plus tard que j'avais pas mal d'affaires à moi dans ma pièce de l'Union des Étudiants. Je n'ai jamais été quelqu'un de très ordonné, aussi avais-je des chaussettes dans un tiroir de mon bureau, outre divers papiers personnels, et, dans une armoire pleine de dossiers, une brioche entamée que maman m'avait envoyée de chez nous. L'instant d'avant, j'avais, il est vrai, rendu la clé au secrétariat du Parti, mais il y avait une autre clé chez le concierge au rez-de-chaussée, accrochée, parmi beaucoup d'autres, à un panneau de bois ; je la pris ; je me souviens de tout dans les détails : la clé était attachée par une forte cordelette de chanvre à une minuscule plaquette en bois portant, peint en blanc, le numéro de ma porte. J'entrai donc au moyen de cette clé et m'assis à ma table de travail ; j'ouvris le tiroir et entrepris d'en extraire tout ce qui m'appartenait ; sans hâte et distraitement, car en ce court moment de calme relatif j'essayais de réfléchir à ce qui venait au juste de m'arriver et à ce que je devais faire.

Cela ne dura guère et la porte s'ouvrit. Les trois

camarades du secrétariat étaient de nouveau là. Cette fois, leur visage n'était plus froid ni fermé. Maintenant, ils parlaient d'une voix courroucée et forte. Surtout le plus petit, responsable des cadres du comité. Il me demanda rudement comment j'avais fait pour entrer. De quel droit. Si je ne voulais pas qu'il me fasse emmener par un agent de la Sécurité. Ce que j'avais à fouiner dans ce bureau. Je dis que j'étais seulement venu prendre ma brioche et mes chaussettes. Il me dit que je n'avais pas le moindre droit de pénétrer ici, eussé-je même une pleine armoire de chaussettes. Puis il alla au tiroir et il éplucha un à un papiers et cahiers. Il n'y avait là vraiment que mes affaires personnelles, si bien qu'il finit par m'autoriser à les mettre, sous ses yeux, dans une mallette. J'y fourrai les chaussettes, froissées et sales, j'y mis la brioche qui était dans l'armoire sur un papier gras parsemé de miettes. Ils surveillaient chacun de mes mouvements. Je quittai la pièce, la mallette à la main, et le préposé aux cadres me dit en guise d'adieu de ne plus jamais reparaître ici.

A peine hors de portée des camarades du district et de l'invincible logique de leur interrogatoire il m'apparut que j'étais innocent, qu'il n'y avait quand même rien de terrible dans mes formules et que je devais trouver quelqu'un qui connaissait Marketa et qui comprendrait le grotesque de toute cette histoire. J'allai voir un étudiant de notre faculté, un communiste ; après que je lui eus tout raconté, il déclara qu'au secrétariat ils étaient par trop cagots, n'entendaient rien à la blague, mais que lui-même, qui connaissait Marketa, imaginait parfaitement de quoi il s'agissait.

Au demeurant, je devais, d'après lui, aller trouver Zemanek, lequel serait cette année président du Parti à notre faculté et connaissait bien, après tout, et Marketa et moi.

4

Que Zemanek fût le prochain président de l'organisation, cela me parut une excellente nouvelle, car je le connaissais réellement et j'étais même certain de jouir de toute sa sympathie, ne fût-ce qu'en raison de mes origines moraves. Zemanek, en effet, adorait chanter les airs de Moravie ; en ce temps, c'était la grande mode de chanter des chansons populaires et de les chanter d'une voix un brin rustique, le bras au-dessus de la tête, avec des mines de véritable *homme du peuple* que sa mère a mis au monde sous un cymbalum pendant quelque partie de danse.

En fait, j'étais le seul véritable Morave de la faculté des Sciences, ce qui me valait des sortes de privilèges ; à chaque occasion solennelle, certaines réunions, fêtes ou Premier Mai, les camarades m'invitaient à dégainer une clarinette pour imiter, avec le concours de deux ou trois amateurs recrutés parmi les copains d'études, une authentique musique morave. Ainsi (avec une clarinette, un violon et une contrebasse) deux années de rang nous participâmes au défilé du Premier Mai, et Zemanek, parce qu'il était un beau gosse qui se donnait volontiers en spectacle, s'était joint à nous ; vêtu d'un costume régional emprunté, il dansait en marchant, levait le bras en l'air, et chantait. Ce Praguois de naissance qui n'avait jamais été en Moravie jouait avec fougue au coq de village de chez nous et je le regardais avec amitié, heureux que la musique de ma

65

petite patrie, de temps immémorial paradis de l'art populaire, fût tellement aimée.

Et puis Zemanek connaissait Marketa, ce qui était un second avantage. Différentes circonstances de notre vie d'étudiants nous avaient souvent réunis tous les trois : un jour (nous étions toute une bande), j'inventai que des tribus naines vivaient dans les montagnes tchèques, citant à l'appui des extraits d'un ouvrage scientifique consacré à ce remarquable problème. Marketa s'étonna de n'avoir jamais entendu parler de cela. Je dis qu'il n'y avait là rien de surprenant : la science bourgeoise taisait, bien sûr, volontairement l'existence de ces nains parce que les capitalistes en faisaient la traite comme d'esclaves.

Mais il faudrait écrire là-dessus ! se récriait Marketa. Pourquoi ne le fait-on pas ? Ça fournirait pourtant un argument contre les capitalistes !

Peut-être s'en abstient-on, dis-je d'un air pensif, à cause du caractère quelque peu délicat et scabreux de toute cette question : les nains étaient capables de performances amoureuses tout à fait exceptionnelles, ce pour quoi ils étaient fort recherchés, et notre République les exportait secrètement contre grasses devises, notamment en direction de la France où des dames capitalistes un peu mûres les engageaient comme domestiques, évidemment pour abuser d'eux, en fait, d'une tout autre manière.

Les copains cachaient leur envie de rire provoquée non pas tant par la particulière astuce de mon élucubration que, plutôt, par la mine attentive de Marketa, toujours prête à s'enflammer pour quelque chose (ou contre) ; ils se mordaient les lèvres, de peur de gâter le plaisir que Marketa prenait à s'instruire et certains (dont surtout Zemanek, précisément) faisaient chorus afin de corroborer à qui mieux mieux mon information sur les nains.

Comme Marketa voulait savoir à quoi ceux-ci ressemblaient au juste, je me rappelle que Zemanek lui affirma, sérieusement, que le professeur Cechura, qu'avec tous ses camarades d'études elle avait l'honneur de voir régulièrement à sa chaire universitaire, était d'ascendance naine, sinon par son père et sa mère, au moins par l'un des deux. Hule, le maître de conférences, avait, paraît-il, rapporté à Zemanek qu'à je ne sais quelles vacances il était descendu au même hôtel que les époux Cechura, qui, superposés, ne mesuraient pas trois mètres de haut. Ne se doutant pas que les époux dormaient encore, il avait un matin franchi le seuil de leur chambre et était resté pantois : ils étaient couchés dans le même lit, non côte à côte mais tête-bêche, Cechura recroquevillé au pied et sa femme à la tête.

Oui, confirmai-je : dans ce cas-là, naturellement, non seulement Cechura mais aussi sa compagne sont, sans aucun doute possible, de par leur origine, des nains des montagnes tchèques, vu que dormir dans le prolongement l'un de l'autre est une coutume atavique de tous les nains de cette région, lesquels, d'ailleurs, dans le passé, ne bâtissaient jamais leurs huttes suivant un plan circulaire ou carré, mais toujours en rectangle étiré en longueur, parce que ce n'étaient pas seulement les couples, mais les lignées entières qui avaient l'habitude de coucher à la queue leu leu.

Évoquant en ce jour noir nos fariboles d'alors, j'eus

l'impression qu'il en luisait une faible étincelle d'espoir. Zemanek à qui allait échoir le soin de trancher mon cas connaît mon style farceur ; connaissant aussi bien Marketa, il comprendra que la carte que je lui avais adressée n'était qu'une simple gaminerie visant à taquiner une jeune fille que tous nous admirions et (sans doute pour cela même) aimions mettre en boîte. Aussi, à la première occasion, je le mis au courant de mon malheur ; Zemanek écouta avec attention, plissa le front et dit qu'il verrait.

Pendant ce temps, je vivais au jour le jour ; je suivais les cours comme auparavant et j'attendais. J'étais fréquemment appelé devant diverses commissions du Parti qui s'efforçaient plus spécialement d'établir si je n'étais pas affilié à quelque groupe trotskiste ; de mon côté, je démontrais de mon mieux qu'au total je ne savais pas trop ce que c'était, le trotskisme ; je m'accrochais à chaque regard des camarades enquêteurs, avide d'y découvrir un peu de confiance ; ayant eu parfois cette chance, j'étais capable d'emporter ensuite un tel regard, de le garder longtemps en moi et d'en faire patiemment jaillir une parcelle d'espérance.

Marketa continuait de m'éviter. Comprenant que son attitude était en relation avec l'affaire déclenchée par ma carte postale, je me refusais, par amour-propre et par dépit, à lui poser la moindre question. Un jour cependant, elle-même m'arrêta dans un couloir de la faculté : « Je voudrais te parler de quelque chose. »

C'est ainsi qu'après plusieurs mois nous sortîmes de nouveau ensemble ; l'automne était venu, nous étions l'un et l'autre engoncés dans un imperméable trop long, comme on en portait à cette époque (époque radicalement inélégante) ; il bruinait légèrement, les arbres du quai étaient dénudés et noirs. Marketa me raconta comment tout était arrivé : alors qu'elle se trouvait au stage de vacances, les camarades de la direction l'avaient subitement convoquée pour lui demander si elle recevait du courrier ; elle acquiesça. Ils demandèrent d'où venait cette correspondance. Elle dit que sa maman lui écrivait. Et personne d'autre ? Par-ci par-là, un copain d'études, dit-elle. Peux-tu nous dire lequel ? s'enquirent-ils. Elle indiqua mon nom. Et qu'est-ce qu'il t'écrit, le camarade Jahn ? Elle fit un mouvement d'épaules, car, en fait, elle ne tenait pas à citer les termes de ma carte. Tu lui as écrit aussi ? demandèrent-ils. Effectivement, dit-elle. A quel sujet ? insistèrent-ils. Comme ça, dit-elle, sur le stage et ainsi de suite. Tu te plais au stage ? lui demandèrent-ils. Oui, beaucoup, répondit-elle. Et tu le lui as écrit ? Oui, bien sûr, répondit-elle. Et lui, qu'est-ce qu'il en a dit ? Lui ? répliqua Marketa évasivement, vous savez, il est bizarre, si vous le connaissiez... C'est que nous le connaissons, dirent-ils, et nous voudrions savoir ce qu'il t'a écrit. Peux-tu nous montrer sa carte postale ?

« Il ne faut pas que tu m'en veuilles, ajouta Marketa, j'ai été obligée de la leur faire voir.

— Ne t'excuse pas, dis-je à Marketa, de toute façon, ils la connaissaient avant de t'en parler ; autrement, ils ne t'auraient pas appelée.

— Je ne songe nullement à m'excuser, je n'ai pas honte de la leur avoir donnée à lire, il ne faudrait pas que tu comprennes de travers. Tu es membre du Parti et le Parti a le droit de savoir qui tu es et comment tu penses », dit Marketa, se regimbant ; après quoi elle me dit qu'elle avait été catastrophée de ce que je lui avais écrit, car enfin nous savons tous que Trotski est le pire ennemi de tout ce pour quoi nous combattons et vivons.

Que pouvais-je bien expliquer à Marketa ? Je la priai de continuer et de dire ce qui avait suivi.

Marketa dit qu'ils lurent le texte de la carte et manifestèrent leur stupéfaction. Ils lui demandèrent ce qu'elle en pensait. Elle dit que c'était abominable. Ils lui demandèrent pourquoi elle n'était pas venue spontanément la leur montrer. Elle haussa les épaules. Ils lui demandèrent si elle ignorait les règles de la vigilance. Elle baissa la tête. Ils lui demandèrent si elle ne savait pas que le Parti avait beaucoup d'ennemis. Elle leur dit qu'elle le savait, mais qu'elle ne croyait pas que le camarade Jahn pût... Ils lui demandèrent si elle me connaissait bien. Ils lui demandèrent quel homme j'étais. Elle dit que j'étais bizarre. Que, sans doute, elle me regardait comme un communiste solide, mais qu'il m'arrivait pourtant quelquefois de tenir des propos parfaitement inadmissibles de la part d'un communiste. Ils lui demandèrent quels propos par exemple. Elle dit qu'elle ne se rappelait pas exactement quoi, seulement que je ne respectais rien. Ils dirent que cette carte postale l'attestait clairement. Elle leur dit qu'elle se disputait souvent avec moi au sujet de bien des choses. Et elle leur dit encore que je m'exprimais différemment lors des réunions et avec elle. En réunion j'étais tout enthousiasme, alors qu'en sa compagnie je ne faisais que plaisanter à tout propos et tout ridiculiser. Ils lui demandèrent si elle estimait qu'un tel personnage pouvait être membre du Parti. Elle répondit par un haussement d'épaules. Ils lui demandèrent si le Parti parviendrait à construire le socialisme si ses membres professaient que l'optimisme était l'opium du genre humain. Elle dit qu'un tel parti ne saurait édifier le socialisme. Ils lui dirent que cela suffisait. Et qu'elle ne devait rien me dire pour le moment, parce qu'ils voulaient surveiller la suite de mes écrits. Elle leur dit qu'elle ne voulait plus jamais me voir. Ils ne furent pas d'accord. Ils lui conseillèrent au contraire de continuer à m'écrire, au moins provisoirement, afin de faire apparaître ce qu'il y avait encore en moi.

« Et après cela tu leur as communiqué mes lettres ? demandai-je à Marketa, en rougissant au fond de l'âme au souvenir de mes effusions sentimentales.

— Qu'est-ce que je pouvais faire ? dit Marketa. Mais quant à moi, après tout cela, je n'étais vraiment plus en état de t'écrire. Je ne vais tout de même pas correspondre avec quelqu'un pour l'unique plaisir de servir d'appeau ! Je t'ai donc encore envoyé une carte postale, et puis fini. Je ne tenais pas à te rencontrer parce qu'on m'avait interdit de rien te révéler, je craignais en outre que tu ne me poses des questions, ce qui m'aurait forcée de te mentir, et je mens toujours à contrecœur. »

Je demandai à Marketa ce qui, dans ces conditions, l'avait amenée à me revoir aujourd'hui.

Elle me dit que c'était le fait du camarade Zemanek. Il l'avait rencontrée au lendemain de la rentrée dans un couloir de la faculté et l'avait introduite dans le petit bureau où l'organisation du Parti à la faculté des Sciences avait son secrétariat. Il lui dit qu'il avait reçu un rapport l'informant que je lui avais adressé au stage une carte postale rédigée en termes hostiles au Parti. Il lui demanda quelles étaient les phrases en question. Elle le lui dit. Il lui demanda son avis là-dessus. Elle lui déclara qu'elle condamnait cela. Il l'approuva et s'inquiéta de savoir si elle continuait à me fréquenter. Troublée, elle fit une réponse dilatoire. Il lui dit que, du stage, était parvenu à la faculté un rapport très favorable sur elle et que l'organisation de la faculté comptait faire appel à elle. Elle dit qu'elle en était heureuse. Il lui dit qu'il n'avait pas l'intention de se mêler de ses affaires privées, mais qu'il pensait que qui s'assemble se ressemble et que fixer son choix sur moi, justement, ne témoignerait guère en sa faveur.

De l'aveu de Marketa, cela lui trottait par la tête depuis plusieurs semaines. Cela faisait quelques mois que nous ne nous étions pas vus, de sorte que l'incitation de Zemanek s'avérait, en fait, superflue ; et pourtant cette incitation même l'avait conduite à réfléchir, à se demander s'il n'était pas cruel et moralement inacceptable d'inviter quelqu'un à rompre avec son ami pour l'unique motif que celui-ci a commis une faute et si, en conséquence, il n'était pas également injuste qu'elle m'ait d'elle-même quitté dès avant. Elle était allée voir le camarade qui dirigeait le stage pendant les vacances, lui demandant si l'interdiction de me dire quoi que ce soit sur ce qui s'était passé autour de la carte postale demeurait en vigueur ; apprenant alors qu'il n'y avait plus lieu de rien cacher, elle m'avait arrêté pour me demander un entretien.

Et la voici à présent qui me confie ce qui la tracasse et lui pèse : oui, elle a mal agi quand elle a pris la résolution de ne plus me voir ; après tout, aucun homme n'est perdu, même s'il s'est rendu coupable des plus graves erreurs. Elle s'est souvenue du film soviétique *Tribunal d'honneur* (œuvre alors extrêmement prisée dans les milieux du Parti) où un médecin-chercheur soviétique accordait la primeur de sa découverte au public étranger avant d'en faire bénéficier ses compatriotes, ce qui fleurait le *cosmopolitisme* (encore un péjoratif célèbre de cette époque), voire la trahison ; Marketa, émue, se référait surtout à la conclusion du film : le chercheur se voyait à la fin condamné par un jury d'honneur formé de ses collègues, mais l'épouse aimante, loin de se détourner du mari humilié, s'employait à lui infuser la force de réparer sa lourde faute.

« Ainsi, tu as décidé de ne pas m'abandonner, dis-je.

— Oui, dit Marketa en me prenant la main.

— Mais dis-moi, Marketa, crois-tu que c'est un forfait, ce que j'ai commis ?

— Oui, je le crois, dit Marketa.

— Qu'en penses-tu, ai-je ou non le droit de rester au Parti ?

— Non, Ludvik, je ne le pense pas. »

Je savais que, si j'étais entré dans le jeu où Marketa s'était jetée et dont, à ce qu'il semblait, elle vivait de toute son âme le côté pathétique, j'aurais atteint tout ce que je m'étais acharné en vain à conquérir des mois auparavant : poussée par la passion salvatrice comme un navire par la vapeur, sans aucun doute, elle se donnerait maintenant à moi. A une condition, bien sûr : que sa passion salvatrice fût pleinement assouvie ;

et pour qu'elle le fût, il importait que l'objet du salut (hélas ! moi en personne) consentît à reconnaître sa profonde, sa très profonde culpabilité. Or, cela m'était impossible. J'étais sur le point d'avoir le corps de Marketa, cependant je ne pouvais le prendre à ce prix, incapable que j'étais de convenir de ma faute et de ratifier un verdict intolérable ; entendre un être, qui aurait dû m'être proche, accepter cette faute et ce verdict, je ne le pouvais pas.

Je n'étais pas d'accord avec Marketa, je refusai son aide, et je la perdis ; mais était-il si sûr que je me sois senti vraiment innocent ? Certes, je n'en finissais pas de me persuader du caractère bouffon de toute l'affaire, mais en même temps je commençais à voir les trois phrases de la carte postale avec les yeux de mes enquêteurs ; ces phrases me devinrent un sujet d'effroi : sous leur masque canularesque, peut-être allaient-elles révéler quelque chose de vraiment très grave, à savoir que je ne m'étais jamais fondu tout entier dans la chair du Parti, que jamais je n'avais été un authentique révolutionnaire prolétarien, mais qu'à partir d'une *simple* décision, j'avais « rallié les révolutionnaires » (c'est que l'appartenance à la révolution était par nous ressentie, dirais-je, non pas comme une affaire de *choix*, mais de *substance* ; ou bien on *est* un révolutionnaire et on forme avec le mouvement un tout, ou bien on ne l'est pas, on *veut* seulement l'être ; mais, dans cette alternative, on s'estime perpétuellement coupable de son altérité).

Quand aujourd'hui je songe à ma situation d'alors, par analogie surgit dans ma pensée l'immense pouvoir du christianisme qui rappelle au croyant son état fondamental et permanent de pécheur. C'est ainsi que je me suis tenu (tous, nous nous sommes tenus ainsi), la tête constamment basse, devant la Révolution et son Parti, de sorte que je m'étais peu à peu fait à l'idée que le texte de ma carte, pourtant conçu comme une farce, n'en constituait pas moins un délit, et l'examen autocritique démarrait sous mon crâne : je me disais que ces trois phrases ne m'étaient pas venues à l'esprit par hasard ; déjà auparavant (et sans doute avec raison) les camarades me reprochaient des « résidus d'indivi-dualisme » ; je me disais que j'étais devenu trop vaniteux, me complaisant dans mon savoir, ma condi-tion d'étudiant, mon avenir d'intellectuel, et que mon père, ouvrier, mort dans un camp de concentration pendant la guerre, n'eût probablement pas compris mon cynisme ; je m'en voulais de ce que sa mentalité ouvrière fût, hélas ! en moi tarie ; m'accusant de maintes vilenies, je finissais par admettre la nécessité d'un châtiment ; mes efforts ne tendaient plus désor-mais qu'à ceci : ne pas être chassé du Parti et, par là, marqué comme son *ennemi* ; vivre en ennemi reconnu de ce que j'avais choisi dès mon adolescence, de ce à quoi je tenais vraiment, me semblait désespérant.

Une telle autocritique, qui était en même temps un plaidoyer suppliant, je la développai cent fois en pensée, à dix reprises au moins devant divers comités ou commissions et, finalement, en réunion plénière de notre faculté où Zemanek présenta, sur moi et sur ma faute, un rapport introductif (efficace, étincelant, inoubliable) avant de proposer, au nom de l'organisa-tion, mon exclusion du Parti. La discussion ouverte à la suite de mon intervention autocritique tourna à mon désavantage ; personne ne vint à mon secours, si bien qu'à la fin, tous (une centaine, dont mes professeurs et mes condisciples les plus proches), oui, tous, jusqu'au dernier, levèrent la main pour approuver non pas seulement mon exclusion du Parti, mais de surcroît (à ceci je ne m'attendais pas du tout) l'interdiction de poursuivre mes études.

Dans la nuit suivant immédiatement la réunion, je pris le train pour rentrer chez moi, seulement ce chez-moi ne pouvait m'apporter aucun réconfort vu que, plusieurs jours durant, je n'eus pas le courage d'avouer mon malheur à maman, elle qui tirait de mes études un véritable ravissement. Par contre, j'avais eu dès le lendemain la visite de Jaroslav, un camarade de classe et de l'orchestre avec cymbalum où je jouais lorsque j'étais lycéen. Il exultait de m'avoir joint à la maison : devant se marier deux jours plus tard, il voulait que je sois son témoin. Comment éconduire un vieil ami ? Il ne me restait donc plus qu'à fêter ma chute par une liesse nuptiale.

Le bouquet fut que, patriote morave et folkloriste têtu, Jaroslav profita de ses propres noces pour satisfaire ses passions ethnographiques en réglant les festivités sur le canevas des anciennes coutumes populaires : costumes régionaux, orchestre avec cymbalum, « patriarche » déclamant des bouts de textes fleuris, jeune épousée enlevée à bras-le-corps par-dessus le seuil, chansons, bref tout un cérémonial de la journée entière que Jaroslav avait reconstitué plus à partir des manuels de folklore que de la mémoire vivante. Je notai toutefois une chose étrange : mon copain Jaroslav, animateur de fraîche date d'un groupe de chant et de danse remarquablement prospère, certes observait tous les vieux rites possibles, mais (apparemment soucieux de sa carrière et docile aux mots d'ordre d'athéisme) il se garda de pénétrer dans l'église avec le cortège, quelque impensable que pût être un mariage populaire traditionnel sans curé ni bénédiction divine ; de même laissa-t-il le « patriarche » réciter tous les discours prescrits pour la circonstance, néanmoins il les avait soigneusement expurgés de tous les motifs bibliques, quoique ceux-ci, précisément, fussent la base même de l'imagerie des discours nuptiaux d'antan. La tristesse qui m'empêchait de m'identifier à l'ébriété de cette kermesse matrimoniale me fit percevoir un relent de chloroforme dans l'eau de roche de ces pratiques ancestrales. Si bien que, Jaroslav m'ayant prié (s'attendrissant au souvenir de ma participation active à nos séances d'autrefois) d'empoigner une clarinette et de m'asseoir avec les autres musiciens, je refusai. Je venais en effet de me revoir ainsi jouant, le Premier Mai des deux dernières années, le Praguois Zemanek cabriolant en costume à mes côtés, levant un bras et chantant. Je ne pouvais pas prendre la clarinette en main et je sentais combien tout ce charivari folklorique m'écœurait, m'écœurait, m'écœurait...

5

Privé du droit de poursuivre mes études, je perdais
le bénéfice du sursis d'appel au service militaire et je
n'avais plus qu'à attendre l'incorporation ; deux longs
séjours dans des brigades allaient m'occuper jusque-
là : je travaillai d'abord à la réfection d'une route,
quelque part du côté de Gottwaldov, au déclin de l'été
je me fis embaucher pour des travaux saisonniers à
l'usine de conserves et enfin, un matin d'automne,
après une nuit blanche en chemin de fer, j'échouai
dans la caserne d'un faubourg inconnu et laid
d'Ostrava.

Je me vis ainsi dans une cour de quartier, en
compagnie d'autres conscrits affectés au même corps,
nous ne nous connaissions pas ; dans la pénombre de ce
premier anonymat mutuel, durement se dégage chez
les autres tout ce qui est grossier et étranger ; le seul
lien humain qui nous unît était le nébuleux d'un avenir
au sujet duquel nous échangions de laconiques suppositions. Quelques-uns prétendaient que nous faisions
partie des « noirs », d'autres disaient que non, certains
ignoraient même le sens de ce mot. Moi qui étais au
courant, j'écoutais ces hypothèses avec terreur.

Un sergent vint nous prendre et nous emmena dans
un baraquement ; nous nous entassâmes dans un
couloir, puis, de là, dans une espèce de grande salle où
l'on voyait tout autour d'immenses tableaux muraux
rehaussés de slogans, photographies et dessins malha-

biles; épinglée à la cloison du fond, il y avait une grosse inscription découpée dans du papier rouge : NOUS ÉDIFIONS LE SOCIALISME, et sous cette inscription, une chaise près de laquelle se tenait un petit vieux cacochyme. D'un geste, le sergent désigna l'un de nous et celui-ci dut s'asseoir. Le petit vieux lui noua un linge blanc autour du cou, fourragea dans une sacoche posée contre un pied de la chaise, en sortit une tondeuse qu'il enfonça dans la tignasse du gars.

Par la chaise du coiffeur commençait la chaîne qui devait nous transformer en soldats : de cette chaise où nous avions perdu nos cheveux, nous étions dirigés vers un local attenant, là contraints de nous déshabiller complètement, d'emballer nos vêtements dans un sac en papier qu'il fallut lier avec une ficelle et remettre à un guichet; tondus et nus, nous traversions le couloir pour aller toucher des chemises de nuit dans une autre salle; en chemise de nuit, nous franchissions une nouvelle porte et recevions des godillots réglementaires; en godillots et chemise de nuit, nous défilions à travers la cour pour gagner une autre baraque où l'on nous donnait chemises, caleçons, chaussettes de laine, ceinturon et uniforme (les écussons de la vareuse étaient noirs!); et nous parvînmes à un dernier baraquement où un sous-officier lut à haute voix nos noms, nous répartit par groupes et nous assigna chambrées et lits.

Ce même jour encore nous fûmes commandés au rassemblement, à la soupe du soir, au coucher; le lendemain matin, réveillés et conduits à la mine; rendus sur le carreau, nous fûmes, par groupes, divisés en équipes de travail et dotés d'outils (marteau piqueur, pelle, lampe de mineur) dont nul d'entre nous, ou presque, ne connaissait le maniement; ensuite, la cage de descente nous entraîna sous la terre. Lorsque nous remontâmes, le corps endolori, les sous-officiers qui nous attendaient nous firent mettre en colonne et nous ramenèrent à la caserne; nous déjeunâmes et, l'après-midi, il y eut exercice d'ordre serré, travaux de nettoyage, éducation politique, chant obligatoire; en guise d'intimité, la chambrée et ses vingt châlits. Et les journées se succédèrent, toutes à l'avenant.

La dépersonnalisation qu'on nous infligeait sembla parfaitement opaque les premiers jours; impersonnelles, imposées, les fonctions que nous exercions se substituèrent à toutes nos manifestations humaines; cette opacité était, bien entendu, toute relative, causée qu'elle était non seulement par des circonstances réelles mais aussi par un défaut d'accoutumance de la vue (comme lorsqu'on passe d'une zone éclairée dans une pièce obscure); avec le temps, elle devait lentement se dissiper, de telle sorte que même dans cette *pénombre de dépersonnalisation* l'humain des hommes devint peu à peu perceptible. Je dois avouer que je fus l'un des derniers à savoir accommoder mon regard à ce changement d'éclairage.

Cela parce que mon être entier refusait d'accepter son lot. Les soldats à écussons noirs au nombre desquels je me retrouvais pratiquaient en effet, sans armes, les seuls exercices d'ordre serré et travaillaient au fond des puits de mine. Leur travail était rémunéré (ce qui, à cet égard, les avantageait par rapport aux autres soldats), mais c'était là pour moi une piètre consolation si je songeais que c'étaient tous des gens auxquels la jeune République socialiste refusait de confier un fusil parce qu'elle les considérait comme ses ennemis. En conséquence, évidemment, on les traitait avec une cruauté accrue et pesait sur eux la menace d'une prolongation de leur temps de service au-delà des deux années légales ; pourtant, ce qui m'effrayait le plus, c'était le simple fait de me trouver parmi ceux que j'estimais mes ennemis jurés, et d'y avoir été envoyé par suite d'une décision de mes propres camarades. Aussi passai-je les premiers temps de mon existence au milieu des noirs dans une solitude têtue ; je ne voulais pas fréquenter mes ennemis. Pour les sorties, c'était, à cette époque, très difficile (le soldat n'y avait nul *droit*, elles lui étaient octroyées à titre de *récompense*) mais moi, tandis que les soldats faisaient en bandes la tournée des bistrots et des filles, je préférais rester seul dans mon coin ; vautré sur mon lit de chambrée, j'essayais de lire ou même d'étudier (il suffit d'ailleurs, quand on est mathématicien, d'un crayon et d'un bout de papier) et me rongeais dans mon inadaptabilité ; je me croyais alors investi d'une seule et unique tâche : poursuivre la lutte pour mon droit à « ne pas être un ennemi », pour mon droit à sortir de là.

A plusieurs reprises, j'étais allé trouver le commissaire politique de l'unité et m'étais évertué à le convaincre que ma présence parmi les noirs résultait d'une erreur ; que j'avais été exclu du Parti pour intellectualisme et cynisme, mais non en tant qu'ennemi du socialisme ; j'expliquais sans relâche (combien de fois !) la ridicule histoire de la carte postale, laquelle du reste n'était plus ridicule du tout mais, rattachée à mes écussons noirs, s'avérait de plus en plus louche et paraissait recouvrir quelque chose que je taisais. Je dois toutefois à la vérité de dire que le commissaire m'avait écouté patiemment et avait fait montre d'une compréhension presque inespérée envers ma soif de justification ; il avait vraiment fini par poser la question quelque part en haut lieu (quelle mystérieuse topographie !), seulement, au bout du compte, il m'avait appelé pour me dire avec une amertume sincère : « Pourquoi as-tu tenté de me tromper ? Je sais maintenant que tu es trotskiste. »

Je commençai à comprendre qu'il n'existait aucun moyen de rectifier l'image de ma personne, déposée dans une suprême chambre d'instance des destins humains ; je compris que cette image (si peu ressemblante fût-elle) était infiniment plus réelle que moi-même ; qu'elle n'était en aucune façon mon ombre, mais que j'étais, moi, l'ombre de mon image ; qu'il n'était nullement possible de l'accuser de ne pas me ressembler, mais que c'était moi le coupable de cette dissemblance ; et que cette dissemblance, enfin, était ma croix, dont je ne pouvais me décharger sur personne et que j'étais condamné à porter.

Néanmoins, je ne voulus pas capituler. Je voulus véritablement *porter* ma dissemblance : continuer à être celui qu'on avait décidé que je n'étais pas.

Une quinzaine de jours me furent nécessaires pour m'habituer tant bien que mal à l'épuisant labeur de la mine, les mains crispées sur un lourd marteau piqueur dont je sentais la vibration me secouer la carcasse jusqu'à la reprise du lendemain matin. N'importe, je travaillais honnêtement et avec une sorte de frénésie ; j'étais résolu à obtenir des rendements de travailleur de choc et bientôt j'y réussis à peu près.

Seulement, personne ne voyait là une manifestation de ma conviction : tous, en effet, nous étions payés pour la tâche accomplie (le prix de notre nourriture et de notre hébergement nous était, il est vrai, retenu, mais nous touchions quand même pas mal d'argent), aussi, de quelque opinion qu'ils fussent, beaucoup d'autres trimaient dur afin d'arracher à ces années perdues au moins quelque chose d'utile.

Bien que nous fussions unanimement tenus pour des ennemis forcenés du régime, toutes les formes de la vie publique en cours dans les collectivités socialistes étaient maintenues à la caserne ; nous, ennemis du régime, organisions des réunions improvisées de dix minutes sous le contrôle du commissaire politique, nous participions à des causeries quotidiennes sur des sujets politiques, nous devions nous occuper des journaux muraux, y collant des photos d'hommes d'État socialistes et les rehaussant, au pinceau, de mots d'ordre concernant l'avenir joyeux. Au début, c'est presque avec ostentation que je me portais volontaire pour tous ces travaux. Mais cela non plus ne prouvait rien aux yeux de personne : d'autres ne s'offraient-ils pas pour faire les mêmes choses, lorsqu'ils avaient besoin que le chef les remarquât et leur accordât une sortie ? Pas un soldat ne regardait cette activité politique comme telle, mais tout simplement comme une singerie vide de sens qu'il fallait exécuter devant ceux qui nous avaient sous leur coupe.

Je finis donc par comprendre que ma révolte était

illusoire, que ma dissemblance n'était plus perceptible que pour moi seul, invisible qu'elle était pour les autres.

Au nombre des sous-officiers à la merci desquels nous nous trouvions livrés, il y avait un petit Slovaque aux cheveux noirs, un caporal qui se distinguait par sa modération et son absolu manque de sadisme. Il était bien vu des nôtres, encore que certains mauvais plaisants prétendissent que sa bonhomie ne provenait que de sa sottise. Contrairement à nous, bien sûr, les sous-officiers étaient armés et il leur arrivait d'aller au tir de temps à autre. Un jour, le petit caporal était revenu de cet exercice avec tous les honneurs, ayant, à ce que l'on racontait, totalisé le maximum de points. Pas mal de gars l'avaient complimenté (moitié par sympathie, moitié pour rigoler) ; le petit caporal rougissait de fierté.

Ce même jour, par hasard, je me trouvai seul avec lui. Histoire de bavarder, je lui demandai : « Comment diable faites-vous pour tirer si juste ? »

Le petit caporal me scruta avant de répondre : « Moi, j'ai un truc spécial. Je me dis : c'est pas une cible en fer-blanc, c'est un impérialiste. Alors, furieux, je mets droit dans le mille ! »

Je brûlais d'apprendre quelle créature humaine il pouvait bien se représenter sous le concept assez abstrait d'impérialiste quand, allant au-devant de ma question, d'une voix grave et pensive, il me dit : « Je sais pas qu'est-ce que vous avez tous à m'ovationner. Enfin voyons, s'il y avait la guerre, c'est bien sur vous, tout de même, que je tirerais ! »

Lorsque j'entendis cela de la bouche de cet être

candide qui pas une fois ne sut hausser le ton pour nous réprimander — ce à quoi il dut de se voir plus tard muté —, je réalisai que le fil qui m'avait lié au Parti et aux camarades venait, irrévocablement, de me glisser des doigts. J'étais rejeté hors du chemin de ma vie.

6

Oui. Tous les fils étaient cassés.

Brisés, les études, la participation au mouvement, le travail, les amitiés, brisés l'amour et la quête de l'amour, brisé, en un mot, tout le cours, chargé de sens, de la vie. Il ne me restait plus que le temps. Celui-ci, en revanche, j'appris à le connaître intimement comme jamais auparavant. Ce n'était plus ce temps qui naguère m'était familier, métamorphosé en travail, en amour, en toutes sortes d'efforts possibles, un temps que j'acceptais distraitement, car il était lui-même discret, s'effaçant avec délicatesse derrière mes activités. Maintenant il venait à moi dévêtu, tel quel, sous son apparence originelle et vraie, et il me forçait à le désigner de son véritable nom (puisque à présent je vivais le temps pur, un temps purement vide), pour que je ne l'oublie pas un seul instant, pour que je pense perpétuellement à lui, pour que j'éprouve sans cesse son poids.

Lorsqu'une musique se fait entendre, nous enregistrons la mélodie, oubliant que ce n'est là qu'un des modes du temps ; l'orchestre se tait-il, nous entendons le temps ; le temps en lui-même. Je vivais une pause. Non, certes, une pause de l'orchestre (dont la durée est nettement définie par un signe conventionnel), mais une pause illimitée. Nous ne pouvions pas (ainsi qu'il était d'usage dans toutes les autres unités) trancher graduellement les divisions d'un centimètre de tailleur afin de constater chaque jour le raccourcissement de nos deux années de service militaire ; les noirs pouvaient en effet se voir maintenus au corps aussi longtemps qu'on le jugeait bon. Ambroz, un homme de quarante ans de la deuxième compagnie, tirait ainsi sa quatrième année ici.

Se trouver alors sous les drapeaux quand on avait à la maison une épouse ou une fiancée était chose fort amère ; cela voulait dire guetter continuellement en pensée leur existence incontrôlable. Et cela signifiait de même se réjouir constamment à l'idée de leur venue (si rare !) et trembler sans arrêt de peur que le commandant ne refuse la sortie escomptée ce jour-là et que la femme ne se présente à la porte du quartier pour rien. Entre eux, les noirs (dans leur humour noir) racontaient que des officiers attendaient ces femmes de soldats insatisfaites, les accostant pour ensuite recueillir les fruits d'un désir qui auraient dû appartenir aux hommes consignés à la caserne.

Et pourtant : pour ceux qui avaient une femme chez eux, un fil traversait la pause, peut-être ténu, peut-être d'une angoissante fragilité et qui si facilement risquait de casser, mais fil tout de même. Un tel fil, moi, je n'en possédais pas ; j'avais rompu toutes relations avec Marketa et si quelques lettres me parvenaient, c'était de maman... Quoi, et ce n'était pas un fil, cela ?

Non ; un chez-soi qui n'est que la maison des parents, ce n'est pas un fil ; c'est seulement le passé : les lettres qui arrivent de tes parents, ce sont messages d'un continent dont tu t'éloignes ; pis, cette sorte de lettres ne cesse de te répéter que tu t'es égaré en te rappelant le port d'où tu appareillas dans des conditions si honnêtement, si laborieusement réunies ; oui, te dit une telle lettre, le port est toujours là, immuable, sûr et beau dans son ancien décor, mais *le cap, le cap est perdu!*

Ainsi m'étais-je petit à petit habitué au fait que ma vie avait perdu sa continuité, qu'elle m'était tombée des mains et qu'il ne me resterait plus qu'à commencer enfin à être, même dans mon for intérieur, là où je me trouvais réellement et sans appel. Et, graduellement, ma vue s'accommodait à cette *pénombre de dépersonnalisation* et je commençais à distinguer des gens autour de moi ; avec un certain retard sur les autres, le décalage n'étant néanmoins, par bonheur, pas assez considérable pour que je leur fusse devenu tout à fait étranger.

Le premier à surgir de cette pénombre (de même qu'il émerge aujourd'hui le premier de la pénombre de ma mémoire) fut Honza, un gars de Brno (dont il parlait l'argot faubourien presque inintelligible), échoué parmi les noirs pour avoir esquinté un flic. Il l'avait rossé, parce que c'était un ancien copain de classe au cours supérieur et qu'ils s'étaient disputés, seulement, le tribunal n'avait pas voulu de cette explication, Honza avait tiré six mois de prison avant de venir tout droit ici. Ajusteur qualifié, il était clair qu'il lui était parfaitement égal de retrouver un jour son métier ou de faire n'importe quoi ; il n'était attaché à rien et, à l'égard de son avenir, manifestait une indifférence pleine de liberté.

Pour ce rare sentiment de la liberté, Bedrich, le type le plus bizarre de notre chambrée de vingt, était seul à pouvoir se mesurer à Honza ; il ne nous avait rejoints que deux mois après l'incorporation normale de septembre, ayant d'abord été affecté à une unité d'infanterie où il avait obstinément refusé de toucher une arme parce que c'était contraire à ses rigoureux principes religieux ; on ne savait que faire de lui, surtout après qu'on eut intercepté les lettres qu'il adressait à Truman et à Staline et par lesquelles, sur un ton pathétique, il adjurait les deux hommes d'État de dissoudre toutes les armées au nom de la fraternisation socialiste ; dans leur embarras, ses supérieurs étaient allés, au début, jusqu'à l'autoriser à participer aux exercices d'ordre serré, de sorte que, seul sans arme au milieu des autres soldats, il exécutait les commandements d' « arme sur l'épaule » et de « reposez arme » avec une impeccable perfection, mais les mains vides. Il avait également pris part aux premières séances d'instruction politique, s'empressant de demander la parole lors de la discussion, où il faisait merveille contre les fauteurs de guerre impérialistes. Pourtant, quand il eut pris l'initiative de confectionner et de placarder dans la caserne une affiche où il appelait à déposer toutes les armes, le procureur militaire le fit poursuivre pour rébellion. Les juges furent cependant à ce point troublés par ses harangues en faveur de la paix qu'ils ordonnèrent un examen psychiatrique, hésitèrent longuement avant de l'acquitter et l'envoyèrent chez nous. Bedrich était heureux : unique volontaire pour les écussons noirs, il était ravi de les avoir conquis. Voilà pourquoi ici il se sentait libre — encore que, chez lui, ce sentiment ne se manifestât pas sous forme d'insolence, comme dans le cas de Honza, mais, juste à l'inverse, sous les dehors d'une calme discipline et d'une ardeur sereine au travail.

Tous les autres étaient beaucoup plus angoissés : Varga, trente ans, Hongrois de Slovaquie, lequel, ignorant les préjugés de nationalité, avait fait la guerre au sein de plusieurs armées successives et avait connu divers camps de prisonniers, des deux côtés du front ; Petran, un rouquin dont le frère avait filé à l'étranger en abattant au passage un garde-frontière ; Josef, le simple d'esprit, fils d'un riche paysan de la vallée de l'Elbe (par trop accoutumé au vaste espace de l'alouette, il suffoquait maintenant de peur devant la perspective d'enfer des puits et des galeries) ; Stana, vingt ans, un dandy d'une banlieue ouvrière de Prague, que le Comité national de son quartier avait gratifié d'un rapport accablant pour s'être, paraît-il, soûlé au défilé du Premier Mai et avoir ensuite uriné *exprès* au bord du trottoir sous les yeux des citoyens mis en joie ; Petr Pekny, étudiant en droit, qui, pendant les journées de Février, s'en était allé, avec une poignée de condisciples, manifester contre les communistes (il ne devait pas tarder à comprendre que j'appartenais au même camp que ceux qui l'avaient chassé de sa faculté au lendemain de Février, et il était le seul à me témoigner sa venimeuse satisfaction de me voir à présent logé à la même enseigne que lui-même).

Je pourrais évoquer le souvenir d'autres soldats qui partagèrent alors mon sort, mais je veux m'en tenir à l'essentiel : c'était Honza que j'aimais le mieux. Je me rappelle une de nos premières conversations ; lors d'une courte pause dans une taille, comme nous nous étions retrouvés (cassant la croûte) l'un à côté de l'autre, Honza m'avait donné une claque sur le genou :

« Et toi, le sourd-muet, qui c'est que t'es au juste ? »
Sourd-muet, je l'étais alors vraiment (tourné vers mes
perpétuels plaidoyers intérieurs) et, laborieusement,
j'essayai de lui expliquer (en des termes dont aussitôt je
sentis l'artificiel et la recherche) comment j'étais arrivé
là et pourquoi, au fond, je n'avais rien à y faire. Il me
dit : « Eh con ! Et nous, qu'est-ce qu'on a à faire ici ? »
Encore une fois, je voulus lui exposer mon point de vue
(en cherchant des mots plus naturels) et Honza, en
avalant sa dernière bouchée, articula posément : « Si
t'étais aussi grand que t'es bête, le soleil te grillerait la
cervelle. » Au travers de cette phrase, l'esprit plébéien
des faubourgs ricanait dans ma direction et j'eus tout à
coup honte d'invoquer sans cesse, en enfant gâté, mes
privilèges perdus, alors que j'avais édifié mes convictions, précisément, sur le refus des privilèges.

Avec le temps, je me rapprochai beaucoup de
Honza (j'avais son estime parce que je savais vite
débrouiller de tête tous les problèmes de calcul liés au
paiement du salaire et ainsi empêcher plus d'une fois
qu'on ne nous possédât) ; un jour, il se moqua de mon
habitude de moisir au quartier comme un idiot au lieu
de profiter des permissions, et il m'entraîna avec sa
bande. Je me rappelle très bien cette sortie-là ; nous
étions un bon paquet, peut-être huit, il y avait Stana, et
puis Varga, et aussi Cenek, un gars des Arts Déco en
rupture d'études (il était tombé chez les noirs à cause
de toiles cubistes qu'il s'entêtait à peindre à l'École ;
maintenant, par contre, histoire de gratter quelque
avantage par-ci par-là, il ornait au fusain tous les
locaux du casernement d'amples dessins de guerriers
hussites avec masses et fléaux d'armes). Nous n'avions

pas beaucoup de possibilités où aller : le centre de la ville d'Ostrava nous était défendu ; seuls certains quartiers nous étaient permis et, dans ces quartiers, quelques bistrots déterminés. Arrivés au faubourg voisin, la chance nous favorisa : il y avait soirée dansante dans la salle désaffectée d'un gymnase, laquelle ne tombait sous le coup d'aucune interdiction. Moyennant un droit d'entrée insignifiant, nous nous engouffrâmes dans l'établissement. La grande salle abritait quantité de tables et de chaises, mais pas beaucoup de monde : en tout et pour tout, une dizaine de filles ; trente hommes environ, pour moitié des militaires venus de la caserne d'artillerie du coin ; dès qu'ils nous aperçurent, ils devinrent attentifs et nous éprouvâmes la sensation épidermique qu'ils nous examinaient et nous comptaient. Nous nous installâmes à une longue table qui se trouvait libre et commandâmes une bouteille de vodka, mais la serveuse annonça sèchement qu'il était interdit de vendre de l'alcool, si bien que Honza commanda huit limonades ; puis chacun lui remit une coupure et, dans les dix minutes, il revint avec trois bouteilles de rhum qui allaient améliorer, sous la table, nos verres de limonade. On le faisait avec le maximum de discrétion, car les artilleurs nous surveillaient de près et nous savions qu'ils n'auraient guère hésité à révéler notre consommation clandestine d'alcool. Les formations armées, il faut le noter, nous étaient profondément hostiles : d'un côté, leurs membres nous tenaient pour des éléments suspects, des assassins, des criminels et des ennemis prêts à tout moment (suivant la littérature d'espionnage en cours à l'époque) à massacrer traîtreusement leurs

92

paisibles familles, d'autre part (et c'était sans doute là le plus important), ils nous enviaient d'avoir de l'argent et d'être partout en mesure de nous permettre cinq fois plus qu'eux.

Telle était en effet la singularité de notre situation : nous ne connaissions que fatigue et turbin, tous les quinze jours on nous rasait le crâne, de peur qu'avec les cheveux ne nous repoussât une assurance déplacée, nous étions les déshérités qui n'attendions plus rien de bon de l'existence, mais de l'argent, nous en avions. Pas beaucoup, mais, pour un soldat et ses deux sorties mensuelles, cela représentait une fortune qui faisait qu'à l'occasion de ces quelques heures de liberté (en ces rares lieux autorisés), il pouvait se comporter en richard et par là compenser l'impuissance chronique des autres interminables jours.

Tandis que sur un podium un médiocre orchestre de cuivres débitait valses et polkas pour deux ou trois couples qui virevoltaient sur la piste, nous, tranquillement, reluquions les filles et sirotions une limonade dont le petit goût alcoolisé nous mettait pour l'heure au-dessus de tous les autres ; nous étions d'excellente humeur ; je sentais me monter à la tête une sociabilité joyeuse, un sentiment de bonne fraternité entre copains que je n'avais plus vécue depuis nos dernières séances avec Jaroslav et son orchestre avec cymbalum. Dans l'intervalle, Honza avait imaginé un plan propre à souffler aux artilleurs le plus de filles possible. Le plan était aussi excellent que simple et, sans désemparer, nous passâmes à son exécution. Cenek se montra le plus décidé à l'ouvrage et, crâneur et guignol comme il l'était, pour nous amuser il accomplissait sa mission avec ostentation : il invita à danser une brune très maquillée qu'il amena ensuite à notre table ; pour lui-même comme pour elle il fit servir de la limonade au rhum en lui disant d'un air entendu : « Alors c'est d'accord ! » ; la brune acquiesça et trinqua. Un morveux qui passait, avec sa double sardine de brigadier sur les pattes d'épaule d'une tenue d'artilleur, s'arrêta devant la brune et, de la voix la plus grossière qu'il put, dit à Cenek : « Tu permets ? — Vas-y, vieux frère ! » consentit Cenek. Pendant que la brune se trémoussait au rythme imbécile d'une polka avec le brigadier passionné, Honza s'était dépêché de téléphoner pour avoir un taxi ; dans les dix minutes, le taxi était là et Cenek allait se planter vers la sortie ; la brune termina la danse, s'excusa en disant au brigadier qu'elle allait aux toilettes, et la seconde d'après on entendit démarrer la voiture.

Après le succès de Cenek, ce fut le tour du vieil Ambroz qui se trouva une femme un peu mûre et de minable apparence (ce qui n'avait pas empêché quatre artilleurs de lui tourner assidûment autour) ; au bout de dix minutes, un taxi arriva et Ambroz filait avec la fille et avec Varga (qui prétendait que pas une ne voudrait le suivre), pour aller retrouver Cenek dans un bistrot convenu, à l'autre bout d'Ostrava. Deux des nôtres réussirent encore à lever une fille et nous ne restions plus que trois dans le gymnase : Stana, Honza et moi. Les regards des artilleurs se faisaient de plus en plus méchants parce qu'ils commençaient à soupçonner le rapport entre l'amenuisement de notre effectif et la disparition des trois femmes de leur terrain de chasse. Nous avions beau prendre des mines candides, nous sentions qu'il y avait de la bagarre dans l'air. « Et maintenant un dernier taxi pour un repli honorable », dis-je en observant nostalgiquement une blonde que j'avais pu faire danser une fois au début de la soirée sans avoir osé lui proposer de partir avec moi ; je comptais pour cela sur la prochaine danse, seulement il apparut que les artilleurs la couvaient si bien qu'il me fut impossible de l'aborder. « Inutile d'insister », dit Honza, et il se leva pour aller téléphoner. Mais comme il traversait la salle, les artilleurs quittèrent leurs tables et se précipitèrent autour de lui. Oui, la bagarre était là, elle allait éclater et nous n'avions plus, Stana et moi, qu'à quitter la table pour nous porter à la rescousse du copain menacé. Un groupe d'artilleurs cernait Honza sans mot dire quand soudain fit irruption parmi eux un juteux à moitié soûl (sans doute avait-il, lui aussi, une bouteille cachée sous la table) qui rompit ce silence inquiétant : il entama une homélie, que son père avait été chômeur avant la guerre et que lui ne pouvait plus regarder ces sales bourgeois qui se prélassaient avec leurs écussons noirs, qu'il en avait plus que marre à la fin, et qu'il fallait que les potes le surveillent vu qu'il allait foutre sur la gueule de celui-là. Honza profita d'un petit silence dans le discours du juteux pour demander poliment ce que les camarades artilleurs lui voulaient. Que vous dégagiez d'ici en vitesse, dirent-ils, à quoi Honza répondit que c'était justement ce que nous allions faire, mais, alors, qu'ils le laissent appeler un taxi ! A cet instant, il sembla que le juteux allait tomber en syncope : Ben merde, hurlait-il d'une voix suraiguë, ben merde, nous autres on se crève le cul, on se décarcasse, on n'a pas de pognon, pendant qu'eux, les capitalistes, les agents de la subversion, les fumiers, rouleraient en taxi, ah ça non, plutôt les étrangler avec ces mains-là, ils ne partiront pas d'ici en taxi !

Tous s'absorbaient dans la querelle ; aux types en uniforme s'étaient agglutinés des civils et le personnel de l'établissement qui craignait un incident. C'est alors que j'aperçus ma blonde ; demeurée solitaire à sa table (indifférente à la controverse), elle se leva pour se diriger vers les toilettes ; je me détachai discrètement de l'attroupement et, dans l'entrée, où se trouvaient le vestiaire et les waters (il n'y avait personne hormis la préposée), je lui adressai la parole ; j'étais comme quelqu'un qui se jette à l'eau sans savoir nager et, gêné ou pas, force m'était d'agir ; fouillant dans une de mes poches, j'en sortis plusieurs billets de cent couronnes chiffonnés et dis : « Ça ne vous dirait rien de venir avec nous ? On rigolera mieux qu'ici ! » Elle eut un coup d'œil pour les billets et haussa les épaules. J'ajoutai que je l'attendrais dehors, elle acquiesça, s'éclipsa dans les waters et bientôt sortit, vêtue d'un manteau ; elle me sourit et affirma qu'on voyait tout de suite que je n'étais pas comme les autres. Ce propos me fit plaisir, je glissai mon bras sous le sien et l'entraînai de l'autre côté de la rue, au-delà d'un angle d'où nous nous mîmes à guetter la sortie de Honza et de Stana devant le gymnase éclairé d'une unique lanterne. La blonde me demanda si j'étais étudiant et, comme j'acquiesçais, me confia que la veille, dans les vestiaires de sa boîte, on lui avait volé du fric qui n'était pas à elle mais à l'usine, et qu'elle en était au désespoir parce qu'on pouvait la traîner en justice à cause de ça : elle me demanda si je ne pourrais pas lui prêter, disons, un billet de cent; j'explorai ma poche et je lui en donnai deux tout froissés.

Nous ne fûmes pas longtemps à attendre, les deux copains apparurent, en calot et capote. Je sifflai dans leur direction, mais au même moment jaillirent trois autres soldats (sans capote ni calot) qui s'élancèrent à leurs trousses. Je percevais l'intonation menaçante de questions aux mots pour moi indistincts mais dont je devinais le sens; ils cherchaient ma blonde. Puis l'un d'eux sauta sur Honza et ce fut la rixe. J'accourus à mon tour. Si Stana avait affaire à un artilleur, Honza en avait deux sur lui; déjà ils étaient en passe de le terrasser lorsque, par chance, je survins juste à temps pour boxer l'un des assaillants. Ils avaient misé sur leur supériorité numérique; leur élan initial tomba dès que les forces furent à égalité; l'un des leurs s'étant effondré sous un coup asséné par Stana, nous profitâmes de leur stupeur pour décamper.

Docile, la blonde nous attendait au coin. A sa vue, les gars délirèrent, déclarant que j'étais un crack, voulant absolument m'embrasser. Honza extirpa de sous sa capote une pleine bouteille de rhum (je ne comprends pas comment il était parvenu à la sauver durant l'échauffourée) et la brandit bien haut. Nous étions dans les meilleures dispositions, à ceci près que nous ne savions pas où aller : on venait de nous vider d'un bistrot, l'accès des autres nous était interdit, des rivaux fous furieux nous avaient empêchés de prendre un taxi et, même dehors, nous demeurions à la merci d'une possible expédition punitive. Vite nous nous éloignâmes par une ruelle; il y avait d'abord des maisons de chaque côté, ensuite seulement un mur d'un côté et des palissades de l'autre ; près d'une palissade se profilait une charrette et, un peu plus loin, une espèce de machine agricole avec un siège en tôle. « Un trône », dis-je, et Honza y fit asseoir la blonde, juste à un mètre au-dessus du sol. La bouteille passait de main en main, nous buvions tous les quatre, la blonde devint volubile et jeta un défi à Honza : « Je parie que tu ne m'avancerais pas cent couronnes ! » Grand seigneur, Honza lui colla un billet de cent et, en moins de deux, la fille eut son trois-quarts relevé et sa jupe retroussée ; l'instant d'après, elle-même enleva son slip. Elle me prit par la main et chercha à m'attirer à elle, mais moi, qui avais le trac, je m'arrachai et à ma place poussai Stana, lequel sans la moindre hésitation se plaça entre ses jambes. A peine restèrent-ils vingt secondes ensemble ; je voulus ensuite m'effacer devant Honza (je tenais à me comporter en amphitryon et, d'autre part, le trac me tenait toujours), seulement, cette fois, la blonde fit acte d'autorité, me plaqua contre elle et quand, après d'encourageants contacts, ma virilité se réveilla, elle me souffla tendrement à l'oreille : « C'est pour toi que je suis là, gros bêta », puis elle se mit à soupirer, en sorte que j'eus soudain vraiment l'impression que c'était une tendre jeune fille, qui m'aimait et que j'aimais, et elle soupirait, soupirait, et j'allai mon train jusqu'au moment où la voix de Honza proféra une obscénité et je pris alors conscience que ce n'était pas la jeune fille que j'aimais et je m'écartai d'elle si brusquement, sans conclure, que la blonde eut presque peur et dit : « Qu'est-ce tu fous ? », mais déjà Honza était près d'elle, et les soupirs reprenaient.

Cette nuit-là, nous ne regagnâmes le quartier qu'aux approches de deux heures. Dès les quatre heures et demie, il fallut nous lever pour le travail volontaire du dimanche, qui rapportait une prime à notre chef et nous valait une sortie un samedi sur deux. Nous manquions de sommeil, nous avions le corps imbibé d'alcool et, en dépit de la mollesse fantomatique de nos mouvements dans le clair-obscur de la galerie, je me remémorais avec plaisir la soirée que nous avions eue.

Ce fut moins brillant quinze jours plus tard ; à cause d'une histoire, Honza était privé de permission ; je sortis donc en compagnie de deux gars d'une autre section que je connaissais seulement très vaguement. Nous allâmes voir (du tout cuit ou presque) une bonne femme que sa monstrueuse longueur avait fait surnommer Lampadaire. C'était une horreur, mais il n'y avait rien à faire : le cercle féminin dont nous pouvions disposer se trouvait fort réduit, notamment en raison du peu de loisirs que nous avions. La nécessité de profiter à tout prix de leurs moments de liberté (si brefs et accordés si rarement) conduisait les soldats à préférer l'accessible au supportable. Avec le temps et grâce à des explorations dont on se communiquait mutuellement les résultats, un réseau (si médiocre fût-il) de telles femmes plus ou moins accessibles (et, certes, à peine supportables) avait été constitué en vue de son utilisation en commun.

Lampadaire faisait partie de ce réseau commun ; cela ne me dérangeait pas le moins du monde ; quand les deux copains s'étaient mis à dire des blagues à propos de sa stature anormale, répétant une cinquantaine de fois que nous devrions dénicher une brique pour mettre sous nos pieds quand viendrait le moment de la chose, j'avais ressenti ces plaisanteries comme curieusement agréables : elles stimulaient ma violente envie de femme ; de n'importe quelle femme ; moins elle serait individualisée, moins elle aurait d'âme, et mieux cela vaudrait ; tant mieux si ce devait être une femme *quelconque*.

Bien que j'eusse beaucoup bu, ma frénétique fringale s'éteignit lorsque je vis la fille qu'on appelait Lampadaire. Tout me parut dégoûtant et vain et, comme ni Honza ni Stana n'étaient là, personne qui me fût sympathique, je sombrai le lendemain dans une abominable gueule de bois qui empoisonna rétrospecti- vement l'aventure de quinze jours avant, et je me fis serment que jamais plus je ne voudrais d'une fille sur un siège de machine agricole pas plus que d'un Lampadaire ivre...

Quelque principe moral s'était-il ranimé en moi ? Non ; c'était simplement du dégoût. Mais pourquoi du dégoût puisque quelques heures plus tôt j'avais une violente envie de femme, la violence rageuse de cette envie étant liée, précisément, au fait qu'il m'était égal de savoir qui serait cette femme ? Est-ce que j'étais plus délicat que les autres, est-ce que je tenais les prosti- tuées en horreur ? Non : je fus saisi par la tristesse.

Tristesse d'avoir discerné que les aventures que je venais de vivre n'étaient en rien exceptionnelles, que je ne les avais pas choisies par luxe, par caprice, par inquiète aspiration à tout connaître, à tout vivre (le noble ou l'abject), mais qu'elles étaient devenues la condition fondamentale et *habituelle* de mon existence présente. Qu'elles circonscrivaient rigoureusement l'aire de mes possibilités, qu'elles dessinaient d'un trait précis l'horizon de la vie amoureuse qui m'était désormais destinée. Qu'elles exprimaient, non pas ma *liberté* (ainsi que j'aurais pu les concevoir si elles m'avaient été dévolues disons un an auparavant), mais mon déterminisme, mes limites, ma *condamnation*. Et je fus en proie à la peur. Peur de ce lamentable horizon, peur de ce lot. Je sentais mon âme se recroqueviller sur elle-même, je la sentais reculer, et je m'effrayais à l'idée que, devant cet encerclement, elle n'avait pas où s'évader.

7

La tristesse qui émanait du misérable horizon de notre vie amoureuse, tous ou presque tous la connaissions. Bedrich (l'auteur des manifestes pour la paix) tentait de lui échapper dans les profondeurs méditatives de son for intérieur, où demeurait apparemment son Dieu mystique ; à cette intériorité pieuse répondait, dans le domaine de l'érotisme, le vice solitaire qu'il pratiquait avec une régularité de rite. Les autres s'étaient organisé une défense plus fallacieuse : ils complétaient leurs cyniques chasses aux grues par un recours au plus sentimental des romantismes ; d'aucuns avaient chez eux un amour qu'à force de réminiscence concentrée ils fourbissaient ici jusqu'à l'éclat le plus resplendissant ; d'aucuns croyaient à la Fidélité durable et à l'Attente fidèle ; d'aucuns en secret se racontaient que la fille qu'ils avaient pêchée ivre dans quelque bistrot brûlait pour eux d'un feu sacré. A deux reprises, Stana avait eu la visite d'une Praguoise, qu'il avait un peu fréquentée avant son service (et qu'il n'avait, alors, sûrement pas beaucoup prise au sérieux) ; du coup, tout attendri, il se décida à l'épouser aussitôt. Il avait beau nous dire qu'il faisait ça seulement à cause des deux jours de permission consentis en cette circonstance, je savais, moi, que ce n'étaient que des propos qui se voulaient cyniques. Cela se passait aux premiers jours de mars, le commandant lui accorda effectivement quarante-huit heures et

102

Stana s'en alla pour le samedi et le dimanche à Prague, se marier. Je m'en souviens très exactement, parce que le jour des noces de Stana a été, pour moi aussi, une date fort importante.

J'avais eu l'autorisation de sortir et, comme j'étais triste depuis la dernière permission gaspillée avec Lampadaire, évitant les copains, j'étais parti tout seul. J'avais pris le tortillard, un vieux tramway à voie étroite reliant entre eux les lointains quartiers d'Ostrava, et je m'étais laissé emporter au hasard. J'étais ensuite descendu au petit bonheur pour, au petit bonheur encore, emprunter une autre ligne; toute cette périphérie ostravienne interminable, où se mêlent étrangement les usines et la nature, les champs et les décharges d'ordures, les bouquets d'arbres et les terrils, les grands immeubles et les maisonnettes champêtres, m'attirait et me troublait d'extraordinaire façon; ayant quitté le tram pour de bon, j'entrepris à pied une longue promenade : presque avec passion, je contemplais ce paysage étrange et m'efforçais d'en déchiffrer le sens; je cherchais le nom de ce qui confère unité et ordre à ce tableau si disparate; passant auprès d'une maison idyllique enveloppée de lierre, je m'avisai qu'elle avait ici sa vraie place *pour cela* précisément qu'elle jurait tout à fait avec les hautes façades lépreuses qui se dressaient à son voisinage, comme avec les silhouettes de chevalements, de cheminées et de hauts fourneaux qui lui servaient d'arrière-plan; je longeai les baraquements d'un bidonville, et je vis une villa un peu plus loin, sale et grise il est vrai, mais entourée d'un jardin et d'une grille; à l'angle du jardin, un saule pleureur semblait s'être égaré dans ce paysage — et pourtant, me disais-je, c'est justement *pour cela* qu'il a ici sa vraie place. Ces *incompatibilités* me troublaient, non seulement parce qu'elles m'apparaissaient comme le dénominateur commun du paysage, mais, surtout, parce que j'y apercevais l'image de mon propre destin, de mon exil ici ; et naturellement : pareille projection de mon histoire personnelle dans l'objectivité d'une ville entière me proposait une sorte de consolation ; je comprenais que je n'appartenais pas à ces lieux, comme ne leur appartenaient pas le saule pleureur et la petite maison au lierre, comme ne leur appartenaient pas ces rues courtes menant nulle part, rues composées de constructions disparates, je n'appartenais pas plus à ces lieux, jadis allégrement ruraux, que ces hideux quartiers de baraques basses, et, je m'en rendais compte, c'est *parce que* je n'appartenais pas à ces lieux que ma vraie place était ici, dans cette consternante métropole des incompatibilités, dans cette ville dont l'étreinte implacable enchaînait ensemble tout ce qui était l'un à l'autre étranger.

Je me retrouvai dans une longue artère de Petrkovice, ancien village devenu aujourd'hui l'un des proches faubourgs d'Ostrava. Je fis halte au voisinage d'un lourd édifice à un étage, à l'angle duquel se détachait verticalement l'inscription : CINÉMA. Une question me vint, futile comme ne peut s'en poser qu'un flâneur : comment se fait-il que ce cinéma n'ait pas de nom ? Je regardais attentivement, mais rien d'autre n'était écrit sur le bâtiment (qui du reste ne ressemblait aucunement à un cinéma). Entre celui-ci et la maison contiguë, un espace d'environ deux mètres formait une ruelle ; je m'y engageai et passai dans une cour ; là seulement, on constatait que le bâtiment comportait par-derrière une aile en rez-de-chaussée ; au mur étaient fixées des vitrines contenant des affichettes publicitaires et des photos de films ; je m'en approchai, mais, là non plus, pas de nom du cinéma ; je me retournai et, à travers un grillage de séparation, j'aperçus une petite fille dans la courette voisine. Je lui demandai comment s'appelait le cinéma ; la gamine eut un regard étonné et répondit qu'elle ne savait pas. Je me résignai donc à admettre qu'il était anonyme ; que dans cet exil ostravien les cinémas ne pouvaient pas même s'offrir un nom.

Je revins (sans intention d'aucune sorte) aux vitrines et seulement alors m'avisai que le film qu'annonçaient une affichette et deux photographies était *Tribunal d'honneur*, film soviétique. Celui-là même dont Marketa invoquait l'héroïne quand elle avait été prise de l'envie de jouer dans ma vie son grand rôle de miséricordieuse, celui-là même aux sévérités duquel les camarades s'étaient référés lors de la procédure du Parti contre moi ; tout cela m'avait passablement dégoûté de ce film, si bien que je ne voulais plus en entendre parler ; mais voilà, pas même ici, à Ostrava, je n'échappais à son index accusateur... Eh bien quoi, si un doigt levé nous déplaît, il suffit que nous lui tournions le dos. C'est ce que je fis : je voulais retourner dans la rue.

Alors, je vis Lucie pour la première fois.

Elle marchait dans ma direction ; elle allait pénétrer dans la cour du cinéma ; pourquoi, en la croisant, n'ai-je pas continué mon chemin ? fut-ce grâce à l'oisiveté étrange de ma flânerie ? fut-ce le bizarre éclairage de la cour par cette fin d'après-midi qui m'attarda et m'empêcha de regagner la rue ? ou bien cela tint-il à l'apparence de Lucie ? Apparence, pourtant, tout à fait ordinaire, et, bien que, par la suite, cette *ordinarité* même dût me toucher et m'attirer, comment expliquer qu'elle m'arrêta de prime abord ? n'avais-je pas souvent rencontré de telles filles ordinaires sur les trottoirs d'Ostrava ? ou cette ordinarité fut-elle si extraordinaire ? Je ne sais. En tout cas, j'étais resté sur place, regardant la jeune fille : à pas lents, prenant son temps, elle se dirigeait vers la vitrine aux photos de *Tribunal d'honneur* ; puis, toujours sans hâte, elle s'en éloigna et franchit la porte ouverte par où l'on accédait au guichet. Oui, c'était sans doute cette lenteur singulière de Lucie qui m'avait tellement envoûté, lenteur irradiant le sentiment résigné qu'il n'y avait pas de but valant qu'on s'y précipitât, et qu'il était inutile de tendre des mains impatientes vers quelque chose. Oui, peut-être était-ce en vérité cette lenteur pleine de mélancolie qui m'avait contraint à suivre des yeux la jeune fille tandis qu'elle allait à la caisse, sortait de la monnaie, prenait un billet, glissait un coup d'œil dans la salle et puis s'en revenait dans la cour.

Je ne la quittais pas du regard. Elle resta debout, me tournant le dos, à contempler au loin, par-delà la courette, les jardins et les maisons paysannes cernés de petites palissades jusqu'au contour d'une carrière brune qui, là-haut, brisait la perspective. (Jamais je ne pourrai oublier cette cour, aucun de ses détails ; je me rappelle le grillage qui la séparait de la cour voisine où une fillette rêvait sur les marches de la maison ; je me rappelle ces marches qui s'ourlaient d'un muret dont

106

les crans portaient deux pots de fleurs vides et une bassine grise ; je me rappelle le soleil enfumé qui se penchait au ras de la carrière.)

Il était six heures moins dix, cela voulait dire que dix minutes allaient s'écouler avant le début du spectacle. Lucie s'était retournée et, sans se presser, quittait la cour pour la rue ; je marchais à sa suite ; derrière moi s'était refermé le tableau de la campagne ravagée d'Ostrava et c'était de nouveau une rue citadine ; à cinquante pas s'étendait une petite place, entretenue avec soin, avec plusieurs bancs, un square minuscule et, luisant faiblement au travers, les briques rouges d'un édifice faussement gothique. J'observais Lucie : elle s'était assise sur un banc ; pas un instant sa lenteur ne l'avait abandonnée, pour un peu j'aurais dit qu'elle *était assise lentement* ; elle ne regardait pas autour d'elle, ne s'agitait nullement, assise comme dans l'attente d'une opération chirurgicale ou de quelque chose par quoi nous sommes tellement captivés qu'ignorant notre entourage nous concentrons notre attention sur le dedans de nous ; il se peut que je dusse à cette circonstance de pouvoir rôder alentour et l'examiner sans qu'elle s'en doutât.

On parle volontiers de coups de foudre ; je ne suis que trop conscient de ce que l'amour tend à créer une légende de soi-même, à mythifier après coup ses commencements ; aussi me garderai-je d'affirmer qu'il s'agissait ici d'un *amour* aussi prompt ; mais cette fois il y eut vraiment une sorte de voyance : l'essence de Lucie ou — s'il me faut être tout à fait précis — l'essence de ce que Lucie devint ensuite pour moi, je l'avais comprise, ressentie, vue immédiatement et d'un

107

seul coup : c'est elle-même que Lucie m'avait apportée, comme on apporte des *vérités révélées*.

Je la regardais, j'observais sa permanente de village qui émiettait ses cheveux en une masse informe de frisettes, j'observais son petit manteau marron, misérable, râpé et même un rien trop court ; j'observais son visage discrètement joli, joliment discret ; je sentais chez cette jeune fille tranquillité, simplicité et modestie, et je sentis que c'étaient les valeurs dont j'avais besoin ; il me parut que nous étions d'ailleurs très proches ; il me parut qu'il suffirait de l'aborder, de lui parler, et qu'à l'instant où (enfin) elle me regarderait dans les yeux, elle sourirait comme si elle voyait subitement son frère qu'elle n'aurait pas vu de plusieurs années.

Lucie alors leva la tête ; elle regardait l'heure à la tour (ce mouvement, pour toujours, est enregistré dans ma mémoire ; mouvement de la fille qui ne porte pas de montre au poignet et, par automatisme, s'assied toujours en face d'une horloge). Elle quitta son banc et s'en alla du côté du cinéma ; je voulus me joindre à elle ; je ne manquais pas de hardiesse, mais les mots soudain me firent défaut ; j'avais certes des sensations plein la poitrine, mais pas une syllabe dans la tête ; je suivais la jeune fille jusqu'au contrôle d'où l'on voyait la salle déserte. Quelques personnes entrèrent et foncèrent vers le guichet ; les devançant, je pris un ticket pour le film abhorré.

Sur ce, la jeune fille pénétra dans la salle ; je fis de même ; dans ce local à moitié vide, les numéros portés sur les billets perdaient leur sens, chacun s'asseyait où il voulait ; je me glissai dans la même rangée que Lucie

108

et pris place à côté d'elle. Puis éclata la musique criarde d'un disque fatigué, l'obscurité se fit et les publicités apparurent sur l'écran.

Lucie avait dû se rendre compte que ce n'était pas par hasard qu'un soldat à écussons noirs était venu s'asseoir tout juste à son côté, sûrement qu'elle avait perçu et senti ma présence proche, d'autant plus que j'étais moi-même tout concentré sur elle ; de ce qui se passait sur l'écran je n'enregistrais rien (quelle revanche dérisoire : j'étais ravi de ce que le film à l'autorité duquel mes prêcheurs de morale m'avaient maintes fois renvoyé se déroule maintenant devant moi sans que j'y prête attention).

La séance terminée, les lumières se rallumèrent, les rares spectateurs quittèrent leurs sièges. Lucie se leva, prenant son manteau marron sur ses genoux, et enfila une manche. Je coiffai vivement mon calot de peur qu'elle n'aperçût mon crâne tondu à ras et, sans un mot, l'aidai à passer la seconde manche. Elle me regarda brièvement et ne dit rien, tout au plus peut-être inclina-t-elle très légèrement la tête, mais je ne sus si c'était façon de remercier ou mouvement tout à fait involontaire. Puis, à petits pas, elle sortit de la rangée de fauteuils. Revêtant à mon tour prestement ma capote verte (qui, trop longue, m'allait certainement fort mal), je lui emboîtai le pas. Nous n'étions pas encore dehors que je lui adressai la parole.

Comme si deux heures près d'elle, pensant à elle, m'eussent accordé à sa longueur d'onde : je savais soudain lui parler, comme si je la connaissais bien ; je n'entamai pas la conversation par quelque plaisanterie ou paradoxe ainsi que j'avais coutume, j'étais tout à fait naturel — ce qui me surprit moi-même, puisque, en présence des jeunes filles, j'avais toujours jusque-là trébuché sous le poids des masques.

Je lui demandai où elle habitait, ce qu'elle faisait, si elle allait souvent au cinéma. Je lui dis que je travaillais dans les mines, que c'était tuant, que je ne sortais que de loin en loin. Elle dit qu'elle avait un emploi à l'usine, qu'elle logeait dans un foyer de jeunes ouvrières où il fallait être rentré à onze heures, qu'elle allait souvent au cinéma parce que les bals ne l'amusaient pas. Je lui dis que je l'accompagnerais volontiers au cinéma quand il lui arriverait d'avoir encore un soir de libre. Elle dit qu'elle avait l'habitude d'y aller seule. Je lui demandai si c'était parce qu'elle se sentait triste dans la vie. Elle acquiesça. Je lui dis que je n'étais pas gai non plus.

Rien ne rapproche les gens aussi vite (même si c'est souvent un rapprochement trompeur) qu'une entente triste, mélancolique ; cette atmosphère de connivence paisible qui endort n'importe quelle espèce de craintes ou de freins et que comprennent les âmes fines comme les vulgaires, représente le mode de rapprochement le plus facile, et pourtant si rare : il y faut en effet écarter ce « maintien mental » que l'on s'est composé, les gestes et mimiques fabriqués, et se conduire avec simplicité ; j'ignore comment j'étais parvenu à cela (d'un coup, sans préparation), comment j'avais pu en arriver là, moi qui tâtonnais toujours comme un aveugle derrière mes faux visages ; je n'en sais rien ; mais je ressentais cela comme un don inattendu, une libération miraculeuse.

Nous nous disions donc sur nous-mêmes les choses

les plus simples ; nous marchâmes jusqu'à son foyer et, là, nous attardâmes un moment ; une lampe inondait Lucie de sa lumière et moi je regardais son petit manteau marron et je caressais non pas son visage ou ses cheveux, mais l'étoffe usée de cet émouvant vêtement.

Je me rappelle encore que la lampe se balançait de-ci de-là, qu'autour de nous passèrent, avec de grands rires déplaisants, des jeunes filles qui ouvrirent la porte du foyer, je revois la perspective verticale de l'immeuble, ses murs gris et nus aux fenêtres sans rebord ; je me rappelle aussi le visage de Lucie qui (comparé à celui d'autres jeunes filles que j'avais connues en de semblables circonstances) restait absolument tranquille, sans trouble, évoquant l'expression de l'élève au tableau, qui se borne à l'humble exposé (sans obstination boudeuse et sans rouerie) de ce qu'elle sait, insoucieuse de la note comme de l'éloge.

Nous convînmes que je lui enverrais une carte pour lui faire savoir quand j'aurais une nouvelle permission et quand nous pourrions nous revoir. Nous nous quittâmes (sans nous embrasser, sans nous toucher) et je m'en allai. A quelques pas déjà, je me retournai et la vis sur le seuil, tenant sa clé, immobile, me regardant ; maintenant seulement que j'étais à quelque distance, elle avait abandonné sa retenue, et ses yeux (jusqu'alors timides) me fixaient longuement. Ensuite, elle éleva sa main à la manière de quelqu'un qui n'a jamais accompli ce geste, ne sait comment s'y prendre, sait simplement qu'on agite la main en signe d'adieu et, pour cette raison, s'est décidé gauchement à risquer ce mouvement. Je m'étais arrêté et lui avais rendu son

111

geste ; nous nous étions regardés de loin, j'étais reparti, avais fait halte de nouveau (Lucie prolongeant toujours son mouvement de la main), et ainsi doucement m'étais éloigné jusqu'au coin de la rue qui nous fit disparaître l'un à l'autre.

8

De ce soir-là, tout en moi était transformé ; j'étais à nouveau habité ; subitement le ménage avait été fait en moi comme dans une chambre et quelqu'un y vivait. La pendule au mur, avec ses aiguilles paralysées depuis des mois, de nouveau tout à coup égrenait son tic-tac. C'était important : le temps, qui jusque-là s'écoulait comme un courant indifférent, de rien vers un autre rien (puisque j'étais dans une pause !), sans jalon, sans barre de mesure, peu à peu reprenait son visage humanisé : il recommençait à s'articuler et à se décompter. J'attachai subitement du prix aux permissions de quitter la caserne, et les jours me devinrent les barreaux d'une échelle que je gravissais pour rejoindre Lucie.

Jamais depuis, je n'ai voué à une autre femme autant de pensées, autant de silencieuse attention (ce pour quoi, d'ailleurs, je n'ai plus jamais eu autant de temps). Envers aucune autre femme je n'ai jamais éprouvé une telle gratitude.

Gratitude ? De quoi ? Lucie, d'abord, m'arracha au cercle de ce lamentable horizon amoureux qui, tous, nous tenait cernés. Bien sûr : tout jeune marié, Stana, lui aussi, avait à sa façon rompu ce cercle ; il avait désormais chez lui, à Prague, sa femme qu'il aimait, à qui il pouvait penser. Néanmoins, il n'y avait pas de quoi l'envier. Par l'acte de son mariage, il avait mis son destin en branle mais, dès l'instant où il montait dans un train pour revenir à Ostrava, il perdait sur lui toute influence.

Pour avoir découvert Lucie, j'avais, moi aussi, mis mon destin en branle ; mais je ne l'ai pas perdu de vue ; bien que espacées, mes rencontres avec Lucie bénéficiaient pourtant d'une périodicité presque régulière et je la savais capable de m'attendre des quinze jours et plus, m'accueillant ensuite comme si notre dernière séparation eût daté de la veille.

Mais Lucie ne m'avait pas seulement libéré de la nausée générale due au désespoir des aventures amoureuses d'Ostrava. Je savais déjà, il est vrai, que j'avais perdu mon combat et que je ne changerais rien à mes écussons noirs, je savais qu'il était absurde d'essayer de me retrancher en moi-même devant des hommes avec qui je devais passer deux ans ou davantage, qu'il était absurde de clamer sans relâche le droit de garder mon propre itinéraire (dont je commençais à comprendre le caractère privilégié), mais ce changement d'attitude n'était que le fait de la raison et de la volonté, donc incapable de tarir le pleur intérieur que je versais sur mon *destin perdu*. Ce pleur intérieur, Lucie le calma comme par sortilège. Il me suffisait de la sentir à côté de moi, avec toute sa vie où ne jouaient aucune espèce de rôle le cosmopolitisme et l'internationalisme, la vigilance et la lutte des classes, les controverses sur la définition de la dictature du prolétariat, la politique avec sa stratégie et sa tactique.

C'est sur ces préoccupations-là (si parfaitement d'époque que bientôt leur vocabulaire deviendra inintelligible) que j'avais fait naufrage ; et c'est justement à elles que je tenais. Appelé à comparaître devant diverses commissions, j'avais pu fournir, par dizaines, les motifs qui m'avaient amené au communisme, mais ce qui, dans le mouvement, m'avait par-dessus tout fasciné, ensorcelé même, ç'avait été *le volant de l'Histoire* près duquel je me suis trouvé (ou ai cru me trouver). En effet, nous décidions alors réellement du sort des gens et des choses ; et cela justement dans les universités : comme en ces temps les membres du Parti au sein des assemblées professorales se comptaient sur les doigts d'une seule main, les étudiants communistes, au cours des premières années, assumaient à peu près seuls la direction des facultés, décidant des nominations de professeurs, de la réforme de l'enseignement comme des programmes. L'enivrement que nous goûtions est appelé d'ordinaire griserie du pouvoir, cependant (avec un grain de bonne volonté) je pourrais choisir des mots moins sévères : nous étions envoûtés par l'Histoire ; nous étions ivres d'avoir monté le cheval de l'Histoire, ivres d'avoir senti son corps sous nos fesses ; dans la plupart des cas, ça finissait par tourner à une vilaine soif de puissance, mais (de même que toutes les affaires humaines sont ambiguës) il y avait en même temps là-dedans la belle illusion que nous inaugurions, nous, cette époque où l'homme (chacun des hommes) ne serait plus *en dehors* de l'Histoire ni *sous le talon* de l'Histoire, mais la conduirait et la façonnerait.

J'étais convaincu que, loin de ce volant de l'Histoire, la vie n'était pas vie mais demi-mort, ennui, exil, Sibérie. Et voici qu'à présent (au bout de six mois de Sibérie) je distinguais soudain une possibilité d'exister, toute nouvelle et imprévue : devant moi s'étendait, dissimulée sous l'aile de l'Histoire en plein vol, la prairie oubliée du quotidien où une modeste et pauvre femme, digne pourtant d'amour, m'attendait : Lucie.

Que pouvait-elle connaître, Lucie, de cette grande aile de l'Histoire ? A peine si le bruit assourdi en avait jamais frôlé son oreille ; elle ignorait tout de l'Histoire ; elle vivait *au-dessous* d'elle ; elle n'en avait pas soif ; elle ne savait rien des soucis *grands* et *temporels,* elle vivait pour ses soucis *petits* et *éternels.* Et moi, d'emblée, j'étais libéré ; il me semblait qu'elle était venue me chercher pour m'emmener dans son *paradis grisâtre ;* et le pas qui, l'instant d'avant, m'avait paru redoutable, ce pas qui m'avait conduit « en dehors de l'Histoire », fut pour moi subitement le pas du soulagement et du bonheur. Timide, Lucie me tenait le coude et je me laissais conduire...

Lucie était mon ouvreuse grise. Mais, qui était Lucie, selon des données plus concrètes ?

Elle avait dix-neuf ans, mais en réalité beaucoup plus, comme ont beaucoup plus les femmes dont la vie a été difficile et qui ont été balancées, tête la première, de l'enfance dans l'âge adulte. Elle disait qu'elle était née à Cheb, qu'elle était allée à l'école jusqu'à quatorze ans avant d'aller en apprentissage. De sa famille, elle n'aimait guère parler, et si cela lui arrivait, c'était uniquement parce que je l'y forçais. Elle n'avait pas été heureuse chez elle : « Les miens ne m'aimaient pas », disait-elle, avec exemples à l'appui : sa mère s'était remariée ; son beau-père buvait et se montrait méchant envers elle ; une fois, ils l'avaient suspectée de leur avoir dérobé de l'argent ; ils la battaient par-dessus le marché. Quand la discorde eut atteint un certain point,

Lucie profita d'une occasion pour s'échapper à Ostrava. Elle vit ici depuis plus d'un an déjà ; elle a des copines ; mais elle préfère sortir seule ; les copines vont danser et amènent leur petit ami au foyer ; et cela, elle ne le veut pas ; elle est sérieuse : elle aime mieux aller au cinéma.

Oui, elle se jugeait « sérieuse », liant cette qualité à son goût du cinéma ; elle appréciait surtout les films de guerre, qu'on projetait beaucoup alors ; sans doute les aimait-elle parce qu'elle les trouvait captivants ; mais il se pouvait que ce fût plutôt à cause des terribles souffrances dont ils étaient remplis et dont Lucie buvait les images chargées de pitié et d'affliction, sentiments qu'elle croyait propres à l'élever et la confirmer dans ce « sérieux » qu'elle prisait en elle-même.

Bien entendu, ce serait une erreur de penser que le seul exotisme de sa simplicité m'attira vers Lucie ; son ingénuité, les lacunes de son instruction ne l'empêchaient pas le moins du monde de me comprendre. Cette compréhension ne reposait pas sur une somme d'expériences ou de savoir, une aptitude à débattre un problème et à donner un conseil, mais sur l'intuitive réceptivité avec laquelle elle m'écoutait.

Je me rappelle un jour d'été : cette fois j'avais pu quitter le quartier plus tôt que Lucie son travail ; j'avais donc pris un livre ; assis sur le petit mur d'une clôture, je lisais ; pour ce qui est de la lecture, cela allait assez mal, j'avais peu de temps et peu de contacts avec mes amis praguois ; mais, dans ma cantine de conscrit, j'avais apporté trois recueils de vers où je me replongeais sans cesse, y puisant réconfort : des poèmes de Frantisek Halas.

Ces livres ont joué dans ma vie un rôle singulier, singulier déjà du fait que je ne suis pas lecteur de poésie et que ce sont les seuls volumes de vers auxquels je me sois jamais attaché. Je les ai découverts après mon exclusion du Parti ; juste à cette époque, le nom de Halas se trouvait *à nouveau* célèbre, car l'idéologue en chef de ces années-là venait d'accuser le poète, depuis peu disparu, de morbidité, de manque de foi, d'existentialisme et de tout ce qui rendait, alors, un son d'anathème politique. (L'ouvrage où il avait réuni ses opinions sur la poésie tchèque et sur Halas était sorti alors à un tirage énorme et des milliers de cercles de jeunes l'étudiaient comme texte obligatoire.)

Même si cela peut paraître un peu ridicule, je l'avoue : le besoin des vers de Halas m'était venu du désir de connaître un autre *excommunié* ; je voulais savoir si mon univers mental ressemblait vraiment au sien ; je voulais essayer de voir si la tristesse, dont l'influent idéologue clamait le pathologique et le pernicieux, ne pourrait pas, par consonance avec la mienne, me procurer une forme de joie (parce que, dans ma situation, la joie, je ne pouvais pas la chercher dans la joie). J'avais, avant de prendre le chemin d'Ostrava, emprunté les trois petits recueils à un ancien condisciple fervent de littérature et obtenu à force de prières qu'il n'en exigerait pas la restitution.

Quand Lucie, ce jour-là, me trouva à l'endroit convenu, un livre à la main, elle me demanda ce que j'étais en train de lire. Je lui tendis le livre ouvert. « Des poésies, dit-elle, étonnée. — Ça te paraît bizarre que je lise des poésies ? » Ébauchant un haussement

118

d'épaules, elle répondit : « Pourquoi », mais je crois que sa surprise était réelle car, très probablement, la poésie se confondait pour elle avec l'idée de lectures enfantines. Nous étions là à flâner sous ce drôle d'été ostravien plein de suie, un été noir où couraient là-haut, en guise de nuages de lait, des bennes de houille qui filaient sur leurs longs câbles. Ce livre entre mes doigts, je voyais bien qu'il n'arrêtait pas de l'attirer. Aussi, lorsque nous fûmes assis dans un boqueteau étique, je le rouvris, lui demandant : « Ça t'intéresse donc ? » De la tête, elle fit oui.

Pas plus avant qu'après cet épisode, je n'ai jamais lu de vers à quiconque ; je suis pourvu d'un petit système fonctionnant bien, un coupe-circuit à pudeur, qui me garde de trop me dénuder devant les gens, de leur étaler mes sentiments ; or, lire des vers, pour moi ce n'est pas seulement comme si je parlais de mes sentiments, mais comme si, ce faisant, je me tenais en équilibre sur un pied ; quelque chose de compassé, dans le principe même du rythme et de la rime, m'embarrasserait si je devais m'y abandonner autre-ment qu'étant seul.

Mais Lucie possédait le pouvoir magique (qu'après elle personne plus jamais n'a eu) de faire jouer le coupe-circuit et de lever mes scrupules. En face d'elle, je pouvais tout me permettre : même la sincérité, le sentiment, le pathétique. Et ainsi je lus :

Maigre épi que ton corps
d'où grain tombé ne germera
Comme un épi maigre est ton corps

Écheveau de soie que ton corps
tout écrit de désir jusqu'à sa ride ultime
Comme un écheveau de soie est ton corps

Ciel brûlé que ton corps
Dans tes tissus la Mort guette et rêve
Comme un ciel brûlé est ton corps

Silence unique est ton corps
De ses pleurs frémissent mes paupières
Comme ton corps est silencieux

J'avais passé un bras sur son épaule (tendue de la toile légère d'une petite robe à fleurs) que je sentais sous mes doigts ; je succombais à la suggestion offerte que les vers dont je donnais lecture (cette litanie lente) parlaient de la tristesse du corps de Lucie, corps muet, résigné, condamné à mourir. Puis je lisais d'autres poèmes, et cet autre qui aujourd'hui encore me rend son image et qui s'achève sur ce tercet :

Ô démence des mots trompeurs Je crois au silence
plus fort que la beauté plus fort que tout
Ô fête de ceux qui se comprennent en silence

Brusquement, mes doigts m'apprirent que l'épaule de Lucie s'agitait de courtes secousses ; Lucie sanglotait.

Qu'est-ce qui avait pu lui tirer ces pleurs ? Le sens des vers ? Ou plutôt l'indicible mélancolie, qui émanait des mots, du timbre de ma voix ? Ou, peut-être, l'hermétisme grave des poèmes l'avait-il élevée et cette *élévation* l'avait-elle émue aux larmes ? Ou bien, simplement, les vers venaient-ils de faire sauter en elle un verrou secret et de libérer un poids longuement accumulé ?

Je ne sais pas. Comme un enfant, Lucie s'était accrochée à mon cou, sa tête pressée sur le treillis vert qui m'enserrait la poitrine, et elle pleurait, pleurait, pleurait.

9

Combien de fois, ces dernières années, des femmes de toutes sortes m'ont reproché (seulement parce que je ne savais pas payer leurs sentiments de retour) ma suffisance. C'est un non-sens, je ne suis pas suffisant, mais, à vrai dire, je suis moi-même navré d'être incapable, dans mon âge adulte, de trouver le rapport véritable à l'égard d'une femme, de n'en avoir, comme on dit, aimé aucune. Je ne suis pas sûr de connaître les causes de cet échec, je ne sais pas si ces défauts du cœur sont innés ou plutôt s'ils plongent leurs racines dans ma biographie ; je ne veux pas tomber dans le pathétique, mais c'est comme ça : dans mes souvenirs très souvent s'éclaire une salle où cent personnes, en levant le bras, décrètent la cassure de ma vie ; cette centaine de gens ne savaient pas qu'un jour les choses commenceraient lentement à changer ; ils supputèrent que ma proscription serait à perpétuité. Non pour le plaisir de remâcher l'herbe amère, mais, par un entêtement qui est le propre de la réflexion, j'ai à maintes reprises inventé des variantes de mon histoire, imaginant ainsi ce qui eût pu se passer si l'on avait proposé, au lieu de mon exclusion, ma pendaison. Je ne suis jamais arrivé à conclure autrement que, même dans cette éventualité, tout le monde aurait levé la main, surtout si le rapport préliminaire avait, en termes lyriques, motivé la bénéfique opportunité de la peine. Depuis, faisant de nouvelles connaissances, hommes et femmes, nouveaux amis ou maîtresses possibles, je les transfère en pensée dans cette époque et dans cette salle et je me demande s'ils lèveraient la main ; personne ne résiste à cet examen : tous lèvent la main comme naguère le firent (qui avec empressement, qui à son corps défendant, par conviction ou par crainte) mes amis et connaissances. Admettez alors : il est difficile de vivre avec des gens prêts à vous envoyer en exil ou à la mort, il est difficile d'en faire ses intimes, il est difficile de les aimer.

Peut-être était-ce injuste de ma part de soumettre les gens que je fréquentais à un examen imaginaire aussi cruel, quand il était éminemment vraisemblable qu'ils eussent passé à côté de moi une vie plus ou moins calme au-delà du bien et du mal, sans jamais traverser la grande salle où se lèvent des mains. Quelqu'un peut-être ira jusqu'à dire que mon comportement avait un seul but : me hisser, dans une fatuité morale, au-dessus des autres. Mais l'accusation de suffisance ne serait vraiment pas juste ; il est vrai que je n'ai jamais voté la ruine de qui que ce fût, seulement voilà je savais parfaitement que ce mérite était hypothétique, m'étant vu assez tôt privé du droit de lever la main. Longtemps, c'est exact, j'essayai de me persuader au moins qu'en semblable occurrence je ne me fusse pas comporté comme les autres, mais j'avais toutefois suffisamment de probité pour, à la fin, me rire au nez : ainsi moi seul n'aurais pas levé la main ? j'aurais été le seul juste ? ah non, je ne trouvais pas en moi la moindre garantie que je sois meilleur que les autres ; seulement qu'est-ce que ça change dans mes rapports avec autrui ? La conscience de ma propre misère ne me réconcilie nullement avec la misère de mes pareils. Rien ne me répugne comme lorsque les gens fraternisent parce que chacun voit dans l'autre sa propre bassesse. Je n'ai que faire de cette fraternité visqueuse.

Comment donc ai-je pu alors aimer Lucie ? Les réflexions qui m'échappaient à l'instant sont, par bonheur, plus récentes, en sorte que j'ai pu (dans cet âge plus porté au tourment qu'à la réflexion), avec un cœur avide et qui ne doute pas, accepter Lucie comme un don ; un don des cieux (cieux gris et bienveillants). C'était alors pour moi un temps heureux, le plus heureux, peut-être : j'étais vanné, éreinté, recru d'emmerdements, mais au fond de moi chaque jour davantage s'étendait une paix de plus en plus bleue. C'est marrant : si les femmes qui me font aujourd'hui grief de ma suffisance et me soupçonnent de prendre tout le monde pour des imbéciles avaient connu Lucie, elles l'auraient considérée comme une sotte et elles ne pourraient pas comprendre que je l'aie aimée. Et moi, je l'aimais si fort que je n'envisageais même pas qu'on puisse jamais se quitter ; pas une fois, il est vrai, je n'en avais parlé avec Lucie, mais moi-même je vivais avec la conviction que je l'épouserais un jour. Et si cette union m'apparut inégale, cette inégalité m'attirait plus qu'elle ne me repoussait.

Pour ces courts mois de bonheur, j'aurais dû être reconnaissant aussi à notre commandant d'alors ; les sous-officiers nous harcelaient autant qu'ils le pouvaient, fouinant à la recherche de la moindre petite saleté dans les plis de nos uniformes, culbutant nos lits s'ils n'étaient pas faits impeccablement au carré, mais le commandant, lui, était régulier. Plus très jeune, versé chez nous d'un régiment d'infanterie et, de ce fait, rétrogradé, à ce qu'on disait. Donc il était, lui aussi, pénalisé, et cela peut-être nous l'avait secrètement concilié ; de notre part, cela allait de soi, il requérait ordre et discipline, outre une journée de travail volontaire le dimanche par-ci par-là (afin de pouvoir rendre compte de son activité politique à ses supérieurs), mais il ne nous cassait jamais les pieds sans raison et nous accordait sans difficulté les permissions un samedi sur deux ; cet été-là, je crois même que j'ai pu voir Lucie jusqu'à trois fois par mois.

Les jours où j'étais privé d'elle, je lui écrivais d'innombrables lettres et cartes postales. Aujourd'hui, je ne sais plus très bien de quoi ni comment je lui parlais. Mais ce que furent mes lettres n'importe pas tellement ; je voulais plutôt relever que j'en avais écrit beaucoup, et Lucie aucune.

Obtenir qu'elle me répondît était au-dessus de mes moyens ; peut-être mes propres lettres l'avaient-elles effarouchée ; peut-être lui semblait-il qu'elle ne savait pas quoi m'écrire, qu'elle faisait des fautes d'orthographe ; peut-être avait-elle honte de son écriture maladroite, dont je ne connaissais que la signature, sur sa carte d'identité. Je n'ai pas réussi à la persuader que justement sa maladresse et ses ignorances m'étaient chères parce qu'elles révélaient une Lucie intacte, m'offrant ainsi l'espoir de m'imprimer en elle d'un signe d'autant plus profond, d'autant plus indélébile.

Lucie d'abord ne fit que me remercier timidement de mes lettres ; bientôt l'envie lui prit de m'offrir quelque chose en retour et, comme elle ne voulait pas écrire, elle se décida pour des fleurs. Voici comment c'était venu : nous flânions dans un boqueteau clair-semé, Lucie tout à coup se pencha pour cueillir une fleurette qu'elle me tendit. Je trouvai cela touchant et pas du tout surprenant. Mais quand, au rendez-vous suivant, elle m'attendit avec tout un bouquet, je me sentis un peu décontenancé.

J'avais vingt-deux ans, je fuyais tout ce qui pouvait sur moi projeter fût-ce une ombre efféminée ou impubère ; dans la rue, j'avais honte de porter des fleurs, il me déplaisait d'en acheter, et encore plus d'en recevoir. Gêné, j'avais objecté à Lucie que c'étaient les hommes qui les offraient aux femmes, et pas le contraire, mais, la voyant au bord des larmes, je m'étais hâté de lui en faire compliment et de les prendre.

Il n'y avait rien eu à faire. Depuis ce jour, à chacune de nos rencontres, un bouquet m'attendait et j'avais fini par m'y faire parce que la spontanéité du don me désarmait et que je comprenais que Lucie tenait à cette forme de cadeau ; elle souffrait peut-être de la carence de son éloquence et voyait dans les fleurs une façon de parler ; non pas d'après la lourde symbolique des antiques langages des fleurs, mais plutôt dans un sens plus archaïque encore, plus nébuleux, plus instinctif, *prélinguistique* ; peut-être, ayant toujours préféré se taire plutôt que de discourir, Lucie rêvait-elle de ce temps où, les mots n'existant pas, les gens conversaient par menus gestes : du doigt ils se montraient un arbre, ils riaient, l'un touchait l'autre...

Que j'aie ou non élucidé le vrai sens des présents de Lucie, ils m'avaient finalement ému et avaient éveillé le désir de lui faire, moi aussi, un cadeau. Lucie ne possédait que trois robes dont elle changeait toujours dans le même ordre, de sorte que nos rencontres se suivaient à la cadence d'une mesure à trois temps. Je les aimais bien, ces petites robes, l'une comme l'autre, à cause même de ce qu'elles étaient éraillées, usagées, d'assez mauvais goût ; elles me plaisaient aussi fort que son manteau marron (élimé au parement des manches) que j'avais caressé, du reste, avant le visage de Lucie. Et pourtant, je m'étais mis en tête que je lui payerais une robe, une belle robe, un tas de robes. Un jour, j'entraînai Lucie dans une grande maison de prêt-à-porter.

D'entrée de jeu, elle crut qu'on allait là en curieux, observer le flot montant et descendant les escaliers. Au deuxième étage, je m'arrêtai près de longues tringles où des vêtements de dames pendaient en dense procession, et Lucie, ayant remarqué que je les examinais avec intérêt, s'approcha et commenta quelques-unes de ces toilettes. « Celle-ci est jolie », fit-elle en m'indiquant une robe à fleurs rouges imitées dans le détail. Il y avait là vraiment peu de choses jolies, mais enfin on trouverait bien. Je tirai une robe et appelai le vendeur : « Mademoiselle pourrait essayer ça ? » Lucie peut-être aurait protesté, seulement, devant un étranger, le préposé au rayon, elle n'osait pas, de sorte qu'elle se retrouva dans une cabine sans savoir comment.

Au bout d'un moment, j'écartai un coin du rideau pour la regarder ; bien que la robe essayée n'eût rien de sensationnel, je n'en revenais pas : sa coupe à peu près moderne avait, comme par enchantement, fait de Lucie une autre créature. « Vous permettez ? » fit dans

dans mon dos le vendeur et il accabla d'une admiration prolixe Lucie et la robe. Là-dessus, il me gratifia d'un coup d'œil, moi et mes écussons, et me demanda (quoique la réponse, d'avance, fût évidente) si je faisais partie des « politiques ». Je fis oui de la tête. Il cligna de l'œil, sourit et dit : « J'aurais de l'article supérieur ; vous ne voulez pas voir ? » et je vis aussitôt un assortiment de robes d'été, plus une robe habillée noire. Lucie les endossa l'une après l'autre, toutes lui allaient à ravir, chacune la métamorphosait et, dans la belle robe noire, je ne la reconnaissais plus.

Les moments décisifs dans l'évolution de l'amour ne procèdent pas toujours d'événements dramatiques, souvent ils sont le fait de circonstances parfaitement insignifiantes à première vue. Telle fut notre visite dans la maison de prêt-à-porter. Jusque-là, Lucie avait représenté pour moi tous les possibles : l'enfant, la source d'attendrissement et de consolation, le baume et l'évasion de moi-même, presque à la lettre elle m'était *tout* — excepté la femme. Notre amour, dans l'acception sensuelle du mot, n'avait pas franchi la limite des baisers. Au demeurant, même la manière qu'avait Lucie d'embrasser était enfantine (j'étais fasciné par les longs baisers chastes des lèvres closes, restées sèches, qui dans leur caresse échangée comptent, ineffablement émouvantes, leurs fines stries verticales).

Bref, jusqu'alors j'avais pour elle de la tendresse, pas de la sensualité ; je m'étais si bien accoutumé à cette absence que je n'y prêtais pas garde ; mon attachement à Lucie me paraissait si beau que l'idée même qu'il y manquait quelque chose ne pouvait

m'effleurer. Quelle harmonieuse association : Lucie ;
ses robes grises, monacales ; et, monacalement chastes,
mes rapports avec elle. A la minute où Lucie avait
revêtu une robe nouvelle, l'équation tout entière se
trouva bouleversée : Lucie d'un coup déserta mes
images de Lucie. Je vis les jambes qui se dessinaient
sous une jupe bien coupée, les proportions du corps
balancées avec grâce, une jolie femme dont la terne
discrétion s'était dissoute dans une toilette de couleur
franche et de forme élégante. Cette brusque *découverte
de son corps* me laissait haletant.

Au foyer, Lucie occupait une chambre avec trois
autres jeunes filles ; les visites n'étaient admises que
deux jours par semaine, pendant trois heures seulement, de cinq à huit, encore le visiteur était-il tenu
d'inscrire son nom à la conciergerie, au rez-de-chaussée, où il devait déposer sa pièce d'identité et se
présenter de nouveau en s'en allant. Par ailleurs,
chacune des trois compagnes de Lucie avait un ou
plusieurs amants qu'il lui fallait recevoir dans l'intimité
de la chambre commune, si bien qu'elles se disputaient, se détestaient et se reprochaient chaque minute
mutuellement grignotée. Tout cela était si pénible que
je ne m'étais jamais risqué à aller voir Lucie chez elle.
Cependant, je savais que ses trois colocataires devaient,
dans un mois, rejoindre une brigade agricole de trois
semaines. Je dis à Lucie que je voulais profiter de cette
période pour la rencontrer chez elle. Elle devint triste
et dit que ma compagnie lui plaisait mieux dehors. Je
lui dis que je souhaitais me retrouver avec elle en un
lieu où nul ni rien ne nous dérangerait, pour que nous
puissions être tout à nous-mêmes ; et qu'au surplus je

129

voulais voir comment elle était logée. Lucie ne savait pas me résister et aujourd'hui encore, je me rappelle mon émoi lorsqu'elle finit par consentir à ma proposition.

10

J'avais déjà passé près d'un an à Ostrava et le service, insupportable dans les débuts, m'était devenu quelque chose de banal et d'habituel ; au milieu de tous les embêtements j'arrivais quand même à subsister, je m'étais fait deux, trois copains, j'étais heureux ; c'était pour moi un bel été (les arbres étaient pleins de suie, pourtant mes yeux à peine lavés de l'ombre de la taille les voyaient extrêmement verts), seulement, c'est connu, le germe du malheur se cache au cœur de la félicité : les tristes affaires de l'automne furent conçues durant cet été vert-noir.

Ça a commencé avec Stana. Il s'était marié en mars et, quelques mois plus tard, les premières nouvelles l'atteignaient : sa femme traînait les boîtes de nuit ; énervé, il lui adressa des lettres en chaîne, les réponses lui arrivaient, apaisantes ; là-dessus (avec les beaux jours) sa mère vint à Ostrava ; ils furent ensemble tout un samedi et il rentra au quartier blême et taciturne ; d'abord, il ne voulut rien dire, de honte ; le lendemain pourtant, il s'ouvrit à Honza, puis à quelques autres ; et quand il vit que tout le monde était au courant, il en parla encore plus et chaque jour et sans cesse : et que sa femme faisait la putain, et qu'il irait lui dire deux mots, et qu'il lui tordrait le cou. Et tout de suite, il alla trouver le commandant pour avoir deux jours de permission, seulement le commandant hésitait à les lui accorder parce que justement, ces jours-ci, il avait reçu de nombreuses plaintes (du casernement aussi bien que des mines) contre Stana, constamment distrait et irrité. Celui-ci supplia donc qu'on lui accorde au moins vingt-quatre heures. Apitoyé, le commandant les lui donna. Stana partit et nous ne le revîmes plus jamais. Ce qui s'est passé, je ne le sais que par ouï-dire :

Il était arrivé à Prague, il avait foncé sur sa femme (je dis femme, mais c'était une gosse de dix-neuf ans !) et elle, avec impudence (et délectation, peut-être), lui avoua tout ; il commença par la battre, elle se défendit, il essaya de l'étrangler et, pour finir, il la frappa d'une bouteille sur la tête ; la gosse s'affaissa sur le parquet et resta sans bouger. Stana, pris de panique, s'enfuit ; Dieu sait comment il dénicha un petit chalet au fond des montagnes et, là, vécut dans l'attente d'être pris et envoyé à la potence. On vint en effet l'arrêter après deux bons mois, seulement il fut jugé non pas pour meurtre, mais pour désertion. En effet, peu après le départ de Stana, sa femme avait repris connaissance et, hormis une bosse sur le crâne, elle était indemne. Tandis qu'il était à la prison militaire, elle divorça et est aujourd'hui l'épouse d'un acteur praguois connu que je vais voir de temps en temps, pour me rappeler le vieux copain qui devait ensuite finir tristement : son service actif terminé, il resta mineur ; un accident du travail le priva d'une jambe, et une amputation mal cicatrisée, de la vie.

Cette bonne femme, dont on dit qu'elle brille toujours dans les cercles artistes, n'avait pas porté la poisse au seul Stana, mais bien à nous tous. C'était du moins notre impression, quoiqu'il ne nous ait pas été possible de déceler avec précision s'il y avait vraiment (comme tout le monde le pensait) relation de cause à effet entre le scandale entourant la disparition de Stana et l'arrivée, peu après, d'une commission de contrôle ministérielle dans notre caserne. En tout cas, notre commandant fut cassé et remplacé par un jeune officier (il avait à peine vingt-cinq ans) dont la venue changea tout.

J'ai dit qu'il avait vingt-cinq ans mais il avait l'air beaucoup plus jeune, il avait l'air d'un môme ; il ne s'en donnait que plus de mal pour faire impression. Il n'aimait pas crier, il parlait sec, nous faisant bien comprendre avec un imperturbable calme qu'il nous tenait tous pour des criminels : « Je sais, votre plus cher désir serait de me voir à la potence, nous déclara cet enfant dès son speech d'avènement, le malheur, c'est que s'il y a quelqu'un de pendu, ça sera vous, pas moi. »

Les premiers conflits ne devaient pas se faire attendre. L'histoire de Cenek, en particulier, est demeurée dans mon souvenir, probablement parce qu'elle nous a semblé très amusante : Depuis un an qu'il était incorporé, Cenek avait fait beaucoup de grands dessins muraux qui, sous le précédent commandant, avaient toujours eu l'heur de plaire. Ses sujets favoris, je l'ai indiqué plus haut, c'étaient Jan Zizka, le grand capitaine des guerres hussites, et ses hommes d'armes médiévaux ; attentif à divertir les gars, il accompagnait ces groupes de l'image d'une femme nue qu'il présentait au commandant comme un symbole de la liberté ou de la patrie. Le nouveau commandant d'unité, ayant à son tour résolu de recourir aux services de Cenek, l'avait fait appeler afin de lui demander de peindre quelque chose pour agrémenter la salle réservée aux cours d'éducation politique. Il lui avait alors dit de laisser tomber, cette fois-ci, les vieilles lunes de Zizka pour « s'orienter davantage sur le contemporain » ; le tableau devrait représenter l'Armée rouge et son union avec notre classe ouvrière, et puis aussi son importance dans la victoire du socialisme en Février. Cenek avait dit : « Bien, mon commandant ! » et s'était mis à l'ouvrage ; il se démena plusieurs après-midi sur d'immenses papiers blancs, posés à même le sol, qu'il accrocha ensuite avec des punaises sur toute la longueur du mur du fond. Quand nous découvrîmes le dessin achevé (un mètre et demi de haut, huit mètres de long au bas mot), le silence fut total : au milieu, campé dans la pose du héros, un soldat russe chaudement habillé, mitraillette en sautoir, bonnet de fourrure jusqu'aux oreilles, de toutes parts entouré de huit femmes nues. Deux, à ses côtés, le regardaient d'un air coquin, tandis qu'il tenait chacune d'elles par l'épaule, la trogne secouée d'un rire gras ; les autres femmes faisaient cour autour de lui, lui tendaient les bras ou étaient tout simplement plantées là (il y en avait aussi une de couchée), exposant leurs jolies formes.

Cenek se mit devant le tableau (attendant le commissaire, nous étions seuls dans la salle) et prononça une conférence de ce genre : Alors, celle à la droite du sergent, c'est Alena, messieurs, ç'a été la première femme de ma vie, j'avais seize ans quand elle m'a eu, c'était la régulière d'un galonné, donc elle est drôlement à sa place ici. Je l'ai dessinée avec l'allure qu'elle avait à cette époque-là, elle est sûrement moins bien aujourd'hui, mais dans ce temps-là elle était déjà

pas mal rembourrée, comme vous voyez principale-
ment d'après les hanches (il les montrait de l'index).
Vu qu'elle était beaucoup plus belle de dos, je l'ai
dessinée encore une fois là ! (il se déplaça vers un des
bords de la composition, pointa son doigt en direction
d'une femme qui, montrant son derrière nu au public,
paraissait s'en aller quelque part). Vous voyez sa
croupe de reine, il se peut que le gabarit dépasse un
peu la norme mais c'est exactement comme ça que
nous l'aimons. Et regardez celle-là (il indiquait la
femme à gauche du sergent), c'est Lojzka, quand je l'ai
eue, j'avais déjà l'âge, elle avait des petits seins (il les
montrait), des jambes longues (il les montrait), un
visage terriblement joli (il le montrait encore) et elle
était de ma promotion à l'École. Quant à l'autre, là-
bas, c'était notre modèle aux Arts Déco, je la sais
absolument par cœur et les vingt mecs qui étaient avec
moi la savaient aussi par cœur, parce qu'elle prenait
toujours la pose au milieu de la classe, nous, on
s'exerçait à dessiner le corps humain d'après elle et pas
un n'y a jamais touché, sa maman l'attendait chaque
fois à la sortie pour la ramener illico au bercail, que le
bon Dieu pardonne à cette fille, les gars, nous ne
l'avons jamais détaillée qu'en tout bien tout honneur.
Par contre, celle-ci, messieurs, c'était une salope (il
désigna une personne vautrée sur un singulier sofa
stylisé), approchez, venez voir (ce que nous fîmes), sur
le ventre, ce point, là, vous voyez ? brûlée avec une
cigarette, soi-disant par une jalouse, sa maîtresse,
parce que cette dame, messieurs, communiait sous les
deux espèces, elle avait un sexe, un véritable accor-
déon, messieurs, où n'importe quoi trouvait place,

135

nous aurions pu nous y fourrer tous, tant que nous sommes, avec, en prime, nos épouses, nos maîtresses, nos enfants et nos arrière-grands-parents...

Cenek allait manifestement aborder le meilleur passage de son exposé lorsque le commissaire fit son entrée dans la salle de cours, en sorte que nous dûmes regagner nos bancs. Habitué aux travaux de Cenek depuis l'ère de l'ancien commandant, le commissaire, parfaitement indifférent au nouveau tableau, entama à haute voix la lecture d'une brochure éclairant les différences entre une armée socialiste et une armée capitaliste. L'exposé de Cenek résonnait encore en nous ; une douce rêverie nous berçait, quand le môme de commandant apparut dans la salle. Il venait sans doute assister à la séance d'étude, mais, avant d'avoir pu recevoir le rapport réglementaire du commissaire, il avait encaissé le coup de masse de la grande fresque murale ; sans même laisser le commissaire reprendre sa lecture, d'un ton glacial il demanda à Cenek ce que le tableau devait signifier. Cenek sauta, se planta devant son œuvre et déclama : Voilà une allégorie symbolisant l'importance de l'Armée rouge pour le combat de notre peuple ; ici (il montra le sergent), l'Armée rouge ; de chaque côté figurent les symboles de la classe ouvrière (il montra la régulière du galonné) et des glorieuses journées de Février (il montra sa copine d'études). Voici (il montrait d'autres dames) l'allégorie de la Liberté, celle de la Victoire, celle de l'Égalité ; et ici (il montra la régulière du galonné exposant son postérieur), on reconnaît la bourgeoisie en train de quitter la scène de l'Histoire.

Cenek se tut et le commandant déclara que ce

tableau était une insulte à l'Armée rouge, qu'il fallait l'enlever immédiatement ; quant à Cenek, il allait voir ce qu'il allait prendre pour son matricule. Je demandai (entre mes dents) pourquoi. Le commandant, qui avait entendu, me demanda si j'avais des objections à présenter. Me levant, je dis que ce tableau me plaisait. Le commandant dit qu'il n'en doutait pas, étant donné que c'était tout juste bon pour des masturbateurs. Je dis que le grave Myslbek avait sculpté lui aussi la Liberté en femme nue, et que la rivière Jizera sur le célèbre tableau d'Ales est représentée par trois nus ; que les peintres ont fait de même à toutes les époques.

Le môme de commandant me lança un regard perplexe et répéta son ordre d'enlever le dessin. Pourtant, nous avions peut-être réussi à l'entortiller, car il ne sanctionna pas Cenek ; néanmoins, il le prit en grippe et moi avec. Peu de temps après, Cenek écopa d'une peine disciplinaire, et bientôt moi aussi.

Ça s'était passé ainsi : un jour, la section travaillait dans un coin écarté de la caserne, avec des pioches et des pelles ; un caporal fainéant nous surveillait d'un œil nonchalant, si bien qu'à chaque instant nous nous appuyions sur nos outils pour bavarder, sans remarquer le môme de commandant qui s'était posté non loin de là et nous observait. On ne s'en aperçut qu'au bout d'un moment, quand sa voix rogue héla : « Soldat Jahn, à moi ! » J'empoignai ma pelle d'un air résolu et me plantai au garde-à-vous devant lui. « C'est comme ça que vous travaillez ? » me demanda-t-il. Je ne sais plus vraiment quelle réponse je lui fis, sûrement pas une arrogance, car je n'avais pas la moindre envie de me compliquer la vie au quartier en asticotant pour des foutaises un type qui avait tout pouvoir sur moi. N'empêche qu'après ma réponse, embarrassée et insignifiante, son regard se durcit, il s'approcha de moi, en un éclair me saisit le bras et, d'une magistrale prise de judo, me jeta par-dessus lui. Puis il s'accroupit tout contre moi et me tint cloué au sol (je n'avais pas esquissé un geste de défense, je m'étonnais seulement). « Suffit ? » demanda-t-il avec force (afin que tous, à quelque distance, l'entendissent) ; je lui répondis que ça suffisait. Il m'ordonna de me remettre au garde-à-vous et, face à la section rassemblée en colonne, annonça : « Je colle deux jours de salle de police au soldat Jahn. Pas parce qu'il a été insolent à mon égard. Cette affaire-là, vous avez vu, je l'ai réglée en un tournemain. Les deux jours de taule, c'est parce qu'il tirait au cul. Et il y en a autant à votre service. » Il fit demi-tour et s'en alla, très content de lui.

Sur le moment, je ne ressentis pour lui que de la haine, et la haine projette une lumière trop vive, où le modelé des objets se perd. Mon commandant m'apparaissait tout simplement comme un rat vindicatif et sournois. Aujourd'hui je le vois surtout comme un homme qui était jeune et qui jouait. Les jeunes, après tout, s'ils jouent, ce n'est pas leur faute ; inachevés, la vie les plante dans un monde achevé où on exige qu'ils agissent en *hommes faits*. Ils s'empressent, par suite, de s'approprier des formes et des modèles, ceux qui sont en vogue, qui leur vont, qui leur plaisent — et ils jouent.

Notre commandant était lui aussi inachevé et, un beau matin, il s'était retrouvé face à notre troupe, parfaitement incapable de la comprendre ; mais il avait su s'en sortir, car ce qu'il avait lu et entendu lui offrait un masque tout fait pour des situations analogues : le héros d'airain des bandes dessinées, jeune mâle aux nerfs d'acier dressant une bande de truands, pas de grands mots, rien que du calme froid, un humour dépouillé qui fait mouche, la confiance en soi et en la vigueur de ses muscles. Plus il avait conscience de son aspect de môme, plus il mettait de fanatisme dans son rôle de superman.

Mais était-ce la première fois que je rencontrais un jeune acteur comme celui-là ? Lors de mon interroga-toire au secrétariat à propos de la carte postale, je dépassais à peine mes vingt ans, mes interrogateurs n'en avaient guère qu'un ou deux de plus. Eux aussi étaient avant tout des mômes dissimulant leurs visages inachevés sous le masque qu'ils croyaient entre tous excellent, celui du révolutionnaire ascétique et inflexi-ble. Et Marketa ? Est-ce qu'elle n'avait pas choisi de jouer les salvatrices, rôle d'ailleurs repéré dans un navet de la saison à l'écran ? Et Zemanek, saisi subitement par le pathos sentimental de la morale ? Ce n'était pas un rôle ? Et moi ? N'avais-je pas même plusieurs rôles ? En désarroi, je courais de l'un à l'autre jusqu'au moment où, coureur penaud, je fus attrapé.

La jeunesse est horrible : c'est une scène où, sur les hauts cothurnes et dans les costumes les plus variés, des enfants s'agitent et profèrent des formules apprises qu'ils comprennent à moitié, mais auxquelles ils tien-nent fanatiquement. L'Histoire aussi est horrible, qui sert si souvent de terrain de jeux aux immatures ; terrain de jeux pour un Néron jeunot, pour un Bonaparte jeunot, pour les foules électrisées d'enfants dont les passions imitées et les rôles simplistes se transfigurent en une réalité catastrophiquement réelle.

Quand je songe à ça, c'est toute l'échelle des valeurs qui dans ma pensée bascule et je ressens une haine profonde pour la jeunesse — et inversement une sorte de paradoxale indulgence envers les forbans de l'Histoire dans l'action de qui je ne vois soudain qu'une effroyable agitation d'immatures.

A propos d'immatures je me souviens d'Alexej ; lui aussi jouait son grand rôle qui dépassait sa raison et son expérience. Il avait quelque chose de commun avec notre commandant : il paraissait moins que son âge ; cependant, sa jeunesse (à la différence du commandant) était dépourvue de grâce : un petit corps malingre, des yeux de myope derrière des verres épais, une peau parsemée de points noirs (rançon d'une puberté qui s'éternisait). D'abord, comme appelé du contingent, élève d'une école d'officiers d'infanterie, il s'était vu du jour au lendemain retirer cette prérogative et muter chez nous. On était en effet à la veille des fameux procès politiques et, dans maintes salles (du Parti, de la justice, de la police), des mains sans cesse se levaient pour enlever aux accusés la confiance, l'honneur, la liberté ; Alexej était le fils d'une importante personnalité communiste depuis peu incarcérée.

Il avait fait un jour son apparition dans notre groupe et on lui avait attribué le lit abandonné de Stana. Il avait pour nous un regard semblable à celui dont j'avais, au début, considéré mes nouveaux compagnons ; aussi, était-il renfermé et les autres, lorsqu'ils l'eurent su membre du Parti (son exclusion n'ayant pas encore été prononcée), commencèrent-ils à faire attention à ce qu'ils disaient en sa présence.

Quand il eut appris que j'avais appartenu au Parti, Alexej devint avec moi un peu plus communicatif; il me confia qu'il devait, coûte que coûte, traverser la grande épreuve que la vie lui avait imposée et ne pas trahir le Parti. Il me lut ensuite un poème qu'il avait composé (quoique n'ayant auparavant jamais écrit de vers) après avoir appris qu'il serait envoyé ici. Il y avait là ce quatrain :

Libre à vous, mes camarades,
de faire de moi un chien et de me cracher dessus.
Sous ce masque de chien, sous vos crachats, camarades,
fidèlement, avec vous, je resterai dans le rang.

Je le comprenais parce que j'avais moi-même ressenti la même chose une année avant. Pourtant, je me trouvais à présent beaucoup moins meurtri : mon ouvreuse du quotidien, Lucie, m'avait détourné de cette zone où les Alexej se tourmentaient si désespérément.

11

Tandis que le môme de commandant instaurait son régime dans notre unité, je me demandais surtout si je décrocherais l'autorisation de sortir ; les compagnes de Lucie étaient depuis longtemps à leur brigade tandis que moi, ça faisait déjà un mois que je n'avais pas quitté le quartier ; le commandant avait bien retenu mon visage et mon nom, ce qui peut arriver de pire au régiment. Maintenant, il ne ratait pas une occasion de me faire comprendre que chaque heure de mon existence dépendait de son caprice. En ce qui concernait les permissions, ça n'allait pas du tout ; d'entrée, il avait déclaré que seuls en auraient ceux qui participeraient régulièrement aux équipes volontaires du dimanche ; du coup, on y allait tous ; seulement, c'était une foutue existence, parce que nous n'avions pas un seul jour sans descente dans la mine, et si enfin l'un de nous bénéficiait, un samedi, d'un vrai quartier libre jusqu'à deux heures du matin, il tombait de sommeil le dimanche, en prenant son travail.

Je m'étais inscrit comme les autres pour ce boulot du dimanche ce qui, du reste, ne me donnait nullement la garantie que j'obtiendrais ma permission parce qu'il suffisait d'un lit mal fait ou de n'importe quelle autre peccadille pour annuler le mérite de l'effort dominical. Pourtant, la fatuité du pouvoir ne se manifeste pas uniquement par la cruauté, mais aussi (bien que plus rarement) par la mansuétude. Ainsi, quelques semaines s'étant écoulées, le môme de commandant avait pris plaisir à être généreux et j'avais obtenu au dernier moment une soirée de congé, deux jours avant le retour des compagnes de Lucie.

Je fus troublé quand la vieille femme de la loge m'inscrivit sur un registre, m'autorisant ensuite à monter au quatrième étage où je frappai à une porte, tout au bout d'un long couloir. La porte s'ouvrit, mais Lucie restait cachée derrière et je n'avais devant moi que la chambre elle-même, à première vue sans aucun rapport avec une chambre de foyer; j'aurais pu me croire dans une pièce préparée pour je ne sais quels rites religieux : la table resplendissait d'un bouquet de dahlias, deux grands ficus s'élançaient au voisinage de la fenêtre, et partout (sur la table, sur le lit, sur le plancher, derrière les cadres) c'était une jonchée de brins verts (qu'aussitôt je reconnus pour de l'asparagus) comme si on attendait la venue de Jésus-Christ sur son ânon.

J'attirai contre moi Lucie (qui se cachait toujours derrière la porte ouverte) et lui donnai un baiser. Elle était en robe habillée noire, chaussée des escarpins à hauts talons que je lui avais offerts le jour où nous avions acheté les robes. Elle était debout comme une prêtresse dans cette verdure solennelle.

Nous avons fermé la porte et alors seulement j'eus conscience que je me trouvais dans une banale chambre du foyer et que le décor végétal ne recouvrait rien que quatre lits de fer, quatre tablettes de chevet éraflées, une table et trois chaises. Mais cela ne pouvait nullement diminuer l'exaltation qui m'emportait depuis l'instant où Lucie m'avait ouvert sa porte :

après un mois, on m'avait enfin relâché pour quelques heures ; mais il y avait plus : pour la première fois après une longue année, j'étais à nouveau dans une *petite pièce* ; le souffle d'une intimité m'enveloppait de ses enivrants effluves et sa vigueur faillit me terrasser.

Jusque-là, pendant toutes les promenades avec Lucie, l'espace ouvert me rattachait à la caserne et à la condition qui y était la mienne ; de son invisible filin, l'air partout flottant à la ronde me liait à la grille que surmontait l'inscription : « Nous sommes au service du peuple » ; nul endroit, me semblait-il, n'existait où je pusse, un moment au moins, cesser de « servir le peuple » ; de tout un an je ne m'étais vu entre les quatre murs d'une petite chambre privée.

C'était tout à coup une situation inédite ; j'avais l'impression, pour trois heures, d'une liberté totale ; je pouvais, par exemple, dépouiller sans appréhension (contre tous les règlements militaires) non seulement calot et ceinturon, mais aussi vareuse, pantalon, godillots, tout, et je pouvais, le cas échéant, les piétiner ; je pouvais faire n'importe quoi sans qu'on me vît de nulle part ; de surcroît, la pièce était agréablement chauffée, et cette chaleur et cette liberté me montaient à la tête. J'ai enlacé Lucie et l'ai emmenée sur la couche tapissée de verdure. Ces branchettes sur le lit (garni d'une méchante couverture grise) me troublèrent. Je ne savais les interpréter autrement que comme des symboles nuptiaux ; l'idée me vint (et m'émut) que dans la candeur de Lucie inconsciemment résonnaient les plus anciennes coutumes, en sorte qu'elle avait résolu de dire adieu à sa virginité dans une liturgie solennelle.

Un certain temps me fut nécessaire pour m'apercevoir que Lucie, bien qu'elle me rendît baisers et étreintes, le faisait avec une évidente retenue. Ses lèvres, quelle que fût leur avidité, demeuraient verrouillées ; elle se pressait contre moi de tout son corps, mais lorsque je mis la main sous sa jupe afin de sentir sous mes doigts la peau de ses jambes, elle se dégagea. Je compris que la spontanéité à laquelle je voulais, dans un vertige aveugle, m'abandonner avec elle, restait esseulée ; je me souviens d'avoir alors (il n'y avait pas cinq minutes que j'étais dans la chambre de Lucie) senti dans mes yeux des larmes de déception.

Donc nous nous assîmes l'un à côté de l'autre sur le lit (écrasant les pauvres brindilles sous nos fesses) et nous mîmes à causer. Après pas mal de temps (la conversation languissait), j'essayai à nouveau de l'embrasser mais elle résista ; je commençai donc de lutter avec elle, pourtant je reconnus vite que ce n'était pas là plaisante joute d'amour, mais bien plutôt bagarre tout juste bonne à dégrader notre union en je ne sais quelle laideur, puisque Lucie se défendait pour de bon, sauvage, presque au désespoir. Je n'avais plus qu'à m'arrêter.

J'essayai les paroles pour la persuader ; je me mis à parler ; je lui disais, sans doute, que je l'aimais et qu'aimer signifie se donner l'un à l'autre, totalement ; malgré son indigence, l'argumentation était tout à fait irréfutable, aussi Lucie n'avait nullement l'air de vouloir la réfuter. Au lieu de cela, elle gardait le silence ou bien implorait : « Non, je t'en prie, non ! » ou : « Pas aujourd'hui, pas aujourd'hui !... », s'efforçant alors (avec une touchante maladresse) de détourner le propos vers quelque autre sujet.

Je reprenais ; est-ce que tu es comme ces filles qui allument leur partenaire pour ensuite le railler ? est-ce que tu es si insensible, si méchante ?... et je l'enlaçai une nouvelle fois, et une nouvelle fois s'engagea une lutte courte et navrante qui, âpre et sans une once d'amour, une nouvelle fois encore me laissa un arrière-goût de laideur.

Je cessai ; soudain je crus comprendre pourquoi Lucie me repoussait ; comment, grand Dieu, ne m'en étais-je pas avisé plus tôt ? Lucie est une enfant, l'amour doit l'effrayer, elle est vierge, elle a peur de l'inconnu ; sur-le-champ je décidai de proscrire de mon comportement ces façons pressantes juste bonnes à la décourager, de me montrer doux, délicat, pour que l'acte d'amour ne différât en rien de nos tendresses, pour qu'il ne fût que l'une de ces tendresses. Je n'insistai donc pas davantage et cajolai Lucie. Je l'embrassais (si terriblement longtemps que je n'y trouvai plus aucun plaisir), la câlinais (sans sincérité), cherchant, sans en avoir l'air, à la coucher de tout son long. J'y parvins ; je lui caressais les seins (Lucie ne s'y était jamais opposée) ; je lui chuchotais que je voulais être tendre envers tout son corps parce que ce corps, c'était elle, et je me voulais tendre pour elle toute ; je réussis même à retrousser un peu sa jupe ainsi qu'à l'embrasser dix ou vingt centimètres au-dessus du genou ; mais je n'arrivai guère plus loin ; comme j'allais glisser ma tête jusqu'à son sexe, Lucie, terrorisée, m'échappa et sauta du lit. Je la regardai, et je vis sur son visage je ne sais quel effort convulsif, expression que jamais je ne lui avais connue.

Lucie, Lucie, c'est à cause du jour que tu as honte ?

Veux-tu qu'il fasse noir ? lui demandai-je, et elle, attrapant ma question comme une planche de salut, acquiesçait : la clarté la gênait. J'allai à la fenêtre afin d'abaisser le store, mais Lucie dit : « Non, pas ça ! Laisse ! — Pourquoi ? demandai-je. — J'ai peur. — Qu'est-ce qui te fait peur, le noir ou le jour ? » Muette, elle fondit en larmes.

Loin de m'apitoyer, son refus m'apparaissait non-sens, préjudice, iniquité ; il me torturait, je ne le comprenais pas. Je lui demandai si elle me résistait parce qu'elle était vierge, si elle redoutait la douleur physique qu'elle éprouverait. A chaque interrogation de cette sorte, elle acquiesçait docilement, parce qu'elle y voyait un argument pour son refus. Je lui racontai que c'était beau qu'elle soit vierge, et qu'avec moi seulement elle allait tout découvrir, avec moi qui l'aimais. « Tu ne te réjouis donc pas d'être ma femme, totalement ? » Elle dit que si, qu'elle se réjouissait à cette pensée. Encore une fois, je l'enlaçai et encore une fois elle se raidit. J'avais peine à maîtriser ma colère. « Enfin, qu'est-ce qui te hérisse contre moi ? » Elle répondit : « Je t'en supplie, attends la prochaine fois, oui, je veux bien, mais pas ce soir, une autre fois. — Et pourquoi pas aujourd'hui ? — Non, pas ce soir. — Mais pourquoi pas ? — Je t'en supplie, pas mainte-nant ! — Quand donc alors ? Comme si tu ne savais pas aussi bien que moi que c'est notre dernière occasion d'être seuls tous les deux, tes copines rentrent après-demain ! Où, après, pourrons-nous nous retrouver sans personne ? — Tu trouveras bien quelque chose, dit-elle. — D'accord, dis-je, je trouverai une solution, mais promets-moi que tu viendras, car il y a peu de chances que je déniche un petit coin aussi sympathique que ta chambre. — Aucune importance, dit-elle, aucune ! Ça sera bien où tu voudras. — Eh bien soit, seulement tu vas me promettre qu'une fois là tu seras ma femme, que tu cesseras de te braquer. — Oui, dit-elle. — Tu le jures ? — Oui. »

Je compris que pour cette fois je ne pourrais emporter qu'une promesse. C'était maigre, mais c'était quand même quelque chose. Je surmontai ma déception et nous avons passé le reste du temps à causer. En m'en allant, j'époussetai ma tenue semée de brins d'asparagus, caressai la joue de Lucie en lui disant que je ne penserais plus qu'à notre prochain revoir (et je ne mentais pas).

12

Quelques jours après cette dernière rencontre avec Lucie (c'était par une pluvieuse journée d'automne), nous marchions en colonne de la mine au casernement, par un chemin de bosses séparant des flaques profondes ; crottés, flapis, trempés jusqu'aux os, nous avions faim de repos. Un mois déjà que la plupart d'entre nous n'avaient pas eu quartier libre un seul dimanche. Cependant, à peine le déjeuner englouti, le même de commandant fit siffler le rassemblement afin de nous annoncer qu'il avait constaté divers désordres lors de l'inspection de nos chambrées. Là-dessus, il passa le commandement aux sous-officiers, leur enjoignant de rallonger nos exercices de deux heures à titre de sanction.

Puisque nous étions sans armes, nos exercices militaires étaient particulièrement absurdes ; ils n'avaient d'autre objet que de dévaloriser le temps de notre vie. Je me rappelle une fois, sous le règne du même de commandant, nous avions dû, l'après-midi durant, transporter de lourdes planches d'un coin de la caserne à l'autre, les ramener le lendemain, et continuer ainsi pendant dix jours d'affilée. Tout ce que nous faisions dans la cour de la caserne après notre retour de la mine ressemblait d'ailleurs à ce déplacement de planches. Toutefois, ce jour-là, ce n'étaient pas des planches, mais nos corps que nous déplacions de la sorte ; nous les faisions marcher, nous les tournions à gauche ou à droite, nous les jetions à plat ventre, les faisions courir et les traînions en rampant dans le gravier. Trois heures s'étaient écoulées à ces évolutions quand le commandant surgit ; il donna ses instructions aux sous-officiers pour nous emmener à l'éducation physique.

Tout au fond, en arrière des baraquements, s'étendait une espèce de stade plutôt exigu, où l'on pouvait jouer au football, mais aussi bien faire la manœuvre ou courir. Les sous-officiers avaient imaginé de nous organiser une course de relais ; la compagnie comptait neuf groupes de dix hommes : neuf équipes concurrentes toutes trouvées. Naturellement les sous-officiers entendaient bien nous secouer les tripes, mais, comme ils avaient, pour la plupart, de dix-huit à vingt ans et des ambitions de leur âge, ils voulurent aussi faire la course, afin de nous prouver que nous ne les valions pas ; donc, ils formèrent contre nous leur propre équipe réunissant dix caporaux ou premiers jus.

Il leur avait fallu un bon moment pour nous expliquer et nous faire comprendre leur plan : les dix premiers devaient galoper d'un bout à l'autre du terrain ; sur la ligne d'arrivée, la série suivante devait se tenir prête à bondir en sens inverse, elle-même attendue par un troisième groupe de coureurs déjà préparés au départ, et ainsi de suite. Les sous-officiers nous avaient comptés et répartis aux deux extrémités de la piste.

Après la mine et la séance d'exercice, nous étions morts de fatigue et la perspective de cette course nous rendait fous de rage ; alors je suggérai à deux, trois copains un petit truc : on va tous courir mollo mollo !

L'idée prit instantanément, elle se répandit de bouche à oreille et, très vite, une onde de ricanements satisfaits soulevait à la dérobée la masse épuisée des soldats.

Nous étions finalement, chacun à ses marques, prêts pour une compétition dont le dessein global tenait du pur non-sens : bien qu'en uniforme et lourds godillots, nous devions démarrer en position agenouillée ; ayant à nous passer le témoin d'une façon jamais vue (puisque son destinataire allait accourir à notre rencontre), c'était un vrai bâtonnet-relais que nous serrions dans notre paume et le signal de départ était donné par un vrai pistolet de starter. Un caporal (premier coureur de l'équipe des gradés) ayant pris son élan pour un sprint échevelé, nous nous redressâmes à notre tour (je me trouvais dans le rang de tête) pour nous mettre au galop au ralenti ; nous n'avions pas fait vingt mètres que nous réprimions à grand-peine notre envie de pouffer, car le caporal se rapprochait déjà de l'autre bout du terrain tandis que notre groupe invraisemblablement aligné, toujours pas très loin de la ligne de départ, avait l'air de s'essouffler dans un effort exceptionnel ; des gars qui s'étaient rassemblés aux deux extrémités du parcours nous soutenaient de la voix : « Vas-y, vas-y, vas-y !... » A mi-chemin nous croisâmes le numéro deux des sous-officiers, lequel déjà fonçait vers la ligne que nous venions de quitter. Enfin, nous atteignîmes le but et, en même temps que nous transmettions le témoin, loin dans notre dos un troisième gradé, bâton au poing, avait déjà quitté la ligne initiale.

Je me souviens de cette course de relais comme de l'ultime grand défilé de mes copains noirs. Leur invention était sans limites : Honza courait en boitant, tout le monde l'encourageait frénétiquement et lui, de fait, arriva au relais (sous un tonnerre de bravos) comme un héros, deux pas devant les autres. Matlos, le Tzigane, s'était ramassé huit fois pendant sa course. Cenek, lui, levait les genoux à hauteur du menton (ce qui, certainement, devait le fatiguer beaucoup plus que s'il avait poussé au maximum de sa cadence). Nul ne cassa le jeu : ni le discipliné et résigné rédacteur de manifestes en faveur de la paix, Bedrich, qui maintenant, grave et digne, suivait le train lent de tout un chacun, ni Josef le fils de fermier, ni ce Petr Pekny qui ne m'aimait pas, ni le vieil Ambroz qui trottait raide, les bras croisés derrière le dos, ni le rouquin Petran dont le fausset couinait suraigu, ni Varga, le Magyar, qui éructait son « Hourra ! » en cours de route, aucun d'eux ne gâta cette admirable et simple mise en scène dont le spectacle nous faisait crouler de rire.

Sur ces entrefaites, débouchant du côté des baraques, nous aperçûmes le môme de commandant. Un caporal, qui l'avait vu, prit les devants afin d'aller lui rendre compte. Le commandant l'écouta, puis vint observer nos exploits, du bord du terrain. Devenus nerveux, les gradés (leur équipe avait depuis longtemps touché le but) criaient à notre adresse : « Allez, vite ! Maniez-vous ! Du nerf ! », mais leurs encouragements se perdaient dans les nôtres. Déboussolés, nos sous-officiers ne savaient que faire, ils se demandaient s'ils devaient arrêter la compétition, ils trottinaient de l'un à l'autre, se concertaient, louchant en direction du commandant, qui, sans un regard pour eux, se bornait à observer la course d'un œil de glace.

Le dernier groupe décolla ; Alexej en était ; j'avais attendu son comportement avec curiosité, et je ne m'étais pas trompé : il voulait casser le jeu : d'emblée il fonça avec toute sa force et après une vingtaine de mètres il en avait, pour le moins, cinq d'avance. Mais il se passa une chose étrange : son rythme faiblit et il n'augmenta plus son avance ; je compris subitement qu'Alexej ne pouvait pas casser le jeu même s'il le voulait : c'était un garçon chétif à qui, au bout de deux jours, on avait dû bon gré mal gré, assigner des travaux légers, parce qu'il n'avait ni muscle ni souffle ! Il me sembla alors que sa course serait le clou de notre spectacle ; Alexej se donnait à fond mais ressemblait à s'y méprendre aux mecs qui traînassaient cinq pas en arrière, dans la même foulée ; le commandant et les sous-officiers devaient penser que le foudroyant départ d'Alexej figurait au programme de la comédie, ni plus ni moins que la claudication simulée de Honza, les chutes de Matlos ou nos rugissements de supporters. Alexej sprintait poings serrés tout comme ceux-là derrière son dos qui affectaient de peiner et soufflaient avec ostentation. Mais Alexej avait un *vrai* point de côté, et c'est parce qu'il s'appliquait à le dominer avec le plus grand effort, qu'une *vraie* sueur coulait sur son visage ; au milieu de la piste, Alexej dut encore réduire l'allure, de sorte que tous les autres le rattrapèrent sans se presser ; trente mètres avant l'arrivée, ils le dépassèrent ; alors qu'il n'était plus qu'à vingt mètres, il cessa de courir pour terminer en titubant, une main comprimant son côté gauche.

Le commandant avait ordonné le rassemblement. Il voulut savoir la raison de notre lenteur. « On était lessivés, camarade capitaine. » Il demanda à tous les fatigués de lever la main. Nous levâmes la main. J'avais bien regardé Alexej (il était dans le rang devant moi) ; lui seul n'avait pas levé la main. Mais le commandant ne l'avait pas remarqué. Il dit : « Parfait, par conséquent tout le monde. — Non, fit quelqu'un. — Qui est-ce qui n'était pas fatigué ? » Alexej répondit : « Moi. — Tiens, vous pas ? s'étonna le commandant en le dévisageant. Comment ça se fait que vous n'étiez pas fatigué ? — Parce que je suis communiste », répondit Alexej. A ces mots, la compagnie grogna d'une sourde rigolade. « C'était bien vous, la lanterne rouge à l'arrivée ? demanda le commandant. — Oui, dit Alexej. — Et vous n'étiez pas fatigué ? demanda le commandant. — Non, répondit Alexej. — Étant donné que vous n'étiez pas fatigué, vous avez fait exprès de saboter l'entraînement. Donc je vous donne quinze jours de prison pour tentative de mutinerie. Vous, les autres, vous étiez fatigués, ce qui fait que vous avez une excuse. Vu que votre rendement dans les tailles ne vaut pas un clou, c'est que votre fatigue vient des sorties. Dans l'intérêt de votre santé, la compagnie n'aura pas de permissions pendant deux mois. »

Avant de descendre au bloc, Alexej avait tenu à me parler. Il me reprocha de ne pas me conduire en communiste ; avec des yeux sévères, il me demanda si, oui ou non, j'étais pour le socialisme. Je lui répondis que j'étais pour le socialisme, mais qu'ici, au quartier des noirs, c'était absolument indifférent, car ici existe une ligne de démarcation autre qu'à l'extérieur ; d'un côté, il y a ceux qui ont perdu leur propre destin et, de l'autre, ceux qui le leur ont volé et en disposent à leur guise. Alexej ne m'approuvait pas : selon lui, le trait de partage entre socialisme et réaction passait partout ; notre caserne n'était, tout compte fait, qu'un moyen de défense contre les ennemis du socialisme. Je lui demandai comment le môme de commandant défendait le socialisme contre les ennemis alors qu'il l'expédiait, lui Alexej, au trou pour quinze jours et traitait les gens de manière à en faire les ennemis du socialisme, les pires possible. Alexej convint que le commandant ne lui plaisait pas. Mais quand je lui dis que si la caserne était un moyen de défense contre les ennemis, lui Alexej n'aurait pas dû y être envoyé, il me répondit violemment qu'il s'y trouvait de plein droit : « Mon père a été arrêté pour espionnage. Tu mesures ce que ça signifie ? Comment le Parti peut-il me faire confiance ? Le Parti a le *devoir* de n'avoir pas confiance en moi ! »

Puis j'avais causé avec Honza ; je m'étais plaint (en pensant à Lucie) des deux mois sans sortie qui nous attendaient. « Vieux con, me dit-il, on sortira plus qu'avant ! »

Le joyeux sabotage de la course de relais avait fortifié, chez mes camarades, le sens de la solidarité et réveillé leur esprit d'initiative. Honza avait créé une sorte de comité restreint qui s'était vite préoccupé d'étudier les possibilités de faire le mur. En quarante-huit heures, tout était mis au point ; un fonds secret avait été constitué en vue des pots-de-vin ; deux gradés responsables de nos chambrées s'étaient laissé soudoyer ; on avait trouvé l'endroit le plus propice pour couper discrètement le grillage ; c'était tout au bout de la caserne, là où il n'y avait plus que l'infirmerie ; cinq petits mètres séparaient le grillage de la première maison basse de l'agglomération, où habitait un mineur que nous connaissions ; avec lui les copains s'étaient vite entendus : il ne fermerait pas à clé la porte de sa cour ; le soldat en fuite devait en cachette atteindre le grillage, puis, en un clin d'œil, le franchir et courir les cinq mètres ; passé la porte de la cour, il était sauf : il traversait la maisonnette et sortait dans une rue du faubourg.

La voie était donc relativement sûre ; pourvu qu'on n'en abusât pas ; si un trop grand nombre de gars avaient quitté la caserne le même jour, leur absence aurait été aisément décelable ; aussi le comité de Honza était-il obligé de réglementer les sorties.

Mais avant que mon tour n'arrivât, toute l'entreprise de Honza s'écroula. Une nuit, le commandant effectua en personne une visite des baraques et s'aperçut que trois hommes manquaient. Il coinça le caporal (chef de chambrée) qui n'avait pas signalé les absents et lui demanda, comme s'il savait tout, combien il avait touché. Le caporal, croyant qu'il était trahi, n'essaya même pas de nier. Le commandant fit venir Honza pour la confrontation, et le caporal avoua que c'était de lui qu'il avait touché l'argent.

Le môme de commandant nous avait eus, échec et mat. Il expédia le caporal, Honza et les trois soldats clandestinement sortis cette nuit-là au procureur militaire. (Je n'ai même pas pu dire adieu à mon meilleur copain, tout se passa rapidement dans la matinée, pendant que nous étions au fond ; je n'ai appris que bien plus tard qu'ils avaient tous été condamnés, Honza à toute une année de prison.) A la compagnie rassemblée, il annonça qu'elle serait consignée pour une période supplémentaire de deux mois, outre qu'elle subirait dorénavant le régime des unités disciplinaires. Et il demanda la construction de deux miradors d'angle, la mise en place de projecteurs, sans compter la venue de deux types avec leurs chiens-loups pour la garde du casernement.

L'intervention du commandant avait été si foudroyante et précise qu'un même sentiment nous assaillit tous : quelqu'un avait dû trahir l'entreprise de Honza. Non qu'on puisse dire que la délation fleurît particulièrement chez les noirs ; tous, nous la méprisions, mais nous savions qu'en tant que possibilité elle était toujours présente, puisqu'elle s'offrait à nous comme le moyen le plus efficace d'améliorer notre condition, d'atteindre la quille sans retard, avec un bon certificat assurant un avenir vivable. Nous avions réussi (la plupart d'entre nous) à ne pas tomber dans cette ultime bassesse, mais nous n'avions pas réussi à ne pas trop facilement en suspecter les autres.

Cette fois encore, ce genre de suspicion prit racine tout de suite, bientôt transformée en conviction collective (quoique, évidemment, le coup du commandant pût s'expliquer autrement qu'à la suite d'une dénonciation) visant avec une certitude inconditionnelle Alexej. Celui-ci purgeait alors ses derniers jours de prison ; il descendait néanmoins, cela va de soi, chaque matin à la fosse avec nous ; aussi tout le monde prétendait qu'il avait très bien pu avoir vent (« avec ses oreilles de flic ») de l'entreprise de Honza.

Le malheureux étudiant à lunettes en voyait de toutes les couleurs : le chef d'équipe (un des nôtres) le mettait aux boulots les plus moches ; ses outils, régulièrement, disparaissaient et il devait, sur sa paye, en rembourser le prix ; allusions et insultes ne lui étaient guère ménagées, à côté des mille petites brimades qu'il lui fallait endurer ; sur la cloison de bois au pied de laquelle son châlit était installé, quelqu'un avait peinturluré au cambouis, en grosses lettres noires : ATTENTION, CRAPULE.

Peu de jours après le départ sous escorte de Honza et des quatre autres coupables, j'étais allé, en fin d'après-midi, jeter un coup d'œil dans la chambrée de notre groupe ; il n'y avait personne, sauf Alexej courbé sur son lit qu'il était en train de refaire. Je lui demandai pourquoi il faisait son lit. Il m'expliqua que les gars le lui retournaient plusieurs fois par jour. Je lui dis que tous étaient convaincus que c'était lui qui avait dénoncé Honza. Il protesta, en pleurant presque ; il n'était au courant de rien, et n'aurait jamais mouchardé. « Pourquoi dis-tu ça ? lui dis-je. Tu te prends pour un allié du commandant. Alors, il est logique que tu puisses moucharder. — Je ne suis pas l'allié du commandant ! Le commandant est un saboteur ! » fit-il d'une voix saccadée. Et il m'exposa son opinion, à laquelle, disait-il, l'avaient amené ses réflexions au bloc : les formations de soldats noirs, le Parti les a créées pour ceux à qui il ne peut confier une arme, mais qu'il entend rééduquer. Seulement, l'ennemi de classe ne dort pas, il veut à tout prix contrecarrer cette rééducation ; ce qu'il veut, c'est maintenir les soldats noirs dans une haine furieuse du communisme pour qu'ils puissent servir de réserve à la contre-révolution. Et si le môme de commandant agit vis-à-vis de chacun de façon à provoquer sa colère, il est clair que cela fait partie du plan de l'ennemi ! Je n'ai, paraît-il, aucune idée de tous les recoins où les ennemis du Parti vont se fourrer. Le commandant, certainement, est un agent de l'ennemi. Alexej sait où est son devoir et il a écrit un rapport détaillé des menées du commandant. Je tombais des nues : « De quoi ? Qu'est-ce que tu as écrit ? Où as-tu envoyé ça ? » Il me répondit qu'il avait adressé contre le commandant une plainte au Parti.

Entre-temps, nous étions sortis du baraquement. Il me demanda si je n'avais pas peur de me montrer avec lui devant les autres. Je lui dis qu'il fallait être con pour poser une question comme celle-là, et doublement con pour se figurer que sa lettre parviendrait à destination. A quoi il répondit qu'en tant que communiste il devait en toutes circonstances se conduire de telle manière qu'il n'eût pas à rougir. Et de me rappeler une fois de plus que j'étais moi aussi communiste (même exclu du Parti) et que je devrais me comporter autrement que je ne le faisais : « Nous, les communistes, répondons de tout ce qui se passe ici. » Cela me fit marrer ; je lui dis que la responsabilité était impensable sans la liberté. Il répondit qu'il se sentait suffisamment libre pour agir en communiste ; il devait prouver et prouverait qu'il était communiste. Ce disant, il avait le menton qui tremblait ; quand, aujourd'hui, après tant d'années, je me rappelle cet instant, je suis plus que jamais conscient qu'Alexej avait alors à peine plus de vingt ans, que c'était un jeune homme, un môme et que son destin flottait sur lui comme un costume de géant sur un tout petit corps.

Je me souviens que, peu après l'entretien avec

Alexej, Cenek me demanda pourquoi je causais avec cette crapule. Alexej est un con, lui dis-je, mais pas une crapule ; et je lui fis part de ce qu'Alexej venait de me relater à propos de sa plainte contre le commandant. Cela n'a pas impressionné Cenek : « Con, je ne sais pas, dit-il, mais c'est certainement une crapule. Parce que pour renier publiquement son père, il faut être une crapule. » Je ne comprenais pas ; il s'étonnait que je ne fusse pas au courant ; le commissaire en personne leur avait montré des journaux vieux de plusieurs mois, où il y avait une déclaration d'Alexej : il reniait son père qui avait, selon lui, trahi et souillé de bave ce que son fils regardait comme le plus sacré.

Vers le soir de cette journée, du haut d'un mirador (construit les jours précédents), pour la première fois des projecteurs éclairaient le casernement ; un garde et son chien longeaient l'enceinte de grillage. Une tristesse insondable s'abattit sur moi : j'étais sans Lucie, je savais que je ne la retrouverais pas de deux interminables mois. Je lui écrivis ce même soir une longue lettre ; je lui disais que je ne pourrais la voir avant longtemps, que nous n'avions pas le droit de sortir de la caserne, et combien je regrettais qu'elle m'ait refusé ce que je désirais et dont le souvenir m'aurait aidé à supporter ces sombres semaines.

Le lendemain du jour où j'avais posté ma lettre, nous faisions les éternels garde-à-vous, en avant marche, couchez-vous. J'exécutais les mouvements prescrits automatiquement et je ne voyais ni le caporal se déchaîner, ni mes copains marcher ou se jeter au sol ; je ne voyais pas davantage ce qui était autour : sur trois côtés de la cour des baraquements, sur le quatrième un grillage bordant une route. Là-bas, de temps en temps, des passants s'arrêtaient (des enfants le plus souvent, seuls ou avec leurs parents qui leur expliquaient que, derrière le grillage, les petits soldats faisaient l'exercice). Tout cela se transformait pour moi en décor sans vie, en toile peinte (tout ce qui était au-delà des fils de fer n'était que toile peinte); aussi n'aurais-je pas regardé de ce côté, si quelqu'un n'avait lancé dans cette direction : « Tu rêves, poupée ? »

Alors seulement, je la vis. C'était Lucie. Elle était debout contre le grillage, dans son vieux manteau marron élimé (pourquoi avoir oublié, le jour de nos achats que, l'été fini, viendraient les froids ?), avec aux pieds les élégants escarpins noirs à hauts talons (mon cadeau). Elle nous observait, immobile. Avec un intérêt croissant, les soldats commentaient son air curieusement patient et mettaient dans leurs propos tout le désespoir sexuel d'hommes maintenus dans un célibat forcé. Même le sous-officier finit par s'aviser de l'effervescence distraite des soldats et, bien vite, de sa cause ; il enragea devant sa propre impuissance : il ne pouvait pas interdire à la jeune fille d'être là ; en dehors des fils de fer s'étendait une aire de relative liberté échappant à ses injonctions. Ayant donc enjoint aux gars de garder leurs remarques pour eux, il éleva et le ton de ses commandements et le tempo de l'instruction.

Tantôt Lucie se déplaçait de quelques pas, tantôt elle sortait tout à fait de mon champ de vision, mais revenait finalement à l'endroit d'où nous pouvions nous voir. Puis la séance d'ordre serré se termina, mais je n'eus pas le temps de m'approcher de Lucie, car il

161

fallut dare-dare se rendre à la leçon d'éducation politique ; nous avons écouté des phrases sur le camp de la paix et sur les impérialistes, et seulement au bout d'une heure je pus m'enfuir (déjà entre chien et loup), et voir si Lucie était restée près du grillage ; elle était là ; je courus vers elle.

Elle me disait de ne pas lui garder rancune, elle m'aimait, elle s'en voulait de savoir que j'étais triste par sa faute. Je lui dis que je ne savais pas quand j'aurais la possibilité d'aller la retrouver. Elle dit que ça ne faisait rien, qu'elle reviendrait ici très souvent. (Des gars passaient derrière mon dos et nous crièrent une obscénité.) Je lui demandai si les grossièretés des soldats ne seraient pas gênantes pour elle. Elle m'assura que c'était sans importance, puisqu'elle m'aimait. Elle me glissa, entre les fils de fer, une rose (le clairon sonna ; on nous appelait au rassemblement) ; nous nous sommes embrassés à travers une maille du grillage.

13

Presque chaque jour, Lucie venait vers l'enceinte de la caserne, quand j'étais à la mine le matin et donc passais au quartier les heures de l'après-midi ; chaque jour, je recevais un petit bouquet (le sergent me les jeta tous par terre, lors d'une revue de paquetage) et j'échangeais avec Lucie quelques rares phrases (phrases stéréotypées, parce qu'en somme nous n'avions rien à nous dire ; nous n'échangions pas des idées ou des nouvelles, nous ne nous confirmions qu'une seule vérité à maintes reprises exprimée) ; en même temps, je lui écrivais à peu près quotidiennement ; ce fut la phase la plus intense de notre amour. Les projecteurs du mirador, l'aboiement bref des chiens vers le soir, le môme qui régnait sur tout cela tenaient une pauvre place dans ma pensée, tendue toute vers la venue de Lucie.

En fait, j'étais très heureux dans cette caserne gardée par des chiens ou au fond de la mine, où je m'appuyais sur le marteau piqueur qui tressautait. J'étais heureux et fier parce qu'en Lucie je possédais une richesse qu'aucun de mes copains ni même des gradés n'avait : j'étais aimé, j'étais aimé à la face de tous, ostensiblement. Bien que Lucie n'incarnât pas l'idéal féminin de mes copains, bien que sa tendresse se manifestât — à leur avis — de manière assez étrange, c'était, malgré tout, l'amour d'une femme et cela éveillait l'étonnement, la nostalgie et la convoitise.

163

Plus se prolongeait notre claustration loin du monde et des femmes, plus les femmes revenaient, avec tous les détails, dans nos conversations. On évoquait les grains de beauté, on dessinait (au crayon sur le papier, à la pioche dans l'argile, du bout du doigt dans le sable) les contours de leurs seins et de leurs fesses ; on se disputait pour savoir laquelle des croupes absentes offrait le galbe optimum ; on restituait avec exactitude paroles et gémissements accompagnant les copulations ; tout cela était discuté encore et encore, et toujours avec de nouveaux détails. Moi aussi j'étais interrogé et les copains étaient d'autant plus curieux que la jeune fille dont je parlerais leur apparaissait tous les jours et qu'ils pouvaient donc facilement relier son apparence concrète à mon récit. Je ne pouvais pas décevoir mes copains, je ne pouvais que raconter ; j'ai donc parlé de la nudité de Lucie, que je n'avais jamais vue, de nos nuits d'amour, que je n'avais jamais vécues, et à mes yeux soudain se composait un tableau minutieux et précis de sa passion tranquille.

Comment était-ce, la première fois que je l'avais aimée ?

C'était chez elle, dans la chambre du foyer ; elle s'était déshabillée devant moi, docile, dévouée, à son corps défendant pourtant, parce qu'elle était une fille de la campagne et moi le premier homme à la voir nue. Cela m'excitait à la folie, ce dévouement mêlé de pudeur ; quand je me rapprochai, elle se recroquevilla, les mains plaquées sur le pubis...

Pourquoi est-ce qu'elle met tout le temps ces chaussures noires avec des talons hauts ?

Je les lui avais achetées exprès dans l'intention de la

faire évoluer devant moi, toute nue, rien qu'avec ces chaussures ; elle avait honte, mais elle faisait tout ce que je voulais ; je restais toujours vêtu aussi longtemps que possible et elle se promenait nue dans ces petits souliers-là (ça me plaisait terriblement qu'elle fût nue et moi habillé !), nue, elle allait chercher du vin dans l'armoire et, nue, elle venait remplir mon verre...

Ainsi, lors des arrivées de Lucie au grillage, je n'étais pas seul à l'observer, mais avec moi une bonne dizaine de copains sachant avec exactitude comment Lucie aimait, ce qu'alors elle disait ou comme elle soupirait, et chaque fois ils constataient d'un air entendu qu'elle était encore chaussée des escarpins noirs, et ils l'imaginaient nue, se promenant sur ces échasses d'un coin à l'autre de la petite chambre.

Chacun de mes copains pouvait se souvenir d'une femme et la partager ainsi avec les autres, mais nul autre que moi n'avait le pouvoir d'offrir la *vue* de cette femme ; la mienne seule était vraie, vivante et présente. La solidarité qui m'avait poussé à peindre la nudité et le comportement érotique de Lucie avait eu pour effet de concrétiser mon désir jusqu'à la douleur. Les copains, commentant ses venues par des grivoiseries, ne m'indignaient nullement : leur façon de posséder Lucie ne pouvait m'en déposséder (le grillage et les chiens la protégeaient de tous, y compris de moi) ; tous, au contraire, me l'offraient : tous *mettaient au point* pour moi une troublante image d'elle, tous la modelaient avec moi et la dotaient d'une séduction éperdue ; je m'étais livré à mes copains et, ensemble, nous nous sommes livrés au désir de Lucie. Quand j'allais ensuite la rejoindre près du grillage, des frémissements me parcouraient ; je ne pouvais parler, tant j'avais envie d'elle ; je ne comprenais pas comment j'avais pu la fréquenter six mois, étudiant timide, sans discerner la femme en elle ; j'eusse tout sacrifié pour un seul coït avec elle.

Je ne veux pas dire par là que mon attachement eût tourné au brut, au plat, qu'il eût perdu en tendresse. Je dirais que j'éprouvais alors — la seule fois de ma vie — *le désir total d'une femme* où tout mon être était engagé : corps et âme, concupiscence et tendresse, chagrin et furieux goût de vivre, fringale de vulgarité comme de réconfort, soif d'une seconde de plaisir comme d'éternelle possession. J'étais entièrement engagé, tendu, concentré et je me souviens de ces moments comme d'un paradis perdu (singulier paradis gardé par des chiens et des sentinelles).

J'étais prêt à n'importe quoi pourvu que je pusse rencontrer Lucie hors de la caserne ; elle m'avait donné sa parole que, la prochaine fois, « elle ne se défendrait plus » et qu'elle irait où je voudrais. Maintes fois, elle m'avait renouvelé cette promesse à travers les fils de fer. Donc, il suffisait d'oser une action hasardeuse.

L'affaire eut tôt fait de mûrir dans ma tête. L'essentiel du plan de Honza était demeuré inconnu du commandant. Le grillage de l'enceinte restait toujours secrètement distendu et l'accord passé avec le mineur logeant à côté du quartier tenait toujours. La surveillance était, certes, si complète à présent qu'il n'était pas question de filer en plein jour. De nuit, les gardes et leurs chiens-loups rôdaient aux abords, les projecteurs étaient allumés, mais, au fond, tout cela fonctionnait davantage pour le plaisir du commandant qu'en raison de nos évasions devenues improbables ; se faire piquer eût coûté le tribunal militaire et c'était un trop grand risque. Pour cela, justement, je me disais que j'avais ma petite chance.

Je dus donc découvrir pour nous une cachette pas trop distante du casernement. La plupart des mineurs qui habitaient dans le voisinage descendaient par la même cage que nous, de sorte que je m'entendis bientôt avec l'un d'eux (un veuf quinquagénaire) qui consentit (moyennant trois cents couronnes de l'époque) à me prêter son logement. C'était un pavillon gris d'un étage, que l'on apercevait de la caserne ; je le montrai à Lucie depuis la clôture en lui expliquant mon projet ; elle ne s'en réjouissait pas ; elle tenta de me dissuader de prendre un risque à cause d'elle et ne finit par accepter que parce qu'elle ne savait pas dire non.

Le jour convenu arriva. Il commença assez bizarrement. A peine rentrés de la mine, le môme de commandant nous avait fait rassembler pour écouter un de ses topos. D'habitude, il agitait les épouvantails de la guerre imminente et de la cruauté avec laquelle on secouerait les réactionnaires (dans sa pensée, il s'agissait de nous en premier lieu). Cette fois, il avait ajouté des idées neuves : l'ennemi de classe s'était infiltré dans le Parti communiste ; mais que les espions et les traîtres le sachent bien : les ennemis camouflés seraient traités cent fois pis que ceux qui ne cachaient pas leurs opinions, car l'ennemi déguisé est un chien galeux. « Et nous en avons un ici même », dit le môme de commandant, et il fit sortir des rangs le môme d'Alexej. Puis il tira de sa poche une espèce de paperasse qu'il lui fourra sous le nez : « Cette lettre-là, ça te dit quelque chose ? — Oui, dit Alexej. — T'en es un de chien galeux ; par-dessus le marché un mouchard et un flic. Seulement, les jappements d'un clebs n'arrivent pas jusqu'au ciel ! » Et, sous ses yeux, il déchira sa lettre.

« J'ai une autre lettre pour toi, fit-il ensuite en tendant une enveloppe ouverte à Alexej : lis ça à haute voix ! » Alexej en sortit un papier, le parcourut d'un regard — et garda le silence. « Lis donc ! » répéta l'officier. Alexej se taisait. « Tu ne veux pas ? » demanda le commandant et, devant le mutisme d'Alexej, il ordonna : « Couché ! » Alexej s'aplatit dans la boue. Le môme de commandant s'attarda au-dessus de lui et, tous, nous savions que rien d'autre ne pouvait alors venir que debout ! couché ! debout ! couché ! et qu'Alexej allait devoir se relever, s'aplatir, se relever, s'aplatir. Pourtant le commandant ne poursuivit pas ses ordres, se détourna d'Alexej et arpenta avec lenteur le premier rang des hommes ; des yeux, il vérifia l'équipement, il parvint au bout du rang (cela prit plusieurs minutes), vira sur ses talons et, sans plus de hâte, revint près du soldat étendu à plat ventre : « Et maintenant lis ! » dit-il. Alexej redressait son menton souillé de boue, avançait sa main droite dans laquelle il avait tout ce temps tenu la lettre serrée et, toujours couché, lisait : « Nous vous informons qu'à la date du quinze septembre mil neuf cent cinquante et un, vous avez été exclu du Parti communiste de Tchécoslovaquie. Pour le Comité régional... » Le commandant donna à Alexej l'ordre de regagner sa place dans le rang, passa le commandement à un gradé et on nous fit faire l'exercice.

Après l'ordre serré, il y eut instruction politique et, vers les six heures et demie (il faisait déjà nuit), Lucie attendait près du grillage ; je me dirigeai vers elle, elle inclina la tête, signe que tout allait bien, et partit. Vint ensuite la soupe du soir, l'extinction des feux et nous allâmes nous coucher ; dans mon lit, j'attendis que le caporal de chambrée s'endormît. Alors j'enfilai mes godillots et, tel quel, en long caleçon blanc et chemise de nuit, je quittai la pièce. Le couloir franchi, j'étais dans la cour ; j'avais froid. Le passage dans la clôture avait été pratiqué au fond du quartier, derrière l'infirmerie, ce qui était bien, car en cas de rencontre inopinée, je pourrais toujours prétendre qu'un malaise m'avait pris et que j'allais trouver le médecin. Cependant, je ne rencontrai personne ; je contournai le mur du bâtiment sanitaire en me coulant dans son ombre ; un projecteur éclairait paresseusement le même point (le type du mirador ne prenait visiblement pas sa tâche trop au sérieux) et la partie de la cour qu'il m'avait fallu traverser baignait dans le noir ; je n'avais plus qu'un souci : ne pas tomber sur le garde qui toute la nuit faisait la ronde avec son chien le long de la clôture ; tout se taisait (redoutable silence qui compliquait mon guet) ; je fus bien là une dizaine de minutes quand enfin j'entendis un aboiement ; c'était tout à l'autre bout du quartier. Décollant donc de mon mur, je courus à l'endroit où, depuis l'intervention de Honza, le grillage était relâché à ras de terre. A plat ventre, je me glissai dessous ; maintenant, il ne fallait plus hésiter ; quelques pas encore et je fus à la palissade en bois du mineur ; tout était en ordre : la porte n'était pas fermée à clé, je pénétrai dans la courette de la maison, dont la fenêtre (avec le store abaissé) tamisait la lumière intérieure. Je frappai au carreau et quelques secondes après, un colosse s'encadrait dans l'entrée, m'invitant bruyamment à le suivre. (Ces démonstrations bruyantes me donnèrent presque une sueur, car je ne pouvais oublier que j'étais si près de la caserne.)

La porte ouvrait droit sur une pièce ; je restai sur le seuil, un peu abruti : à l'intérieur, très à l'aise autour d'une table (une bouteille débouchée y était posée), cinq types étaient assis ; m'ayant vu ils commencèrent à rire de mon accoutrement ; ils affirmèrent que je devais crever de froid en chemise de nuit et me versèrent un verre ; je goûtai : c'était de l'alcool à 90° à peine allongé d'eau ; ils m'encouragèrent et je fis cul sec ; je toussai, ce qui de nouveau les fit rire fraternelle-ment et ils m'offrirent une chaise ; ils s'intéressèrent à la manière dont j'avais réussi à « passer la frontière » et encore une fois ils regardèrent mon vêtement bouffon et s'esclaffèrent, me traitant de « caleçon en fuite ». Tous ces mineurs entre la trentaine et la quarantaine devaient avoir l'habitude de se retrouver ici ; ils buvaient mais n'étaient pas ivres ; après ma première surprise, leur présence insouciante me délivrait de ma détresse. Je ne m'opposai pas à un autre verre de ce liquide fort et suffocant. Le mineur avait fait entre-temps un saut dans la chambre voisine et était revenu, un complet sombre à la main. « Est-ce qu'il t'ira ? » demanda-t-il. Je m'avisai que le mineur était de dix bons centimètres plus grand que moi et, en proportion, considérablement plus corpulent, mais je dis : « Il *faut* qu'il m'aille. » Je passai le pantalon par-dessus le caleçon réglementaire, mais je devais le retenir de la main, sinon il dégringolait. « Il n'y a pas quelqu'un qui aurait une ceinture ? » demanda mon donateur. Personne n'en avait. « Au moins une ficelle », dis-je. On en trouva une et grâce à elle le froc tenait à peu près. J'enfilai la veste et les types décidèrent (je ne sais trop pourquoi) que je ressemblais à Charlie Chaplin, qu'il ne manquait plus que le melon et la badine. Afin de leur être agréable, j'écartai mes pointes de pieds, contreforts rapprochés. Sur l'empeigne imposante des godillots, le pantalon accordéonait, les types jubilaient, jurant que ce soir n'importe laquelle se mettrait en quatre pour moi. Ils me firent vider un troisième verre et m'accompagnèrent jusqu'au trottoir. L'homme m'assura que je pouvais venir taper à sa fenêtre à l'heure qu'il me plairait de repasser pour me changer.

Je sortis dans la rue médiocrement éclairée du faubourg. Je fus près d'un quart d'heure à décrire un vaste cercle autour de l'enceinte militaire avant d'aborder la rue où j'allais rejoindre Lucie. En chemin, j'étais de toute façon forcé de passer au large du portail illuminé de notre caserne ; un petit pincement d'angoisse s'avéra tout à fait superflu : ma défroque civile me protégeait à la perfection et la sentinelle m'aperçut sans me reconnaître ; j'arrivai sain et sauf. J'ouvris la porte de la maison (éclairée par un réverbère solitaire) et m'avançai de mémoire (me guidant sur la seule description du mineur) : l'escalier à gauche, premier étage, la porte en face. Je frappai. La clé tourna dans la serrure et Lucie m'ouvrit.

Je l'embrassai (elle m'attendait là depuis les six heures, étant venue dès le départ du mineur, qui était de l'équipe de nuit) ; elle me demanda si j'avais bu ; je répondis que oui et je lui racontai comment j'étais venu. Elle dit qu'elle avait tremblé tout ce temps, de crainte qu'il ne m'arrive quelque chose. (Alors je me rendis compte qu'elle tremblait vraiment.) Je lui racontai avec quelle joie immense j'étais venu la retrouver ; dans mes bras, je sentais ses frissons répétés. « Qu'est-ce que tu as ? m'inquiétai-je. — Rien, fit-elle. — Mais pourquoi trembles-tu ? — J'avais peur pour toi », dit-elle et, doucement, elle se dégagea.

Je jetai un coup d'œil alentour. La pièce était minuscule, austèrement garnie : table, chaise, lit (il était fait, les draps pas tout à fait nets) ; une image pieuse au-dessus ; contre le mur opposé, une armoire couronnée de confitures dans leurs bocaux (seule chose tant soit peu douce dans cette pièce), et sur tout cela brûlait, solitaire au plafond, une ampoule sans abat-jour, piquant désagréablement les yeux et éclairant avec brutalité toute ma personne dont le comique sinistre à l'instant me fit mal : la veste gigantesque, le pantalon ceint d'une ficelle, le bout noirâtre des godasses ; et tout en haut, mon crâne rasé de frais qui, sous la lumière de l'ampoule, devait briller comme une lune blafarde.

« Pour l'amour de Dieu, Lucie, pardonne-moi d'être comme ça ! » implorai-je, et j'expliquai encore la nécessité de mon déguisement. Lucie m'assurait que c'était sans importance, mais moi, entraîné par la spontanéité due à l'alcool, je déclarai qu'il était impossible de rester comme ça devant elle et je tombai rapidement veste et pantalon ; mais, là-dessous, il y avait la chemise de nuit et l'atroce caleçon d'intendance (jusqu'aux chevilles), deux-pièces encore dix fois plus comique que le costume qui le cachait une minute plus tôt. Je tournai le commutateur pour éteindre la lumière, mais aucune ténèbre ne vint me sauver parce que de la rue jusqu'ici luisait le réverbère. La honte du ridicule l'emportant sur celle de la nudité, j'envoyai promener chemise et caleçon et je fus nu, debout devant Lucie. Je l'enlaçai. (Encore une fois je sentis qu'elle tremblait.) Je lui dis de se déshabiller, de se défaire de tout ce qui nous séparait. Je caressais tout son corps et, encore et encore, je lui faisais ma prière, mais Lucie me dit d'attendre un peu, qu'elle ne pouvait pas, qu'elle ne pouvait pas tout de suite, qu'elle ne pouvait pas si vite.

Je lui pris la main et nous nous assîmes sur le lit. Je blottis ma tête contre son ventre et je restai un moment sans bouger ; soudain m'apparut tout l'incongru de ma nudité (faiblement éclairée par la lumière sale du réverbère) ; l'idée me vint que tout tournait à l'inverse de ce que j'avais rêvé : il n'y avait pas une jeune fille nue auprès d'un homme habillé, mais un homme nu se tenait blotti contre le ventre d'une femme habillée ; j'avais l'impression d'être Jésus décrucifié entre les mains de Marie compatissante et cette idée aussitôt m'effraya, car je n'étais pas venu chercher ici de la compassion mais bien autre chose — et encore une fois je commençai à embrasser Lucie sur le visage et sur sa robe que je tâchai de dégrafer discrètement.

Mais j'échouai ; Lucie se dégagea : je perdis mon élan initial, ma confiante impatience, j'avais épuisé ma réserve de mots et d'attouchements. Allongé, inerte, nu, je demeurais sur le lit, Lucie était assise au-dessus de moi et caressait mon visage de ses mains rugueuses. Et, pendant ce temps, petit à petit, amertume et colère se décantaient en moi : en esprit, je rappelais à Lucie tous les risques que j'avais dû courir afin de la rencontrer aujourd'hui ; je lui rappelais (en esprit) toutes les punitions que pouvait me valoir l'excursion de cette soirée. Mais ce n'étaient que reproches superficiels (aussi — au moins en esprit — pouvais-je les confesser à Lucie). La véritable source de mon courroux se trouvait infiniment plus profond (j'eusse rougi de la confesser) : ma misère me lancinait, désolante misère de ma jeunesse ratée, misère de ces longues semaines inassouvies, humiliant infini du désir inexaucé ; j'évoquais la vaine conquête de Marketa, la vulgarité de cette blonde sur la machine agricole et encore une fois la vaine conquête de Lucie. Et j'avais envie de crier ma plainte : pourquoi en tout me faut-il être adulte, comme adulte jugé, exclu, proclamé trotskiste, comme adulte envoyé dans les mines alors qu'en amour je n'ai pas le droit d'être adulte et qu'on m'oblige de boire toute la honte de l'immaturité ? Je détestais Lucie, d'autant plus que je savais son amour pour moi, ce qui rendait sa résistance aberrante et incompréhensible, et m'acculait à la fureur. Ainsi, après une demi-heure de mutisme obstiné, je repartis à l'attaque.

Je m'abattis sur elle ; employant toute ma force, je parvins à retrousser sa jupe, à déchirer son soutien-gorge, à saisir sa poitrine dénudée, mais Lucie m'opposait une défense sans cesse plus véhémente et (sous l'empire d'une violence aussi aveugle que la mienne) elle se dégagea, bondit du lit et se plaqua contre l'armoire.

« Pourquoi te défends-tu ? » criai-je. Incapable d'une réponse, elle bredouilla qu'il ne fallait pas me fâcher, pas lui en vouloir, mais elle ne dit rien d'éclairant, rien de logique. « Pourquoi te défends-tu ? Tu ne sais donc pas comme je t'aime ? Tu es folle à lier ! l'insultai-je. — Eh bien, chasse-moi, dit-elle, toujours collée à l'armoire. — Oui, je vais te chasser, parce que tu ne m'aimes pas, parce que tu te payes ma tête ! » Je lui criai mon ultimatum, ou elle serait à moi, ou bien je ne voulais plus la voir, jamais.

Et j'allai encore vers elle et l'embrassai. Cette fois, elle ne se défendait pas, mais était dans mes bras sans force, comme morte. « Qu'est-ce que tu te crois avec ton pucelage ? Pour qui veux-tu le protéger ? » Elle se taisait. « Qu'as-tu à te taire ? — Tu ne m'aimes pas, fit-elle. — Moi, je ne t'aime pas ? — Non ! Je m'étais figuré que tu m'aimais... » Elle s'abîma en pleurs.

Je m'agenouillai devant elle ; je lui baisai les jambes, la suppliai. Elle répétait, en sanglotant, que je ne l'aimais pas.

D'un seul coup, la fureur me saisit. Une espèce de force surnaturelle semblait me barrer la route, m'arrachant continuellement des mains ce pour quoi j'entendais vivre, ce que je désirais, ce qui m'appartenait ; cette force me semblait celle-là même qui m'avait volé le Parti, les camarades, la faculté ; celle-là qui chaque fois me prenait tout et toujours pour un oui ou pour un non et sans aucune raison. Je compris que cette force surnaturelle dressait Lucie contre moi et je détestais Lucie de s'être faite son instrument ; je la frappai au visage — pensant atteindre non pas Lucie, mais cette force hostile ; je hurlai que je la détestais, que je ne voulais plus la voir, jamais plus la voir, dans ma vie.

Je lui lançai son manteau marron (abandonné sur la chaise) et lui criai de partir.

Elle mit son manteau et sortit.

Puis je me jetai sur le lit et j'avais du vide à l'âme et j'étais tout près de la rappeler parce qu'elle me manquait déjà au moment où je la renvoyais, parce que, je le savais, mille fois mieux valait être avec une Lucie vêtue et rebelle qu'être sans Lucie.

Je le savais, et pourtant je n'eus pas un mouvement pour la faire revenir.

Longtemps je restai nu sur le lit de cette chambre d'emprunt, car il m'était impensable, dans cet état, de rencontrer des gens, de reparaître dans la maison en face de la caserne, de plaisanter avec les mineurs et de répondre à leur interrogatoire égrillard.

Quand même (très avant dans la nuit), je finis par me rhabiller et m'en aller. Du trottoir d'en face, le réverbère luisait toujours sur la maison que je quittai. Je fis le tour de la caserne, frappai à la fenêtre (maintenant éteinte), attendis trois minutes, retirai mes frusques en présence du mineur qui bâillait, répondis vaguement, comme il me questionnait sur ma bonne fortune, et (de nouveau en chemise de nuit et caleçon) me dirigeai vers la caserne. Fourbu de désespoir, tout m'était égal. De quel côté se trouvait le garde au chien-loup, je n'y faisais pas attention, pas plus qu'à la lumière du projecteur. Je me glissai sous le grillage, avançai tranquillement vers mon baraquement. Je longeais justement le mur de l'infirmerie quand j'entendis : « Halte-là ! » Je m'arrêtai. Une lampe de poche m'éclaira. « Qu'est-ce que vous foutez là ?

— Je suis en train de dégueuler, camarade sergent, expliquai-je en m'appuyant d'une main au mur.

— Continuez, continuez ! » répliqua le sergent et il reprit sa ronde avec sa bête.

14

Sans plus d'histoires (le caporal roupillait dur), j'avais atteint mon lit, incapable toutefois de fermer l'œil, de sorte que je fus heureux quand la voix râpeuse du gradé de semaine (éructant : « Debout là-dedans ! ») vint mettre fin à cette mauvaise nuit. Je glissai dans mes souliers et courus aux lavabos afin de m'asperger d'eau froide. Au retour, j'aperçus autour du lit d'Alexej une escouade de copains à moitié vêtus qui sans bruit se gondolaient. Je compris : Alexej (couché sur le ventre, sous sa couverture, la tête enfouie dans le polochon) dormait comme une souche. Cela aussitôt me rappela Franta Petrasek, lequel, un matin, furieux contre son chef de section, avait feint un sommeil si profond que trois supérieurs hiérarchiques l'avaient, à tour de rôle, secoué sans résultat ; il avait fallu, en désespoir de cause, le transporter avec son lit jusque dans la cour où il ne s'était paresseusement frotté les yeux qu'après qu'on eut pointé sur lui une lance à, incendie. Mais Alexej ne pouvait pas être soupçonné de rébellion, et son sommeil profond n'avait sans doute pas d'autre origine que sa faiblesse de constitution. Un caporal (le chef de notre chambrée) s'amena du couloir dans la piaule, une énorme marmite pleine d'eau entre les bras ; lui firent cortège plusieurs des nôtres qui, apparemment, lui avaient soufflé ce vieux coup stupide de la flotte, qui convient si admirablement aux cerveaux des sous-officiers de tous les temps.

Cette touchante connivence des hommes et du gradé (si méprisé d'habitude) m'irrita ; j'étais outré de voir tous les vieux comptes entre eux soudain effacés par leur commune haine pour Alexej. Tous avaient, à l'évidence, interprété dans le sens de leur propre suspicion les mots du commandant parlant hier d'un Alexej dénonciateur et avaient brusquement ressenti le flot chaleureux du consentement avec la cruauté du galonné. Une rage aveuglante me monta à la tête, rage pour eux tous, autour de moi, pour cet empressement à croire la première accusation venue, pour leur cruauté toujours disponible — et je devançai le caporal et sa meute. Tout au bord du lit, je dis à haute voix : « Lève-toi, Alexej, fais pas le con ! »

A ce moment, quelqu'un, par-derrière, me tordit le poignet, m'obligeant de tomber à genoux. Je tournai la tête et reconnus Petr Pekny. « Alors, le bolchevik, on veut troubler la fête ? » me siffla-t-il. Je me libérai d'une secousse et lui flanquai une gifle. Nous allions nous rentrer dedans mais les autres se hâtèrent de nous calmer, craignant un réveil prématuré d'Alexej. Du reste, il y avait le caporal qui attendait avec sa marmite. S'étant campé au-dessus d'Alexej, il hurla : « Debout ! » vidant sur lui les dix bons litres d'eau.

Et il se passa quelque chose d'étrange : Alexej restait couché comme avant. Alexej n'avait pas remué d'un pouce. Ébaubi quelques secondes, le caporal s'écria : « Soldat ! Debout ! » Mais le soldat ne bougeait pas. Le caporal se pencha et le secoua (la couverture était trempée, le lit et le drap aussi, des gouttes tombaient sur le parquet). Il réussit à retourner le corps d'Alexej dont le visage nous apparut : creux, pâle, immobile.

Le caporal cria : « Le docteur ! » Personne ne bougea, tous regardaient Alexej dans sa chemise de nuit trempée, et le caporal cria de nouveau : « Le docteur ! » et désigna un soldat qui partit tout de suite.

(Alexej gisait sans un mouvement, plus menu, plus souffreteux que jamais, plus jeune encore, comme un enfant, sauf qu'il avait les lèvres serrées très étroit, comme les enfants ne les serrent pas ; des gouttes tombaient sous lui. Quelqu'un a dit : « Il pleut... »)

Le docteur accouru prit le poignet d'Alexej et dit : « Bon... » Ensuite il enleva la couverture mouillée : nous le vîmes dans toute sa (courte) longueur, avec son long caleçon blanc et humide, la plante de ses pauvres pieds nus en l'air. Le docteur scruta autour de lui et ramassa deux tubes sur la table de chevet ; il les examina (ils étaient vides) et dit : « Assez pour en liquider deux. » Et puis il retira un drap du lit voisin et l'étendit sur Alexej.

Tout cela nous avait mis en retard ; nous avons dû prendre le petit déjeuner en courant et trois quarts d'heure après, nous descendîmes aux fosses. Puis il y eut la fin du travail, il y eut de nouveau séance d'exercice, éducation politique, chant obligatoire, travaux de nettoyage, il y eut le coucher et je pensai que Stana n'était plus là, que mon meilleur ami Honza n'était plus là (jamais je ne le revis, tout ce qu'on m'a rapporté, c'est qu'ayant terminé son temps de service, il était clandestinement passé en Autriche) et qu'Alexej non plus n'était plus là ; il avait assumé son rôle fou aveuglément et courageusement et ce n'était pas sa faute si, tout d'un coup, il ne pouvait plus le jouer, s'il ne savait plus *rester dans le rang*, avec son *masque de chien*, si les forces lui manquaient ; ce n'était pas mon copain, par l'acharnement de sa foi il m'était étranger, mais, par sa destinée, il m'était le plus proche de tous ; il me semblait qu'il avait celé dans sa mort un reproche à mon égard, comme s'il avait voulu me laisser entendre qu'à partir du moment où le Parti bannit un homme de son sein, cet homme n'a plus de raisons de vivre. Je me sentis subitement coupable de ne pas l'avoir aimé, parce qu'il était maintenant irrévocablement mort et que je n'avais jamais rien fait pour lui, bien que j'eusse été le seul ici à pouvoir faire quelque chose pour lui.

Mais je n'avais pas perdu qu'Alexej et l'unique occasion de sauver un homme ; considérant les choses avec le recul d'aujourd'hui, c'est alors aussi que j'ai perdu le chaud sentiment de ma solidarité avec mes compagnons noirs et, partant, l'ultime possibilité de ressusciter ma confiance dans les gens. Je me mis à douter de la valeur de notre solidarité due seulement à la pression des circonstances et à l'instinct de conservation qui nous agglutinaient en un troupeau compact. Et je commençais à penser que notre collectivité de noirs était capable de traquer un homme (l'envoyer en exil et à la mort) tout comme la collectivité de la salle d'autrefois, et comme peut-être toute collectivité.

J'étais, ces jours-là, comme traversé par un désert ; j'étais un désert dans le désert et j'avais envie d'appeler Lucie. Je ne pouvais tout d'un coup comprendre pourquoi j'avais désiré aussi follement son corps ; il me semblait maintenant qu'elle n'était peut-être pas une femme de chair mais une colonne transparente de chaleur qui traversait l'empire de l'infini froid, colonne transparente qui s'éloignait de moi, chassée par moi-même.

Puis vint un autre jour et, pendant les exercices dans la cour, mes yeux ne lâchèrent pas la clôture ; j'attendais sa venue. Mais pendant tout ce temps il ne vint qu'une vieille qui s'arrêta et nous montra à son marmot barbouillé. Le soir, j'écrivis une lettre, longue et languissante ; je priais Lucie de revenir, je devais la voir, je ne lui demandais plus rien sinon qu'elle existe, et que je puisse la voir et savoir qu'elle est avec moi, qu'elle est...

Comme par moquerie, le temps s'était réchauffé, le ciel était bleu, c'était un merveilleux octobre. Les arbres étaient colorés et la nature (cette pauvre nature ostravienne) fêtait son adieu automnal dans une folle extase. J'ai dû y voir une dérision puisque mes lettres désolées demeuraient sans écho et qu'au grillage seuls s'arrêtaient (sous un soleil provocant) des gens affreusement étrangers. Quelque quinze jours plus tard, la poste me retourna une de mes lettres ; sur l'enveloppe, l'adresse était barrée et, au crayon, on avait inscrit : Partie sans laisser d'adresse.

L'épouvante m'envahit. Mille fois depuis ma dernière rencontre avec Lucie, je me suis rappelé tout ce que nous nous sommes dit alors, cent fois je me suis maudit et cent fois justifié devant moi-même, cent fois j'ai cru l'avoir répudiée à jamais et cent fois je me suis assuré que, malgré tout, Lucie saurait quand même me comprendre, et me pardonnerait. Mais ce crayonnage du facteur a sonné comme un verdict.

En proie à une agitation que je ne contrôlais plus, le jour d'après je me payai une nouvelle folie. Je dis folie, mais elle n'était pas plus périlleuse que ma dernière fugue du casernement, l'insensé de cette prouesse n'apparaissant que rétrospectivement et plutôt en raison de son insuccès que de ses risques. Avant moi, Honza, je le savais, avait plus d'une fois pratiqué la chose lorsque, au cours de l'été, il sortait avec une Bulgare dont le mari travaillait la matinée au-dehors. J'imitai donc sa méthode : m'étant présenté avec les autres pour l'équipe du matin, je retirai mon jeton, ma lampe de sûreté, je me barbouillai la figure de poussier et je disparus discrètement ; je courus au foyer de Lucie et interrogeai la concierge. J'appris le départ de la jeune fille, il y avait de cela une quinzaine, avec une petite valise où elle avait mis tout ce qui était à elle ; nul ne savait où elle était allée, elle n'avait rien dit à personne. Je m'effrayai : et si quelque chose lui était arrivé ? La concierge me regarda et fit un geste nonchalant : « Bah ! ces gamines-là qui viennent en brigade, c'est toujours comme ça qu'elles font. Elles s'amènent, elles s'en vont, sans jamais rien dire à personne. » J'allai aux renseignements jusqu'à son usine, au bureau du personnel, mais je n'en sus pas plus long. Ensuite je flânai dans Ostrava et regagnai le carreau juste avant la fin du travail, en voulant me mêler au troupeau des copains à leur remontée de la taille ; seulement un point devait m'échapper dans la recette accommodée par Honza pour ce genre de promenades ; je me fis épingler. Deux semaines plus tard, je comparaissais devant le tribunal militaire et récoltais dix mois pour désertion.

Oui, c'est là, au moment où j'ai perdu Lucie, qu'a commencé toute cette longue étape de désespoir et de vide que m'avait évoqué le boueux décor faubourien de ma ville natale où j'arrivais pour un bref séjour. Oui, c'est seulement à ce moment-là que ça a commencé : Pendant ces dix mois derrière les barreaux, maman est morte et je n'ai pas même pu aller à son enterrement. Et puis je suis revenu à Ostrava, chez les noirs, et j'ai accompli encore une autre année de service. A cette époque, je signai l'engagement de travailler trois ans dans les mines après mon temps de soldat, parce que le bruit s'était répandu que ceux qui refuseraient seraient maintenus à la caserne pour quelques années de plus. Ainsi suis-je encore descendu pendant trois ans à titre civil.

Je n'aime pas y penser, je n'aime pas en parler et, soit dit en passant, je n'apprécie pas quand, aujour-d'hui, des gens rejetés comme moi par le mouvement auquel ils croyaient, se vantent de leur destin. Oui, c'est vrai, moi aussi j'ai héroïsé mon destin de banni, mais c'était du faux orgueil. Avec le temps, j'ai dû sans indulgence me rappeler que je ne m'étais pas retrouvé au nombre des noirs pour avoir été courageux, pour avoir lutté, pour avoir envoyé mon idée se battre contre d'autres idées ; non, ma chute n'avait été précédée d'aucun vrai drame, j'étais l'objet plus que le sujet de mon histoire et, par conséquent, je n'ai (ne reconnais-sant pas de valeur à la souffrance, à l'affliction, à l'échec) pas la moindre raison d'en tirer vanité.

Lucie ? Ah, oui : quinze ans ont passé sans que je l'aie aperçue et j'ai même été longtemps à ne rien savoir d'elle. Seulement après mon service militaire, j'ai entendu dire qu'elle pouvait se trouver quelque part dans l'ouest de la Bohême. Mais je ne la recherchais plus.

QUATRIÈME PARTIE

JAROSLAV

1

Je vois un chemin dans les champs. Je vois la terre de ce chemin, rayée par les roues des charrois paysans. Et, le long du chemin, l'herbe si verte que je ne peux m'empêcher de la caresser.

Tout autour, de petits champs, pas les vastes surfaces remembrées des coopératives. Comment? Ce n'est pas un paysage de notre temps que je parcours? Quel paysage est-ce donc?

Je vais plus loin et voici devant moi, à la lisière d'un champ, un églantier. Plein de menues roses sauvages. Et je fais halte et suis heureux. Je m'assieds dans l'herbe au pied du buisson et bientôt je m'allonge. Je sens mon dos toucher la terre velue. Je la palpe avec mon dos. Je la retiens avec mon dos et la prie de ne pas craindre de m'être lourde et de reposer sur moi de tout son poids.

Puis j'entends un martèlement de sabots. Au loin s'élève un fin nuage de poussière. A mesure qu'il se rapproche, il devient translucide. En émergent des cavaliers. Jeunes hommes en selle, uniformes blancs. Mais, plus ils s'approchent, mieux on voit le négligé de leurs tenues. Quelques dolmans sont ajustés avec des boutons dorés, d'autres sont débraillés et il y a des hommes en bras de chemise. Les uns portent une toque, d'autres sont nu-tête. Oh non, ce n'est pas un détachement régulier, ce sont des déserteurs, des transfuges, des brigands! C'est notre cavalerie *à nous*!

Je me suis levé, je les regarde venir. Le premier cavalier a dégainé et brandi son sabre. La troupe s'est arrêtée.

L'homme au sabre s'est penché sur l'encolure de sa bête pour me dévisager.

« Oui, c'est moi, dis-je.

— Le roi ! dit l'autre, surpris. Je te reconnais. »

J'ai baissé la tête, heureux. Tant de siècles qu'ils cavalcadent ici et ils m'ont reconnu.

« Comment vis-tu, mon roi ? demande l'homme.

— J'ai peur, amis, dis-je.

— Ils te poursuivent ?

— Non pas, c'est pire. Quelque chose se trame contre moi. Je ne reconnais pas les gens qui m'entourent. Je rentre chez moi et c'est une autre chambre, une autre femme, tout est différent. Je me dis que j'ai dû me tromper, je ressors, mais, du dehors, c'est vraiment ma maison ! Mienne de l'extérieur, étrangère du dedans. Et c'est ainsi où que je me tourne. Il se passe des choses qui m'effrayent, amis. »

L'homme me demande : « Tu sais encore monter ? » Je remarque alors qu'à côté de son cheval il y a, toute sellée, une monture sans cavalier. L'homme me l'indique. J'engage un pied dans l'étrier et m'enlève. La bête bronche mais, déjà, mes genoux enserrent ses flancs avec délices. L'homme tire de sa poche un voile rouge qu'il me tend : « Attache-le sur ton visage, qu'on ne te reconnaisse pas ! » Le visage voilé, j'étais devenu aveugle. La voix de l'homme m'arrive : « Le cheval te conduira. »

Tout le peloton est passé au galop. A mes côtés je sentais mes voisins galoper. Mes mollets touchaient leurs mollets et par instants je percevais le souffle saccadé de leurs montures. Une heure peut-être nous avons chevauché ainsi, corps contre corps. Puis nous nous arrêtâmes. La même voix d'homme m'apostrophe : « Nous y sommes, mon roi !

— Et où sommes-nous ? demandé-je.

— N'entends-tu pas murmurer le grand fleuve ? Nous voilà sur la rive du Danube. Ici, mon roi, tu es en sûreté.

— C'est vrai, dis-je, je me sens à l'abri. Je voudrais enlever mon voile.

— Il ne faut pas, mon roi, pas encore. Qu'as-tu besoin de tes yeux ? Tes yeux ne pourraient que t'abuser.

— Mais je veux voir mon Danube, mon fleuve, je veux le voir !

— Tu n'as pas besoin de tes yeux, mon roi ! Je vais tout te conter. Ça vaudra bien mieux. Autour de nous, c'est la plaine à perte de vue. Des pâturages. Une broussaille ici et là, ici et là dressée, une longue flèche de bois, balancier d'un puits. Mais nous sommes sur la berge, dans l'herbe. A deux pas, l'herbe se change en sable parce que, dans ces parages, le lit du Danube est sableux. Et maintenant descends de cheval, mon roi ! »

Nous mîmes pied à terre et nous assîmes sur le sol.

« Les garçons allument un feu, reprend la voix de l'homme, le soleil se dissout tout là-bas dans l'horizon et la fraîcheur ne va pas tarder.

— Je voudrais voir Vlasta, dis-je subitement.

— Tu la verras.

— Où est-elle ?

— Pas loin. Tu iras la rejoindre. Ton cheval t'y emmènera. »

J'ai bondi et demandé à y aller tout de suite. Mais une poigne virile m'a saisi l'épaule. « Reste assis, mon roi. Tu dois te reposer et manger. Pendant ce temps, je te parlerai d'elle.

— Raconte, où est-ce qu'elle est ?

— A une heure d'ici, il y a une maisonnette en bois avec un toit de chaume. Elle est entourée d'une petite palissade.

— Oui, oui, dis-je, le cœur oppressé de bonheur, tout est en bois. Et c'est très bien comme ça. Je ne veux pas un seul clou de métal dans cette maisonnette.

— Oui ! poursuit la voix, la palissade est en piquets à peine taillés, si bien qu'on y reconnaît la forme primitive des branches.

— Tous les objets façonnés dans du bois rappellent un chat ou un chien, dis-je. Ce sont des êtres plutôt que des choses. J'aime le monde du bois. Il n'y a que là-dedans que je suis chez moi.

— Derrière la palissade poussent des tournesols, de la monnaie-du-pape et des dahlias, et puis il y a aussi un vieux pommier. Voilà justement Vlasta debout sur le seuil !

— Comment est-elle mise ?

— Elle a une jupe de lin, un tout petit peu salie vu qu'elle revient de l'étable. Elle porte un seillon en bois. Elle est pieds nus. Mais elle est belle, parce qu'elle est jeune.

— Elle est pauvre. C'est une pauvre servante.

— Oui, n'empêche que c'est une reine ! Et parce que reine, il faut qu'elle soit cachée. Pas même toi ne

192

peux t'approcher d'elle, crainte qu'elle ne soit découverte. Tu pourras seulement, si tu es voilé. Le cheval connaît le chemin. »

Le conte de l'homme était si beau qu'une langueur suave m'engourdit. Couché sur l'herbe, j'entendais la voix, puis la voix expira, et on n'entendait plus que le bruit du flot, le friselis du feu. C'était si beau que je n'osais pas ouvrir les yeux. Mais il n'y avait rien à faire. Je savais que c'était l'heure et qu'il fallait les ouvrir.

2

Sous moi, le matelas reposait sur du bois laqué. Je n'aime pas le bois laqué. Les pieds métalliques courbes qui soutiennent le divan, je ne les aime pas non plus. Au-dessus de moi pend au plafond un globe de verre rose que ceinturent trois bandes blanches. Je n'aime pas non plus cette boule. Ni le buffet d'en face, dont la vitre offre au regard des tas d'autres verreries qui ne servent à rien. En bois, il n'y a que l'harmonium dans le coin. Je n'aime que cela dans cette pièce. Il est resté en souvenir de papa. Papa est mort, il y a un an.

Je me levai du divan. Je me sentais toujours fatigué. C'était un vendredi après-midi, deux jours avant le dimanche de la Chevauchée des Rois. Tout reposait sur moi. Tout ce qui, dans notre district, a trait au folklore, repose toujours sur moi. Quinze jours que je n'ai pas dormi mon soûl à cause des soucis, des démarches, des disputes.

Puis Vlasta entra dans la chambre. Souvent je me surprends à penser qu'elle devrait grossir. Les femmes fortes passent pour être bonnes pâtes. Vlasta est maigre, avec de fines rides au visage. Elle me demanda si, en rentrant de l'école, je n'avais pas oublié de passer à la laverie, retirer le linge. J'avais oublié. « Je m'en serais doutée », dit-elle, et elle voulut savoir si, pour une fois, je comptais rester aujourd'hui à la maison. Force me fut de lui répondre que non. J'avais, dans un moment, réunion en ville. Au district. « Tu avais

promis d'aider Vladimir à faire ses devoirs. » Je
haussai les épaules. « Et il y aura qui à cette réunion ? »
Comme je donnais des noms, Vlasta me coupa : « La
Hanzlik aussi ? — Ben oui », concédai-je. Vlasta
s'offensa. Tout se gâtait. Mme Hanzlik avait mauvaise
réputation. On savait qu'elle avait couché avec Pierre
et Paul. Vlasta ne me soupçonnait de rien, mais elle
n'avait que mépris pour les séances de travail auxquelles la Hanzlik participait. Pas moyen d'en causer
avec elle. Il valait donc mieux filer tout de suite.

La réunion était consacrée aux ultimes préparatifs
de la Chevauchée des Rois. Tout allait de travers. Le
Comité national commence à lésiner sur nous. Il y a
peu d'années encore, il allouait des sommes considérables aux fêtes folkloriques. A présent, c'est nous qui
devons soutenir les finances du Comité national.
L'Union de la Jeunesse n'exerce plus aucun attrait sur
les jeunes, qu'on lui confie alors l'organisation de la
Chevauchée afin de lui rendre du prestige ! Autrefois,
on employait le bénéfice de la Chevauchée des Rois à
subventionner d'autres entreprises folkloriques moins
lucratives, eh bien cette fois, qu'il profite à l'Union de
la Jeunesse qui en disposera comme elle l'entendra.
Nous avions demandé aux services de la Sécurité de
suspendre le trafic routier pendant le déroulement de
la Chevauchée. Or, nous venions, le jour même de
notre réunion, d'obtenir une réponse négative. Il
n'était, disait-on, pas possible de perturber la circulation à cause d'une Chevauchée des Rois. Seulement,
elle va ressembler à quoi, cette Chevauchée, avec des
canassons emballés parmi des autos ? Des soucis, des
soucis.

La réunion s'était prolongée et il était à peu près huit heures lorsque j'en revenais. Sur la place, j'aperçus Ludvik. Il marchait en sens inverse, sur l'autre trottoir. J'en tressaillis presque. Qu'est-ce qui l'amenait ici ? Je surpris le regard qu'il avait posé sur moi l'espace d'une seconde, avant de le détourner vivement. Il avait feint de ne pas me voir. Deux vieux copains. Huit ans passés sur le même banc d'école ! Et il fait semblant de ne pas me voir !

Ludvik, ç'avait été la première lézarde dans ma vie. Aujourd'hui, je suis habitué. Ma vie est une maison peu solide. Me trouvant à Prague dernièrement, je suis allé dans un de ces petits théâtres que l'on a vus s'ouvrir à foison avec les années soixante et qui ont vite été très courus grâce à de jeunes animateurs à l'esprit étudiant. On y jouait une farce pas très intéressante, mais il y avait des chansons pleines d'esprit et un bon jazz. Tout à coup les musiciens se sont coiffés de ces feutres ronds à plume qui se portent chez nous avec le costume populaire et se sont mis à imiter un orchestre avec cymbalum. Stridulant, à cœur joie, ils parodiaient les mouvements de nos danses et ce geste typique — le bras projeté droit vers le ciel. Le public se tordait de rire. Je n'en croyais pas mes yeux. Il y a seulement cinq ans, personne n'aurait eu l'audace de se payer ainsi notre tête. Du reste, ça n'aurait fait rire personne. Et maintenant nous voici comme des guignols. Pourquoi sommes-nous comme des guignols, tout d'un coup ?

Et Vladimir. Ce qu'il a pu m'en faire voir ces dernières semaines. Le Comité national du district avait conseillé à l'Union de la Jeunesse de le choisir cette année pour roi. Un tel choix signifiait toujours un

196

hommage au père. C'est à moi que l'on avait pensé. On voulait, en la personne de mon fils, me récompenser de tout ce que j'ai fait pour l'art populaire. Vladimir, toutefois, se faisait tirer l'oreille. Il tergiversait de son mieux. Il disait qu'il voulait aller à Brno ce dimanche-là, pour les courses de motos. Il avait même soutenu qu'il avait peur des chevaux. A la fin, il a déclaré qu'il refusait de faire le roi puisque c'était un oukase d'en haut. Que lui n'admettait pas le piston.

Quel mauvais sang je me suis fait avec ça. Comme s'il tenait à gommer de sa vie tout ce qui pourrait lui rappeler la mienne. Il n'a jamais voulu fréquenter le groupe enfantin de chants et de danses que j'avais fait créer en marge de notre formation. Déjà, il tergiversait. Il prétendait qu'il n'était pas doué pour la musique. Cependant il jouait fort convenablement de la guitare et, régulièrement, retrouvait des copains pour chanter je ne sais quelles scies américaines.

Il est vrai, Vladimir n'a que quinze ans. Et il m'aime bien. Nous avons eu ces jours-ci un entretien tête à tête, peut-être m'aura-t-il compris.

3

Je me rappelle très bien. J'étais assis sur le tabouret pivotant, Vladimir sur le divan, face à moi. J'avais le coude appuyé sur le couvercle abaissé de l'harmonium, cet instrument qui m'est si cher. Je l'écoutais depuis mon enfance. Mon père en jouait chaque jour. Surtout des chansons populaires dans des harmonisations simples. Comme si j'entendais le gazouillement de sources lointaines. Cela, si Vladimir consentait à l'entendre. S'il se décidait à comprendre cela.

Au XVIIe et au XVIIIe siècle, le peuple tchèque, pour ainsi dire, cessa d'exister. Le XIXe vit, en fait, sa seconde naissance. Dans le cercle des anciennes nations européennes, c'était un enfant. Lui aussi, certes, avait son grand passé, mais il en était séparé par un fossé de deux cents ans. Pendant ce temps la langue tchèque s'était réfugiée des villes dans les campagnes, n'appartenant plus qu'aux illettrés. Pourtant, même parmi eux, elle continua d'enfanter sa culture. Culture modeste et toute cachée aux yeux de l'Europe. Culture de chansons, de contes, de rites coutumiers, de proverbes et dictons. La seule passerelle par-dessus deux siècles.

Unique passerelle, unique ponceau. Unique rameau d'une tradition jamais rompue. Et c'est sur lui précisément qu'au seuil du XIXe siècle les initiateurs des nouvelles lettres tchèques greffèrent leurs créations. Voilà pourquoi nos premiers poètes se sont si souvent attachés à recueillir contes et chansons. Leurs premières poésies ressemblaient à des airs populaires.

Vladimir, mon cher, que ne daignes-tu comprendre cela ! Ton papa n'est pas qu'un piqué du folklore. Il y a peut-être un peu de cela aussi, seulement, par-delà cette marotte, il vise plus profond. A travers l'art populaire, il entend monter la sève sans laquelle la culture tchèque ne serait plus qu'un arbre sec.

J'ai compris tout cela pendant la guerre. On avait voulu nous faire accroire que nous n'avions pas droit à l'existence, que nous étions simplement des Allemands qui parlaient tchèque. Force nous fut de nous assurer que nous avions existé et que nous existions. Tous, à l'époque, avions fait notre pèlerinage aux sources.

Je tenais alors la contrebasse dans une petite équipe de lycéens qui faisaient du jazz. Et voilà qu'un beau jour les gens du Cercle Morave sont venus me trouver, pour que nous ressuscitions un orchestre avec cymbalum.

Qui aurait pu refuser à ce moment-là ? J'y allai jouer du violon.

Nous arrachions les vieilles chansons à leur sommeil de mort. Au XIXᵉ siècle, quand les patriotes ont consigné l'art populaire dans des recueils, ils sont arrivés au dernier moment. La civilisation moderne était déjà en train de supplanter le folklore. Ainsi, au commencement de notre siècle, des cercles folkloriques sont nés pour que l'art populaire sauvé dans les livres entre à nouveau dans la vie. Dans la vie des villes d'abord. Puis dans celle de la campagne. Cela se passa surtout en Moravie. On organisa des fêtes populaires, des Chevauchées des Rois, on encouragea les orchestres populaires. Effort considérable, mais qui risquait de demeurer stérile : les folkloristes ne savaient pas ressusciter aussi vite que la civilisation ensevelir.

La guerre vint nous insuffler une force nouvelle. La dernière année de l'occupation nazie, on avait monté une Chevauchée des Rois. Dans la ville, il y avait une caserne et, parmi la foule des trottoirs, des officiers allemands coudoyaient les gens. Notre Chevauchée était devenue manifestation. L'escadron de garçons bigarrés, sabre au poing. Apparition des lointains de l'Histoire. Tous les Tchèques l'entendaient alors de cette façon et leurs yeux étincelaient. J'avais quinze ans et j'avais été élu roi. Je pressais ma monture, encadré de deux pages, et mon visage était voilé. J'étais fier. Mon père aussi. Il savait qu'on m'avait élu roi pour l'honorer. Maître d'école du village, patriote, tout le monde l'aimait.

Vladimir, mon petit, je crois que les choses ont un sens. Je crois que les destinées humaines sont entre elles soudées d'un ciment de sagesse. Que l'on t'ait fait roi cette année me semble être un signe. Je suis fier comme il y a vingt ans. Davantage. Parce qu'à travers toi, c'est moi qu'ils veulent honorer. Et, pourquoi le nier, cet honneur compte à mes yeux. Je veux te remettre ma royauté. Je veux que tu la reçoives de mes mains.

Il m'aura peut-être compris. Il m'a promis d'accepter d'être choisi roi.

4

S'il voulait comprendre combien c'est intéressant. Je ne peux imaginer rien de plus intéressant. Rien de plus captivant.

Ceci par exemple. Longtemps les musicologues praguois ont soutenu que les chants populaires d'Europe provenaient du baroque. Dans les orchestres de château jouaient et chantaient des musiciens campagnards qui transportaient ensuite dans la vie des simples gens la culture musicale des nobles. Ainsi, la chanson populaire ne représenterait nullement une forme artistique *sui generis*. Elle dériverait de la musique savante.

Mais quoi qu'il en fût dans le cas de la Bohême, les airs que nous chantons en Moravie échappent à cette explication. Déjà du point de vue tonal. La musique savante de l'époque baroque s'écrivait en majeur et en mineur. Nos chansons se chantent dans des tons inconcevables pour des orchestres de château !

Par exemple en ton lydien. C'est celui qui comporte une quarte augmentée. Il me rappelle toujours la nostalgie des idylles pastorales du temps jadis. Je vois le dieu Pan des païens et j'entends sa flûte :

La musique du baroque et de la période classique vouait un culte fanatique à la belle ordonnance de la septième majeure. Elle ne connaissait d'autre voie vers la tonique que par la discipline de la *note sensible*. La septième mineure, montant à la tonique par la seconde majeure, l'épouvantait. Et ce que j'aime, moi, dans nos airs populaires, c'est justement cette septième mineure, qu'elle appartienne au mode éolien, dorien ou mixolydien. Pour sa mélancolie. Pour son refus de courir sottement au ton fondamental par quoi tout se termine, et le chant et la vie :

Mais il est des chansons de tonalités à ce point singulières qu'il est impossible de les dénommer sous aucun des tons dits d'Église. Devant celles-là je reste stupéfait :

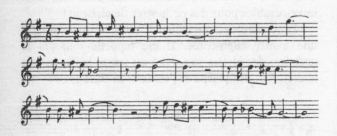

Les chants moraves présentent une complexité inimaginable de tonalités. Leur pensée harmonique est énigmatique. Commençant en mineur, ils s'achèvent en majeur, ils ont l'air d'hésiter entre différents tons. Souvent, quand il me faut les harmoniser, je ne sais pas du tout comment en comprendre le ton.

Et ils possèdent la même ambiguïté dans l'ordre rythmique. Surtout les airs lents que Bartók caractérisa par le terme *parlando*. Il n'existe aucun moyen d'en transcrire le rythme dans notre système de notation. Autrement dit, dans la perspective de notre système de notation, tous les interprètes populaires chantent ces chansons sur un rythme imprécis.

Comment l'expliquer ? Leos Janacek affirmait que cette complexité insaisissable du rythme résulte des variations momentanées de l'humeur du chanteur. Par la façon dont il chante, il réagit aux coloris des fleurs, au temps qu'il fait, à l'étendue du paysage.

Mais n'est-ce pas là une interprétation par trop poétique ? Dès notre première année à l'Université, un professeur nous avait communiqué l'une de ses expériences. Il avait fait chanter, séparément, par plusieurs exécutants populaires, le même air au rythme réfractaire à la notation. Des mesures obtenues à l'aide d'appareils électroniques rigoureux lui avaient permis d'établir que tous chantaient de manière identique.

La complexité rythmique de ces chants n'a donc pas pour cause le défaut de précision, ou l'humeur du chanteur. Elle obéit à ses lois secrètes. C'est ainsi que, dans un certain type de chanson morave à danser, par exemple, la seconde demi-mesure est toujours d'une fraction de seconde plus longue que la première. Mais comment consigner cette complexité dans la partition ? La métrique de la musique savante repose sur la symétrie. La ronde vaut deux blanches, une blanche vaut deux noires, la mesure se divise en deux, trois ou quatre temps d'égale valeur. Mais comment traiter une mesure à deux temps inégalement longs ? Pour nous, aujourd'hui, le plus rude casse-tête c'est la façon de noter le rythme originel des chansons moraves.

Une chose est donc sûre. Les chansons de chez nous n'ont pas pu naître de la musique baroque. Celles de la Bohême, peut-être. En Bohême, le niveau de civilisation était supérieur, plus serré aussi le contact des villes avec la campagne, des ruraux avec le château. En Moravie également il y avait des châteaux. Mais le monde paysan, plus primitif, en était beaucoup plus isolé. Ici, il n'était point d'usage que des musiciens campagnards fissent partie d'un orchestre de château. Dans ces conditions les chants du peuple, même ceux des temps les plus reculés, ont pu chez nous être conservés. Telle est l'explication de leur diversité. Ils datent des différentes phases de leur longue, lente histoire.

Quand tu te trouves face à toute notre musique populaire, c'est comme si sous tes yeux dansait la femme des *Mille et Une Nuits* et qu'elle jette successivement voile après voile.

Regarde ! Le premier voile. L'étoffe en est imprimée de motifs triviaux. Il s'agit des plus jeunes chansons, des cinquante, des soixante-dix dernières années. Elles sont arrivées de l'ouest, de la Bohême. Les instituteurs les apprenaient aux enfants de nos écoles. La plupart sont en majeur, seulement un peu adaptées à nos habitudes rythmiques.

Mais voici le deuxième voile. Déjà nettement plus haut en couleur. Ces chants sont d'origine hongroise. Ils accompagnaient l'expansion de la langue magyare. Des orchestres tziganes les répandirent au XIXe siècle. Des csardas et des refrains de conscrits.

Quand la danseuse s'est dépouillée de ce voile-là, le suivant apparaît. Les chansons des Slaves autochtones, XVIIIe et XVIIe siècle.

Mais le quatrième voile est encore plus beau. Ce sont des chants qui remontent au XIVe siècle. En ce temps-là pérégrinaient chez nous, par les crêtes des Carpates, des Valaques venus du sud-est. Des bergers. Leurs pastourelles et leurs chants de brigands ignorent tout des accords et des harmonies. Ils sont conçus d'une façon purement mélodique. Des tonalités archaïques déterminées par les instruments, syrinx et chalumeaux.

Ce voile enfin tombé, il n'y en a plus d'autre en dessous. La femme danse toute nue. Les airs les plus anciens. Nés dans les temps du paganisme. Ils reposent sur le plus antique système de la pensée musicale. Sur le système de quatre notes, le tétracorde. Chants de la fenaison. Chants de la moisson. Chants liés aux rites du hameau patriarcal.

Chanson ou cérémonial populaire, c'est un tunnel sous l'Histoire où l'on a sauvé une bonne part de tout ce qu'en haut, depuis longtemps, détruisirent guerres et révolutions, la civilisation. Un tunnel par où je vois loin en arrière. Je vois Rostislav et Svatopluk, les premiers princes moraves. Je vois le monde slave ancien.

Mais pourquoi parler du seul monde slave ? Nous nous perdions en conjectures face à l'énigme d'un texte de chanson. On y chante le houblon en je ne sais quelle obscure relation avec un char et une chèvre. Quelqu'un y caracole sur une chèvre, quelqu'un y roule en chariot. Et on loue le houblon qui, des vierges, ferait des fiancées. Les chanteurs populaires eux-mêmes, ceux-là qui chantaient cet air, n'en comprenaient pas les paroles. Seule, la force d'inertie d'une tradition immémoriale a maintenu dans la chanson une association de mots devenue inintelligible depuis d'innombrables lunes. A la fin apparut l'unique explication possible : les Dionysies de la Grèce antique. Un satyre sur le dos d'un bouc et le dieu brandissant un thyrse entouré de houblon.

L'Antiquité ! Cela m'avait paru incroyable ! Pourtant, je devais par la suite étudier, à l'Université, l'histoire de la pensée musicale. La structure de nos plus vieux chants populaires concorde, en fait, avec celle de la musique antique. Le tétracorde lydien, phrygien ou dorien. Conception descendante de la gamme, qui tient pour fondamental le ton haut et non pas l'inférieur, ainsi qu'il adviendra seulement lorsque la musique commencera de penser en termes harmoniques. Nos chansons populaires les plus anciennes appartiennent donc à la même époque de la pensée musicale que celles que l'on chantait dans l'ancienne Grèce. Elles nous conservent les temps de l'Antiquité.

5

Ce soir, en dînant, je n'arrêtais pas de voir les yeux de Ludvik se détournant de moi. Et je sentais combien j'en étais davantage attaché à Vladimir. Et soudain j'eus peur de l'avoir négligé. De ne jamais parvenir à l'entraîner au sein de mon propre univers. Le repas terminé, Vlasta était restée à la cuisine, Vladimir et moi étions passés dans la salle de séjour. J'ai essayé de lui reparler des chansons. Mais ça n'avait pas l'air de marcher. Je me faisais l'effet d'un instituteur. Je craignais de l'ennuyer. Lui, bien entendu, se tenait assis, muet, comme s'il m'écoutait. Il a toujours été gentil avec moi. Mais comment saurais-je ce qu'il y a vraiment dans sa caboche ?

Ça faisait déjà pas mal de temps que je l'assommais avec mon homélie quand Vlasta apparut et dit qu'il était l'heure d'aller dormir. Que faire ? C'est elle l'âme de la maison, son calendrier, sa pendule.

Nous ne ferons pas d'histoires. Allons, va, fiston, bonne nuit.

Je l'ai laissé dans la pièce à l'harmonium. C'est là qu'il couche, sur le divan aux tubes chromés. Moi, je couche dans la chambre à côté, dans le lit que je partage avec Vlasta. Je n'irai pas dormir tout de suite. Je n'en finirais pas de me retourner, et je craindrais de la réveiller. Je vais passer encore un moment dehors. La nuit est chaude. Derrière la vieille maison basse où nous logeons, le jardin est plein d'odeurs campagnardes d'autrefois. Sous le poirier, il y a un banc en bois.

Satané Ludvik ! Pourquoi donc est-il venu tout juste aujourd'hui ? C'est signe de malheur, je le crains. Mon plus vieux copain ! Sous ce poirier, que de fois on s'est installés, quand on était gamins. Je l'aimais bien. Déjà depuis la sixième du lycée, où je l'ai connu. Il en avait plus sur le bout du doigt que nous autres dans toute la carcasse, n'empêche qu'il ne la ramenait jamais. L'école, les profs, il s'en foutait. Ce qui l'amusait, c'était de faire tout ce qui était contraire au règlement de la boîte.

Pourquoi avions-nous fait la paire tous les deux ? Un coup des Parques, probable. Lui comme moi étions orphelins d'un de nos parents. Maman était morte en couches. Lorsque Ludvik avait treize ans, les Allemands avaient emmené son père, maçon, dans un camp et il ne l'avait plus jamais revu.

Ludvik était le fils aîné. Et à cette époque, fils unique, après la mort de son petit frère. Le père arrêté, mère et fils n'avaient plus personne. Leur misère était grande. La fréquentation du collège revenait cher. Ludvik, à ce qu'il semblait, devrait y renoncer.

Le salut arriva néanmoins, au dernier moment.

Le père de Ludvik avait une sœur qui, bien avant la guerre, avait réussi à se faire épouser par un riche entrepreneur local. Depuis, elle avait presque cessé de rencontrer son frère le maçon. Toutefois, à la suite de son arrestation, son cœur de patriote s'était brusquement embrasé. Elle offrit à sa belle-sœur de s'occuper de Ludvik. Elle-même n'avait qu'une fille un peu arriérée, si bien que son neveu, garçon doué, excitait chez elle un sentiment d'envie. Ils ne se bornèrent pas à l'aider matériellement, ils se mirent à l'inviter chaque jour. Ils le présentèrent au gratin de la ville qui se retrouvait régulièrement sous leur toit. Ludvik était obligé de leur manifester sa reconnaissance, ses études dépendant de leur soutien. Or, il les aimait à peu près comme le feu l'eau. Ils s'appelaient Koutecky et, depuis lors, ce patronyme nous servait à désigner tous les prétentieux.

Mme Koutecky regardait sa belle-sœur de travers. A son frère, elle gardait rancune de ce qu'il n'avait pas su se marier. Et même quand il fut en prison, elle ne changea pas d'attitude envers sa femme. Les canons de sa charité, c'est sur le seul Ludvik qu'elle les pointa. Elle voyait en lui l'héritier de son sang et elle désirait en faire son fils. L'existence de la belle-sœur n'était pour elle qu'une erreur déplorable. Pas une fois elle ne lui demanda de venir chez eux. Ludvik, qui notait tout cela, grinçait des dents. A maintes reprises, il avait voulu se cabrer. Mais sa maman, à force de pleurs et de prières, obtint chaque fois qu'il fît preuve de sagesse.

Pour cette raison, il se sentait d'autant plus heureux chez nous. Nous étions comme des jumeaux. Pour un peu, papa l'eût préféré à moi. Ravi de ce que Ludvik dévorait sa bibliothèque dont il connaissait chaque titre. Lors de mes débuts dans notre jazz de lycéens, il tint à en faire partie avec moi. Il acheta aux puces une clarinette de quatre sous et il eut vite appris à en jouer très convenablement. Après quoi nous nous vouâmes au jazz ensemble, et ensemble nous ralliâmes l'orchestre avec cymbalum.

La fille Koutecky se maria vers la fin de la guerre.

La mère envisagea une noce époustouflante avec, derrière les jeunes mariés, cinq couples de demoiselles et garçons d'honneur. Elle imposa la corvée d'un de ces rôles à Ludvik, l'appariant pour la circonstance avec la fillette (de onze ans) du pharmacien de la ville. Ludvik était atterré. Il rougissait d'avoir à faire le clown dans cette mascarade nuptiale de snobs de sous-préfecture. Il se piquait de passer pour adulte, et eut honte d'offrir son bras à une morveuse de onze ans. Il enrageait de devoir baiser un crucifix baveux, pendant la cérémonie. Le soir venu, il s'était enfui du banquet pour nous rejoindre dans l'arrière-salle de l'auberge. Nous étions autour du cymbalum, nous buvions et le mettions en boîte. Il éclata et proclama sa haine des bourgeois. Puis il maudit les pompes du mariage religieux, déclara qu'il crachait sur l'Église et qu'il se ferait radier du registre des fidèles.

Nous n'avions pas pris ses paroles au sérieux, mais, quelques jours après la fin de la guerre, Ludvik fit ce qu'il avait annoncé. Par là, il scandalisait à mort les Koutecky. Ce n'était pas pour le déranger. Avec plaisir, il se brouilla avec eux. Il se rendait aux conférences que donnaient les communistes. Il achetait les brochures qu'ils publiaient. Notre contrée était fortement catholique et notre lycée en particulier. Malgré cela, nous étions prêts à pardonner à Ludvik son excentricité communiste. Nous lui reconnaissions des privilèges.

En quarante-sept, ce fut le bac. Dès l'automne, Ludvik s'en fut étudier à Prague, moi à Brno. Je ne le revis pas de toute l'année.

6

On était en quarante-huit. Tête en bas, la vie entière venait de basculer. Lorsque, avec les vacances, Ludvik vint nous voir à notre cercle, notre accueil fut plutôt embarrassé. Le coup d'État des communistes en février nous était apparu comme l'avènement de la terreur. Ludvik avait apporté sa clarinette, mais il n'en eut pas besoin. Nous passâmes la nuit en discussions.

Est-ce d'alors que date la discorde entre nous deux ? Je ne pense pas. Cette nuit-là encore, Ludvik me conquit. Évitant de son mieux les discussions politiques, il parla de notre orchestre. Nous devions, à l'en croire, comprendre le sens de notre travail dans une perspective plus vaste que naguère. A quoi bon se contenter de ranimer un passé perdu ? Qui regarde en arrière finira comme la femme de Loth.

Alors, nous : Mais qu'est-ce qu'il faut donc faire ?

Bien entendu, répondait-il, nous devons gérer le patrimoine de l'art populaire, mais ça ne suffit pas. Nous vivons un temps nouveau. De larges horizons s'ouvrent à notre action. A nous d'épurer la culture musicale commune, celle de tous les jours, de ces rengaines, de ces couplets à la noix dont les bourgeois gavaient les gens, et de les remplacer par l'art originel du peuple.

Curieux. Ce que Ludvik disait là était la vieille utopie des patriotes moraves les plus conservateurs. Ils avaient toujours tonné contre la corruption d'une

211

culture citadine et sans Dieu. Les mélodies du charleston étaient à leurs oreilles le flûteau de Satan! Après tout, peu importait. Les propos de Ludvik n'en gagnaient que plus de clarté pour nous.

Au demeurant, sa réflexion suivante était plus originale. Il parlait sur le jazz. Le jazz est bien issu de la musique populaire noire et il a subjugué tout l'Occident. A nous, il peut servir de preuve encourageante que la musique populaire possède un merveilleux pouvoir. Qu'elle peut donner naissance au style musical général d'une époque.

Écoutant Ludvik, nous éprouvions un mélange d'admiration et d'antipathie. Son assurance nous agaçait. Il avait la mine qu'arboraient alors tous les communistes. Comme s'il avait eu, avec l'avenir même, quelque pacte secret lui donnant mandat d'agir en son nom. S'il nous tapait sur les nerfs, c'était sans doute aussi parce qu'il s'avérait tout d'un coup différent du jeune homme que nous avions connu. Pour nous, il avait toujours été le bon gars, le moqueur. Et le voici à présent lancé dans l'emphase, les grands mots, sans vergogne. Et puis, certes, nous défrisait cette façon d'associer, avec aisance et promptitude, le sort de notre orchestre aux destinées du Parti communiste alors qu'aucun de nous n'était communiste. Mais par ailleurs son discours nous attirait. Ses idées répondaient à nos rêves les plus cachés. Elles nous haussaient soudain au niveau de la grandeur historique.

En esprit, je l'appelle le Preneur de Rats. C'était bien ça. Un trille de sa flûte et, tout seuls, nous accourions à ses basques. Là où ses idées restaient inachevées, nous volions à son secours. Je me remémore mon propre raisonnement. Je parlais de l'évolution de la musique européenne depuis l'époque baroque. Après la période de l'impressionnisme, elle se retrouva fatiguée d'elle-même. Elle avait déjà épuisé presque entièrement sa sève, tant pour ses sonates et ses symphonies que pour ses rengaines. C'est pourquoi le jazz opéra sur elle une sorte de miracle. Il n'ensorcela pas que les boîtes et les dancings d'Europe. Il fascina de même Stravinski, Honegger, Milhaud, lesquels ouvrirent leurs compositions à ses rythmes. Mais attention. Dans le même temps ou, mettons, une dizaine d'années plus tôt, la musique européenne avait fait provision du sang frais du folklore ancien du Vieux Continent qui ne restait nulle part aussi vivant que chez nous ici en Europe centrale. Janacek, Bartók. Ainsi l'histoire même de la musique mettait en parallèle les vieilles couches de la musique populaire européenne et le jazz. L'une et l'autre contribuaient à égalité à la genèse de la musique sérieuse moderne du XXᵉ siècle. Seulement, pour la musique des larges masses, les choses se sont passées autrement. Les anciens airs des peuples d'Europe n'y ont laissé aucune empreinte. Ici, le jazz s'est installé en maître. Et ici notre tâche commence.

Oui, c'était notre conviction : dans les racines de notre musique populaire gît la même force que dans celles du jazz. Celui-ci a sa mélodique bien à lui, où constamment transparaît l'hexacorde primitif des vieux airs noirs. Mais notre chanson populaire aussi possède sa mélodique, et, tonalement, beaucoup plus diversifiée. Le jazz dispose d'une originalité rythmique dont la prodigieuse complexité s'est formée durant les dizaines de siècles de culture des batteurs de tambours et de tam-tams africains. Mais, pareillement, les rythmes de la musique de chez nous n'appartiennent qu'à elle. Finalement, le jazz est fondé sur l'improvisation. Mais l'étonnant concert des violoneux qui n'ont jamais su lire leurs notes repose, lui aussi, sur l'improvisation.

Une seule chose nous sépare du jazz, ajouta Ludvik. Lui évolue et change rapidement. Son style est en mouvement. Le chemin monte raide, de la polyphonie de La Nouvelle-Orléans, à travers l'orchestre du swing, vers le bop et au-delà. Fût-ce en rêve, La Nouvelle-Orléans n'aurait pas pu concevoir les harmonies que connaît le jazz de nos jours. Notre musique populaire est une belle au bois dormant des siècles révolus. Nous devons l'éveiller. Elle doit entrer dans la vie d'aujourd'hui et se développer avec elle. A l'instar du jazz. Sans cesser d'être elle-même, sans rien perdre de sa mélodique ni de ses rythmes, il lui faut découvrir des phases toujours nouvelles de son style. C'est difficile. C'est une œuvre imposante. Qui ne peut s'accomplir que dans le socialisme.

Qu'est-ce que le socialisme vient faire là-dedans? protestions-nous.

Il nous l'expliqua. La campagne d'antan vivait en communauté. Des rites jalonnaient l'année villageoise d'un bout à l'autre. L'art populaire ne vivait qu'à l'intérieur de ces rites. A l'époque du romantisme, on imaginait qu'une paysanne aux champs était visitée par l'inspiration, et aussitôt un chant jaillissait de ses lèvres comme l'eau du rocher. Mais la chanson populaire naît autrement qu'un poème savant. Le poète crée afin de s'exprimer lui-même, de dire ce qu'il y a en lui d'unique. Par la chanson populaire, on ne cherchait pas à se distinguer, mais à s'unir aux autres. Elle s'est faite à la manière des stalactites. Goutte à goutte s'enveloppant de nouveaux motifs, de nouvelles variantes. On se la transmettait de génération en génération, chaque chanteur ajoutant quelque élément neuf. Chacune de ces chansons a donc eu bien des créateurs qui, tous, modestement s'effacèrent derrière leur propre contribution. Nulle chanson populaire n'a existé comme ça, pour elle-même. Elle avait sa fonction précise. Il y en avait pour les noces, d'autres pour la fête des moissons, Carnaval, Noël, la fenaison, il y avait des chansons pour danser et pour enterrer. Même les chansons d'amour n'avaient pas d'existence en dehors de certaines coutumes. Promenades vespérales, sérénades sous la fenêtre, demandes en mariage, tout cela était des rites collectifs, et les chansons y avaient leur place établie.

Le capitalisme a détruit cette vie collective. L'art populaire a perdu ainsi son assise, sa raison d'être, sa fonction. En vain tenterait-on de le ressusciter dans une société où l'homme vit à l'écart d'autrui, pour lui seul. Mais voici que le socialisme va délivrer les gens du joug de la solitude. Ils vivront dans une collectivité nouvelle. Unis par un même intérêt commun. Leur vie privée fera corps avec la vie publique. Ils seront liés par une foule de rituels. Certains seront empruntés au passé : fêtes de la récolte, soirées de danse, coutumes liées au travail. D'autres seront des innovations : célébration du Premier Mai, meetings, anniversaire de la Libération, réunions. Partout l'art du peuple trouvera sa place. Partout il se développera, se transformera, se rénovera. Est-ce que nous le comprenons enfin ?

De fait, il allait vite apparaître que l'incroyable devenait réalité. Personne n'a jamais autant fait pour notre art populaire que le gouvernement communiste. Il a consacré des sommes colossales à la création de nouveaux ensembles. La musique populaire, violon et cymbalum, fut tous les jours au programme de la radio. Les chants moraves ont envahi les universités, les fêtes du Premier Mai, les sauteries de jeunes, les galas officiels. Non seulement le jazz disparut complètement de la surface de notre patrie, mais il symbolisa le capitalisme occidental et ses goûts décadents. La jeunesse délaissa le tango comme le boogie-woogie, et préféra danser la ronde en chœur, les mains posées sur les épaules des voisins. Le Parti communiste s'appliquait à créer un nouveau style de vie. Il s'appuyait sur la fameuse définition qu'avait donnée Staline de l'art neuf : un contenu socialiste dans une forme nationale. Cette forme nationale, rien ne pouvait la conférer à notre musique, à notre danse, à notre poésie, sinon l'art populaire.

Notre orchestre se mit à voguer sur les grosses vagues de cette politique. Bientôt, il fut connu du pays tout entier. Son effectif accru de chanteurs et de danseurs, il devint un grand ensemble qui se produisait sur des centaines de scènes et partait chaque année en tournée à l'étranger. Et nous ne chantions pas seulement, à l'ancienne, la chanson du brigand qui avait tué sa bien-aimée, mais aussi des airs que nous-mêmes composions. Par exemple une chanson sur Staline ou sur les moissons coopératives. Notre chanson n'était plus simple évocation des temps anciens. Elle faisait partie de l'histoire la plus contemporaine. Elle l'accompagnait.

Le Parti communiste nous soutenait. Aussi nos réticences politiques se dissipèrent-elles rapidement. J'entrai au Parti dès le début de l'année quarante-neuf. Les copains de l'ensemble m'y rejoignirent l'un après l'autre.

7

Mais nous étions toujours amis. A quand donc remonte la première ombre entre nous ?

Bien sûr que je le sais. Je le sais parfaitement. C'était le jour de mes noces.

A Brno, j'étais élève de l'École des Hautes Études musicales tout en suivant, à l'Université, les cours de musicologie. La troisième année, je sentis que je n'étais plus très bien dans ma peau. A la maison, papa allait de mal en pis. Il eut une congestion cérébrale. On le sauva, mais il fut obligé de faire très attention. L'idée de sa solitude m'obsédait. S'il lui arrivait quelque chose, il ne pourrait pas même m'envoyer un télégramme. C'est en tremblant que je revenais près de lui chaque samedi et le quittais le lundi matin avec une nouvelle angoisse. Un jour, cette angoisse fut plus forte que moi. Elle m'avait torturé un lundi, le mardi encore davantage et le mercredi j'empilai toutes mes affaires dans ma valise, réglai ma note à la logeuse et lui dis que je partais sans retour.

Je me vois encore sur le chemin de la gare à notre maison. Pour gagner mon village, voisin de la ville, il fallait aller à travers champs. C'était l'automne, avant le crépuscule. Le vent soufflait, par les sillons des gosses lançaient au ciel des cerfs-volants en papier qui zigzaguaient au bout d'interminables fils. Pour moi aussi, autrefois, papa en avait bricolé un. Il m'accompagnait aux champs, le lâchait et courait pour que l'air

218

prenne appui sur l'oiseau de papier et l'enlève bien haut. Ça ne m'amusait pas beaucoup. Papa s'amusait plus. Ce souvenir m'attendrissait, et je pressais le pas. L'idée m'avait traversé que papa envoyait ces cerfs-volants à maman.

Depuis toujours j'imagine maman au ciel. Non, je ne crois plus au bon Dieu, à la vie éternelle ou à de pareilles choses. Il ne s'agit pas de foi. Il s'agit d'imagerie. Je ne sais pas pourquoi je devrais l'abandonner. Sans elle, je me sentirais orphelin. Vlasta me reproche d'être un rêveur. Il paraît que je ne vois pas les choses telles qu'elles sont. Pas du tout, je les vois bien comme elles sont, mais, outre les visibles, j'en aperçois d'autres. Ce n'est pas pour rien que l'imagerie existe. C'est elle qui fait de notre foyer un chez-soi.

Je n'ai jamais connu maman. Je ne l'ai donc jamais pleurée. Je me réjouissais au contraire de la savoir, jeune et belle, au ciel. Les autres enfants n'avaient pas des mamans aussi jeunes que la mienne.

J'aime à m'imaginer saint Pierre, assis sur un tabouret, à sa petite fenêtre d'où l'on voit la Terre. Souvent, maman va le rejoindre à cette fenêtre. Pour elle, Pierre ferait n'importe quoi, parce qu'elle est jolie. Il lui permet de regarder. Et maman nous voit. Moi et papa.

Le visage de maman n'était jamais triste. Au contraire. Quand elle nous observait par la petite fenêtre de la loge de Pierre, elle riait souvent. Qui vit dans l'éternité ne connaît pas le chagrin. Il sait que la vie des hommes ne dure qu'une seconde et que les retrouvailles sont proches. Mais lorsque j'étais à Brno, ayant laissé papa seul, les traits de maman me semblaient tristes et lourds de reproches. Et, moi, j'entendais vivre en paix avec maman.

Donc, je me hâtais vers la maison et regardais les cerfs-volants suspendus au ciel. J'étais heureux. Je ne regrettais rien de ce que j'abandonnais. Évidemment, j'étais attaché à mon violon et à la musicologie. Mais je ne brûlais pas de faire carrière. Même le plus grand succès n'aurait pu rivaliser avec ma joie de rentrer chez moi.

Quand j'annonçai à papa que je ne retournerais plus à Brno, il se fâcha tout rouge. Il n'admettait pas que je pusse gâcher ma vie à cause de lui. Alors, je lui racontai que j'avais dû quitter l'école en raison de mes notes médiocres. Ayant fini par me croire, il m'en voulut encore plus. Mais ça ne me tourmentait pas tellement. D'autant que je n'étais pas revenu pour me tourner les pouces. Je m'étais remis à mon pupitre de premier violon dans l'orchestre de notre ensemble. Par ailleurs, j'avais obtenu un poste de professeur de violon à l'école municipale de musique. Ainsi pouvais-je me consacrer à ce que j'aimais.

Ce qui veut dire aussi, à Vlasta. Elle habitait un village voisin qui, comme le mien, forme aujourd'hui l'un des faubourgs de la ville. Elle dansait dans notre ensemble. Ayant fait sa connaissance lors de mes études à Brno, j'avais eu plaisir à la retrouver à peu près quotidiennement depuis mon retour. Le véritable amour devait pourtant éclore un peu plus tard — inopinément, lors d'une répétition où elle venait de faire une chute si malencontreuse qu'elle s'était cassé une jambe. Je l'avais portée dans mes bras jusqu'à l'ambulance qu'on avait appelée d'urgence. J'avais senti sur mes bras son corps menu, fragile, fluet. Subitement, avec étonnement, je m'étais rendu compte que je mesurais un mètre quatre-vingt-dix, que je pesais cent kilos, que j'aurais pu abattre des chênes et qu'elle était si faible, si faible.

Ce fut la minute de lumière. En Vlasta, petite créature blessée, j'ai vu tout à coup un autre personnage, beaucoup plus connu. Comment ne m'en étais-je pas avisé bien avant ? Vlasta était la *pauvre servante*, personnage d'innombrables chansons populaires ! La pauvre servante qui n'a d'autre bien que son honnêteté, la pauvre servante qu'on humilie, la pauvre servante aux vêtements usés, la pauvre servante-orpheline.

Ce n'était pas, certes, exactement cela. Elle avait ses parents, et nullement pauvres. Mais justement parce que c'étaient de gros cultivateurs, l'ère nouvelle resserrait sur eux son étau. Il n'était pas rare que Vlasta vînt en larmes à nos répétitions. On leur imposait des livraisons considérables. Son père avait été déclaré koulak. On avait réquisitionné son tracteur et ses machines. On le menaçait d'arrestation. Je la plaignais. Je caressais l'idée de m'occuper d'elle. De la pauvre servante.

Depuis que je la reconnaissais ainsi éclairée par une parole de chansons populaires, c'était comme si je mimais un amour mille fois vécu. Comme si je le jouais sur une partition immémoriale. Comme si ces chansons me chantaient. Abandonné à ce flot sonore, je rêvais de mariage.

Deux jours avant l'événement, Ludvik arriva sans crier gare. Je l'accueillis avec transport. Aussitôt, je lui fis part de la grande nouvelle, ajoutant que, puisqu'il était mon copain le plus cher, je comptais sur lui comme témoin. Il me donna sa parole. Et il vint.

Mes amis de l'ensemble tenaient à m'organiser une vraie noce morave. A la première heure, ils s'annoncèrent chez nous au grand complet, avec musique et en costumes. Un quinquagénaire virtuose du cymbalum était le garçon d'honneur le plus âgé. A lui revenaient les devoirs du « patriarche ». Avant tout, papa offrit à chacun l'eau-de-vie de prune, le pain et le lard. Puis, ayant d'un geste obtenu le silence, le patriarche récita d'une voix sonore :

« Très honorés puceaux et pucelles itou,
Messieurs et Mesdames !
Mandés vous ai en ce lieu
pour ce que le damoiseau de céans nous a supplié
qu'avec lui fassions route au logis du père de celle
qu'il a choisie pour fiancée, noble pucelle... »

Le patriarche est le chef, l'âme, la cheville ouvrière du cérémonial tout entier. Il en a toujours été ainsi. Dix siècles durant. Le futur, lui, n'a jamais été le sujet de son mariage. Il ne se mariait pas. On le mariait. Le mariage s'emparait de lui et le portait comme une haute vague. Ce n'était pas à lui d'agir, de parler. A sa place, traitait et discourait le patriarche. Et même pas le patriarche. C'était l'ancestrale tradition qui se passait les hommes un à un, les entraînant dans son courant douillet.

Sous la conduite du patriarche, nous partîmes pour le village de ma fiancée. Nous allions à travers champs et mes amis jouaient en marchant. Déjà, devant la maison de Vlasta, les siens, en costumes, nous attendaient. Le patriarche déclara :

> *« Nous sommes des voyageurs fatigués.*
> *Généreux que vous êtes*
> *laissez-nous pénétrer*
> *sous votre toit honnête. »*

Du groupe qui se tenait devant la porte, se détacha un vieil homme. « Si vous êtes de braves gens, bienvenue à vous ! » Et il nous invita à entrer. Nous nous précipitâmes sans mot dire à l'intérieur. Le patriarche nous ayant présentés comme de simples voyageurs fourbus, nous n'avions pas d'abord à révéler notre véritable dessein. Le vieil homme, porte-parole du parti de la future, nous encouragea : « Si quelque poids vous oppresse le cœur, parlez ! »

Alors le patriarche commença à parler, d'abord de manière obscure, par énigmes, et son interlocuteur lui répondait de la même façon. Après bien des détours, il finit par dévoiler la raison de notre visite.

A quoi le vieil homme lui fit cette question :

> *« Je vous demande, cher compère,*
> *pourquoi cet honnête soupirant veut prendre cette honnête*
> *fille pour épouse.*
> *Est-ce pour la fleur ou pour le fruit ? »*

Le patriarche répondit :

> *« Tout le monde le sait bien, fleur s'ouvre, beauté et*
> *splendeur, et nous réjouit.*

Mais fleur s'enfuit
et vient le fruit.
Notre fiancée n'est donc point pour la fleur, mais pour le
  fruit, car le fruit nous nourrit. »

Un moment encore, les répliques s'échangèrent, jusqu'à la conclusion du vieil homme : « Dans ces conditions, faisons paraître la future, qu'elle dise si elle consent ou non. » Il passa dans la pièce à côté d'où, un instant plus tard, il revint en menant par la main une femme en costume. Maigre, longue, tout en os, la face enveloppée d'un foulard : « La voici, ta promise ! »

Seulement, le patriarche secouait la tête et nous-mêmes à grand bruit manifestions tous notre désaccord. Le vieil homme ayant un peu bonimenté dut finalement se résoudre à remmener la femme masquée. Alors seulement, il fit venir Vlasta. Elle était en bottes noires, tablier vermillon et boléro aux couleurs vives. Sur la tête, une couronne tressée. Elle me parut belle. Il lui prit la main et la mit dans la mienne.

Puis, tourné vers la mère de la fiancée, le vieil homme l'apostropha d'une voix pleurarde : « Oh, petite maman ! »

A ces mots, ma future me retira sa main, se prosterna devant sa mère et baissa le front. Le vieil homme poursuivit :

« Petite maman chérie, pardonnez le mal que je vous ai
  fait !
Petite maman bien-aimée, pour l'amour de Dieu,
  pardonnez-moi le mal que je vous ai fait !

Petite maman tant adorée, pour les cinq plaies du Christ,
pardonnez-moi le mal que je vous ai fait ! »

Nous n'étions là qu'en mimes muets d'un texte immémorial. Et le texte était beau, envoûtant et tout cela était vrai. La musique, ensuite, se remit à jouer et nous prîmes le chemin de la ville. La cérémonie eut lieu à la mairie, toujours en musique. Et puis on alla déjeuner. L'après-midi, tout le monde dansa.

Le soir, les demoiselles d'honneur enlevèrent à Vlasta sa couronne de romarin et me la remirent avec solennité. De ses cheveux dénoués elles firent une natte enroulée autour de sa tête, et la coiffèrent d'un béguin ajusté. Ce rite représentait le passage de l'état de vierge à celui de femme. Vlasta, bien sûr, depuis longtemps n'était plus vierge. Elle n'avait donc pas droit au symbole de la couronne. Mais cela ne me semblait pas important. A un niveau supérieur, bien plus important, c'était maintenant seulement qu'elle perdait sa virginité, à l'instant où ses demoiselles d'honneur m'offraient sa couronne.

Dieu, comment se fait-il que le souvenir de cette petite couronne m'émeuve davantage que notre première étreinte, que le vrai sang de Vlasta ? Je n'en sais rien, mais c'est ainsi. Les femmes chantaient et, dans leurs chansons, cette petite couronne flottait sur l'eau et le courant déliait ses rubans rouges. J'avais envie de pleurer. J'étais saoul. Je la voyais, cette couronne qui flottait, le ruisselet la passait au ruisseau, le ruisseau à la rivière, la rivière au Danube, le Danube à la mer. Je la voyais, la couronne de la virginité, partie sans retour. Oui, sans retour. Toutes les situations capitales

225

de la vie sont pour une fois, sont sans retour. Pour qu'un homme soit un homme, il faut qu'il soit pleinement conscient de ce non-retour. Qu'il ne triche pas. Qu'il n'aille pas faire semblant de n'en rien savoir. L'homme moderne triche. Il s'efforce à contourner tous les grands moments qui sont sans retour et à passer ainsi sans payer de la naissance à la mort. L'homme du peuple est plus probe. Il descend en chantant au fond de chaque situation capitale. Quand Vlasta avait ensanglanté la serviette que j'avais étendue sous elle, j'étais loin de soupçonner que je rencontrais la grande situation sans retour. Pourtant, à cette minute de la cérémonie et des chants, le non-retour était là. Les femmes chantaient des adieux. Attends, attends, mon doux galant, que je prenne congé de ma petite maman. Attends, attends, retiens la monture, ma petite sœur pleure, la quitter, c'est dur. Adieu, adieu, mes compagnes aimées, je pars pour toujours, je pars à jamais.

Puis, la nuit s'épaississait, et la noce nous avait fait cortège jusqu'à notre maison.

J'ouvris la porte d'entrée. Vlasta, sur le seuil, se retourna une dernière fois du côté de ses amis assemblés devant la maison. L'un d'entre eux, alors, attaqua une dernière chanson :

> « *Elle était sur le seuil,*
> *comme elle semblait belle,*
> *rose, ma petite rose.*
> *Le seuil elle a passé,*
> *le charme est effacé,*
> *fanée, ma petite rose.* »

Puis la porte se referma sur nous. Nous étions seuls. Vlasta avait vingt ans, moi pas beaucoup plus. Mais je me disais qu'elle venait de passer le seuil et qu'à partir de cette minute magique, son charme allait tomber d'elle comme feuilles de l'arbre. Je voyais en elle la chute prochaine des feuilles. La chute dont le départ était pris. Je me disais qu'elle n'était pas qu'une fleur, qu'à cet instant, l'instant futur du fruit était déjà présent en elle. J'éprouvais dans tout cela l'ordre inexorable avec lequel je me confondais, auquel je consentais. Je songeais à Vladimir qu'alors je ne connaissais pas et dont je ne pressentais même pas l'aspect. Je songeais pourtant à lui et, à travers lui, je regardais les lointains de sa postérité. Puis Vlasta et moi nous allongeâmes au fond du lit et j'avais l'impression que c'était la sage infinité de l'espèce humaine qui nous prenait dans ses bras moelleux.

8

Ce que Ludvik m'a fait, le jour de mon mariage ? Autant dire rien. Il avait la bouche glacée, il était étrange. Pendant qu'on dansait l'après-midi, les gars lui avaient proposé une clarinette. Ils voulaient le voir jouer avec eux. Il refusa. Peu après, il s'était éclipsé. Une chance que moi, un peu trop éméché, je n'y avais pas prêté attention. Toutefois, le lendemain, j'avais noté que sa disparition avait fait comme une petite tache sur la journée de la veille. L'alcool en train de se diluer dans mon sang grossissait cette tache. Et Vlasta encore plus que l'alcool. Elle n'avait jamais aimé Ludvik.

Lorsque je lui avais annoncé qu'il serait mon témoin, elle n'avait pas eu l'air tellement emballée. Si bien que ça l'arrangeait, dès le lendemain de nos noces, de pouvoir me rappeler son comportement. La tête qu'il n'avait pas cessé de faire, comme si tout le monde lui cassait les pieds ! Le vaniteux.

Le même soir, Ludvik venait nous rendre visite. Avec des petits cadeaux pour Vlasta, et ses excuses. Il nous demanda de lui pardonner, parce que lui, hier, ça n'allait pas. Il nous raconta ce qui lui était arrivé. Viré du Parti et de la faculté. Dans l'ignorance de ce qu'il allait devenir.

Je n'en croyais pas mes oreilles et ne savais quoi dire. D'ailleurs, n'admettant pas qu'on le plaignît, Ludvik s'était hâté de détourner la conversation. Notre ensemble devait partir, quinze jours plus tard, pour une grande tournée à l'étranger. Nous, provinciaux, ne nous sentions plus de joie. Ludvik se mit à me questionner sur ce voyage. Seulement, je me rappelai aussitôt que, depuis son enfance, il rêvait de voyager à l'étranger, et maintenant, il ne pourrait plus guère le faire. Les gens marqués politiquement, on ne les lâchait pas au-delà de la frontière. Je voyais bien que nos situations à l'un et à l'autre désormais différaient du tout au tout. Il m'était donc impossible de parler à haute voix de notre tournée, de peur d'illuminer le précipice soudain creusé entre nos destinées. Soucieux d'enténébrer cet abîme, je craignais chaque mot risquant de l'éclairer. Mais je n'en trouvais aucun qui ne l'éclairât pas. La moindre phrase concernant tant soit peu notre vie montrait que nous étions loin l'un de l'autre. Que nos perspectives, notre avenir, bifurquaient. Que nous étions emportés dans des directions inverses. J'essayai donc de parler de banalités. Mais ce fut pire. L'insignifiance voulue de la conversation fut tout de suite transparente et l'entretien insupportable.

Ludvik prit congé et s'en alla. Il s'est porté volontaire pour un travail quelque part en dehors de notre ville, tandis que moi, je conduisais notre ensemble à l'étranger. Depuis, je ne l'ai pas revu durant plusieurs années. Je lui ai envoyé une ou deux lettres, à l'armée, à Ostrava. Chaque fois me restait la même insatisfaction qu'après notre dernière conversation. Je ne pouvais pas regarder en face la chute de Ludvik. J'avais honte de ma réussite. Il m'était intolérable d'adresser à mon ami, du haut de mes succès, des paroles d'encouragement ou de compassion. Je tâchais plutôt de feindre qu'entre nous rien n'était changé. Mes lettres lui détaillaient ce que nous faisions, ce qu'il y avait de neuf au sein de l'ensemble, comment s'affirmait notre nouveau joueur de cymbalum. Ce monde à moi, je le lui peignais comme s'il nous était demeuré commun.

Puis, un jour, papa reçut un faire-part. La maman de Ludvik était décédée. Personne, chez nous, ne s'était douté qu'elle fût malade. Quand Ludvik avait disparu de mon horizon, je cessai de me soucier d'elle. Je tenais le papier bordé de noir, et je découvrais mon indifférence envers les gens qui, si peu que ce fût, s'étaient écartés du chemin de ma vie. De ma vie réussie. Je me sentais coupable. Et c'est ensuite que je m'aperçus de quelque chose qui me bouleversa. Au bas du faire-part figuraient, pour toute famille, les époux Koutecky. De Ludvik, aucune mention.

Vint le jour des obsèques. Le matin déjà, le trac m'avait pris en imaginant la rencontre avec Ludvik. Mais il n'était pas là. Quelques personnes seulement derrière le cercueil. Je demandai aux Koutecky où se trouvait Ludvik. Haussant les épaules, ils dirent qu'ils l'ignoraient. Le petit groupe et la bière s'arrêtèrent à proximité d'une sépulture somptueuse, avec pesante dalle en marbre et statue blanche d'ange.

Comme on avait confisqué la totalité des biens du riche entrepreneur et des siens, ces gens maintenant vivaient d'une maigre pension. Il ne leur restait plus que cet imposant caveau de famille avec un ange. Cela je le savais mais je ne m'expliquais pas pourquoi on descendait le cercueil justement là.

Plus tard seulement, je devais apprendre qu'à cette

époque Ludvik se trouvait en prison. Dans notre ville, sa mère était la seule à le savoir. Quand elle fut morte, les Koutecky s'emparèrent du cadavre de la belle-sœur mal-aimée. Enfin ils pouvaient se venger de leur ingrat neveu. Ils lui volaient sa mère. Ils l'escamotèrent sous leur bloc de marbre surmonté d'un ange. Cet ange à chevelure bouclée et avec un rameau n'a pas cessé de m'apparaître depuis. Il planait sur la vie pillée de mon copain à qui avaient été ravis jusqu'aux corps de ses parents morts. L'ange du saccage.

9

Vlasta n'aime pas les extravagances. Se prélasser sur le banc, la nuit, au jardin, c'est une extravagance. J'entendis des coups énergiques à la vitre. L'ombre sévère d'une silhouette féminine en chemise de nuit se dressait derrière la fenêtre. J'obéis. Je suis incapable de tenir tête aux plus faibles. Et puisque je fais un mètre quatre-vingt-dix et soulève d'une main un sac de cent kilos, il ne m'est jamais arrivé de rencontrer quelqu'un à qui j'aie pu tenir tête.

Ainsi rentrai-je me coucher à côté de Vlasta. Juste pour dire, je laissai tomber que j'avais croisé Ludvik. « Et alors ? » dit-elle avec un désintérêt voulu. Décidément, elle ne l'encaissait pas. Aujourd'hui encore, elle ne peut pas le sentir. Du reste, elle n'a pas à se plaindre. Elle ne l'a vu qu'une fois depuis notre mariage. En cinquante-six. Cette fois, je n'avais pu me dissimuler l'abîme qui nous séparait.

Ludvik avait déjà derrière lui son service militaire, sa détention et plusieurs années de travail à la mine. A Prague, il s'était débrouillé pour reprendre ses études et, s'il avait reparu dans notre ville, c'était simplement afin de régler quelques formalités de police. L'idée de me retrouver en sa compagnie m'avait donné le trac. Mais l'homme que je rencontrai n'avait rien d'un geignard cassé. Au contraire. Ce Ludvik était différent de celui que j'avais connu auparavant. Il y avait en lui une âpreté, une solidité et peut-être plus de calme.

Rien de ce qui aurait pu appeler la pitié. Il me sembla que nous allions franchir sans peine l'abîme qui m'épouvantait. Impatient de renouer, je l'attirai à une répétition de notre orchestre. Je croyais que c'était bien toujours le sien aussi. Quelle importance qu'un autre fût au cymbalum, un autre au second violon, que même le clarinettiste eût changé, moi seul restant de la vieille garde.

Ludvik avait pris une chaise tout près du cymbalum. Nous jouâmes d'abord nos chansons favorites, celles que nous cultivions, encore lycéens. Ensuite des nouvelles, que nous avions dénichées dans des villages perdus au pied des montagnes. Enfin vinrent celles dont nous sommes le plus fiers. Non pas, cette fois, authentiques chants traditionnels, mais chansons inventées par nous à la manière de l'art populaire. Ainsi chantions-nous sur l'immensité des champs coopératifs, ou sur les pauvres, aujourd'hui maîtres en leur pays, ou sur le tractoriste que la coopérative ne laisse manquer de rien. La musique de ces chansons ressemblait aux vraies mélodies populaires et leurs paroles étaient plus actuelles que le texte des journaux. Dans ce florilège, nous tenait surtout à cœur la chanson consacrée à Fucik, héros torturé par les nazis sous l'Occupation.

Assis sur sa petite chaise, Ludvik suivait des yeux la course des maillets du joueur de cymbalum. Souvent, il se versait du vin. Je l'observais par-dessus le chevalet de mon violon. Il était recueilli, et pas une fois il ne leva la tête dans ma direction.

Puis, l'une après l'autre, des épouses entrèrent dans la salle. Signe que la répétition touchait à son terme. J'offris à Ludvik de m'accompagner à la maison. Vlasta nous fit quelque chose à dîner et, nous abandonnant tête à tête, s'en alla dormir. Ludvik parla de choses et d'autres. Mais je sentais qu'il n'était si bavard que pour pouvoir se taire sur ce dont je voulais parler. Mais comment ne rien dire à mon meilleur copain de ce qui constituait notre plus précieuse richesse à tous deux ? En sorte que j'interrompis Ludvik dans son papotage. Qu'est-ce que tu dis de nos chansons ? Ludvik répondit qu'elles lui avaient plu. Je ne le laissai pas s'en tirer avec cette politesse. Je l'interrogeai plus avant. Que pensait-il de ces chants nouveaux que nous avions composés nous-mêmes ?

Ludvik évitait la discussion. Pas à pas, pourtant, je la lui imposai et il avait fini par parler. Cette poignée de vieux chants populaires, ils sont de toute beauté. Quant au reste, notre répertoire le laisse froid. Nous nous conformons trop au goût du jour. Rien d'étonnant. Nous produisant devant le grand public, nous cherchons à plaire. Aussi érodons-nous de nos chansons tous leurs traits singuliers. Nous en érodons l'inimitable rythme en les adaptant à une métrique conventionnelle. Nous empruntons à la couche chronologique la moins profonde, parce que cela passe plus facilement la rampe.

Je protestai. Nous n'en sommes qu'aux commencements. Il s'agit pour nous de promouvoir au maximum la diffusion de la chanson populaire. Voilà pourquoi nous devons quelque peu l'accommoder aux habitudes du plus grand nombre. L'important, c'est bien que nous ayons déjà créé un folklore *contemporain*, des chansons populaires nouvelles qui content notre vie d'aujourd'hui.

Il n'était pas d'accord. Justement ces nouvelles chansons lui déchiraient les oreilles. Quels lamentables ersatz ! Et quelle fausseté !

Ça me fait encore mal d'y penser. Qui nous avait menacés de finir comme la femme de Loth si nous nous entêtions à regarder en arrière ? Qui nous avait raconté que de la musique du peuple allait sortir le nouveau style de l'époque ? Et qui nous avait exhortés à donner une chiquenaude à cette musique populaire pour la forcer à marcher au côté de l'histoire de notre temps ?

Tout ça, c'était de l'utopie, dit Ludvik.

Comment, de l'utopie ? Ces chansons sont là ! Elles existent !

Il me rit au nez. Votre ensemble les chante. Mais en dehors de l'ensemble, montre-moi un seul homme qui se les chante ! Trouve-moi un seul coopérateur qui les fredonne pour son plaisir à lui, vos ritournelles à la gloire des coopératives ! Elles lui feraient grimacer la gueule, tellement elles sont truquées ! Ce texte de propagande rebique de cette musique pseudo-populaire comme un col mal ajusté ! Une chanson simili-morave sur Fucik ! Quel défi au bon sens ! Un journaliste praguois ! Qu'est-ce qu'il a de commun avec la Moravie ?

Fucik, objectai-je, appartient à tous, et nous aussi avons le droit de le chanter à notre façon.

A notre façon, tu dis ? Vous chantez à la façon de l'agit-prop et pas du tout à notre façon ! Rappelle-toi seulement les paroles ! Et d'abord, pourquoi une chanson sur Fucik ? Est-ce qu'il n'y a eu que lui dans la Résistance ? On n'en a pas torturé d'autres ?

C'est quand même lui le plus connu !

Naturellement ! L'appareil chargé de la propagande veille au bon ordre dans la galerie des grands morts. Parmi les héros, il lui faut un héros chef.

A quoi bon ces sarcasmes ? Chaque époque n'at-elle pas ses symboles ?

Soit, mais il est intéressant de savoir qui a été choisi pour servir de symbole ! Des centaines, alors, ont été tout aussi vaillants, et ils sont oubliés. Et c'étaient souvent des gens extraordinaires. Politiques, écrivains, savants, artistes. D'eux, on n'a pas fait des symboles. Leurs photos n'ornent pas les murs des secrétariats ni des écoles. Cependant, ils ont souvent laissé une œuvre. Mais c'est précisément l'œuvre qui gêne. On a de la peine à l'arranger, à l'élaguer, à tailler dedans. C'est l'œuvre qui dérange dans la galerie de propagande des héros.

Nul d'entre eux n'est l'auteur de *Reportage écrit sous la potence* !

Nous y sommes ! Que faire d'un héros qui se tait ? Qui s'abstient d'utiliser ses derniers moments pour un spectacle ? Pour une leçon pédagogique ? Fucik, bien qu'il n'eût aucune œuvre derrière lui, avait estimé capital de communiquer à l'univers ce qu'au cachot il pensait, sentait, vivait, ce qu'il mandait et recommandait à l'humanité. Ces choses, il les notait sur des billets minuscules, faisant risquer leur peau à ceux qui, en fraude, les passaient à l'extérieur pour les conserver en lieu sûr. Quelle haute valeur devait-il attacher à ses propres pensées et impressions ! Quelle haute valeur attachait-il à lui-même !

Là, c'était plus que je n'en pouvais tolérer.

Fucik eût été tout simplement pourri de suffisance ?

Ludvik était comme un cheval emballé. Non, ce n'était pas tellement la suffisance qui le poussait à écrire. C'était la faiblesse. Car être courageux dans l'isolement, sans témoins, sans l'assentiment des autres, face à face avec soi-même, cela requiert une grande fierté et beaucoup de force. Fucik avait besoin de l'aide du public. Dans la solitude de sa cellule, il se fabriquait au moins un public fictif. Il lui fallait être vu ! Se fortifier d'applaudissements ! Imaginaires, à défaut d'autres ! Métamorphoser sa cellule en une scène et rendre son sort supportable en l'exposant, en l'exhibant.

J'étais préparé à l'abattement de Ludvik. A son acrimonie. Mais cette fureur-là, cette dérision fielleuse me prenaient au dépourvu. Quel mal lui avait fait le pauvre Fucik ? Je vois le prix d'un homme dans sa fidélité. Je le sais, Ludvik a subi un châtiment inique. Mais c'est d'autant plus grave ! Parce que, alors, les mobiles de son changement d'opinions ne sont que trop transparents. Est-ce que l'on peut renverser toute son attitude devant la vie pour l'unique raison d'avoir été offensé ?

Tout cela, je ne l'envoyai pas dire à Ludvik. Puis il s'est passé quelque chose d'inattendu. Ludvik ne me répondit pas. Comme si cette fièvre de colère l'avait quitté d'un coup. Il me sondait, l'œil intrigué, et puis me dit à voix basse et calmement de ne pas me fâcher. Il avait pu se tromper. Il le dit si étrangement, avec une telle froideur, que son insincérité me parut flagrante. Sur une telle insincérité je ne voulais pas que s'achève notre conversation. Quelle que fût mon amertume, je restais sous l'empire de mon intention première. Je voulais m'expliquer avec Ludvik et restaurer notre amitié. Si dur qu'ait été l'entrechoquement, j'espérais pourtant qu'il y eût quelque part, au terme d'une longue dispute, un coin de terre commun où il faisait si beau autrefois et où nous pourrions de nouveau habiter ensemble. Cependant, mon effort employé à poursuivre la conversation tombait à plat. Ludvik se répandait en excuses : une fois encore, il avait cédé à sa manie d'exagérer. Il me priait d'oublier les propos qu'il avait tenus.

Oublier ? Et pourquoi diable faudrait-il oublier un entretien sérieux ? Ne serions-nous pas mieux inspirés de le continuer ? Je n'entrevis que le lendemain le sens caché de la demande de Ludvik. Il avait passé la nuit chez nous et déjeuné le matin. Après, nous disposions encore d'une demi-heure pour causer. Il me raconta ses difficiles démarches afin d'obtenir la permission de terminer, dans les deux ans, ses études en faculté. Quel sceau pour l'existence représentait son exclusion du Parti. La défiance qu'on lui témoignait partout. Uniquement grâce à l'aide d'un petit nombre d'amis qui l'avaient connu avant son exclusion du Parti, peut-être allait-il retrouver les bancs des salles de cours. Ensuite, il parla de quelques connaissances dont la position était comparable à la sienne. Il assura qu'ils étaient suivis et leurs propos soigneusement enregistrés. Que leur entourage était interrogé, tel témoignage zélé ou mal-intentionné pouvant fort bien leur valoir quelques années supplémentaires d'ennuis. Puis il louvoya de nouveau vers des futilités et, venu l'instant de nous séparer, déclara qu'il avait été content de me voir. Il me réitéra sa prière de ne plus penser à ce qu'il m'avait dit la veille.

Le rapprochement de cette prière avec les allusions à l'expérience vécue par ses amis était trop clair. Je n'en revenais pas. Ludvik avait cessé de parler avec moi parce qu'il avait peur ! Il avait peur que notre discussion ne vînt à être divulguée ! Peur d'une dénonciation ! Peur de moi ! C'était horrible. Et — encore une fois — tout à fait imprévu. L'abîme entre nous était plus profond que je ne pensais, si profond qu'il ne nous permettait même pas d'achever une conversation.

10

Vlasta dort déjà. La pauvre petite. De temps en temps, légèrement, elle ronfle. Tout est endormi chez nous. Et je suis allongé, large, long, grand, et je songe combien je suis sans force. J'en ai eu la si cruelle sensation cette fois-là. Avant, crédule, je supposais que tout reposait entre mes mains. Ludvik et moi, jamais nous ne nous étions meurtris. Un peu de bon vouloir et qu'est-ce qui m'empêcherait de lui redevenir proche?

La preuve est faite que cela n'est pas entre mes mains. Ni notre rupture ni notre rapprochement n'ont été entre mes mains. C'est donc entre les mains du temps que je les ai remis. Le temps passait. Neuf ans se sont écoulés depuis notre dernière rencontre. Ludvik a terminé ses études et a trouvé un excellent poste comme travailleur scientifique dans un secteur qui l'intéresse. De loin, je suis son destin. Je le suis avec affection. Jamais je ne peux considérer Ludvik comme mon ennemi ou comme quelqu'un d'étranger. C'est mon ami, mais ensorcelé. Comme dans quelque version renouvelée du conte où la fiancée d'un prince fut changée en serpent ou en crapaud. Dans les contes, la fidèle patience du prince a toujours tout sauvé.

Mais moi, le temps ne réveille pas mon ami de son ensorcellement. A plusieurs reprises, ces années-là, il m'est revenu qu'il était passé par notre ville. Pas une fois, il ne s'est arrêté chez moi. Je l'ai rencontré aujourd'hui et il m'a évité. Satané Ludvik.

Tout a commencé après que nous eûmes causé pour la dernière fois. D'une année sur l'autre, j'ai senti le désert s'élargir autour de moi et une anxiété germer dans mon cœur. Il y avait de plus en plus de fatigues et de moins en moins de joies et de succès. Autrefois, l'ensemble partait chaque année en tournée à l'étranger, puis les invitations s'espacèrent et maintenant on ne nous invite presque plus. Nous travaillons tout le temps, nous redoublons d'efforts, mais c'est le silence à la ronde. Je suis resté dans une salle vide. Et il me semble que c'est Ludvik qui a ordonné que je sois seul. Car ce ne sont pas les ennemis, mais les amis qui condamnent l'homme à la solitude.

Depuis ce temps-là, de plus en plus fréquemment, j'ai pris l'habitude de m'évader par ce chemin de terre bordé de petits champs. Par ce chemin dans les champs où, seul sur un talus, pousse un églantier. Là, je retrouve les derniers fidèles. Il y a le déserteur avec ses gars. Il y a un musicien vagabond. Et il y a, derrière l'horizon, une maison en bois et dedans Vlasta — la pauvre servante.

Le déserteur m'appelle son roi et jure que je peux, n'importe quand, me réfugier sous sa garde. Je n'ai qu'à venir auprès de l'églantier. Il sera toujours au rendez-vous.

Comme ce serait simple de trouver la paix dans un monde d'imageries ! Mais j'ai constamment tenté de vivre dans les deux univers à la fois, sans quitter l'un pour l'autre. Je n'ai pas le droit de renoncer au monde réel, bien que j'y perde tout. Peut-être, à la fin des fins, suffira-t-il que je réussisse une seule chose. La dernière :

241

Remettre ma vie, comme message clair et intelligible, au seul et unique individu qui le comprendra et le portera plus loin. D'ici là, je n'ai pas le droit de m'en aller avec le déserteur vers le Danube.

Cet homme unique auquel je pense, mon ultime espérance après tant de défaites, une cloison l'isole de moi et il dort. Après-demain, il montera un cheval. Il aura le visage voilé. On le traitera de roi. Viens, mon petit. Je m'assoupis. Ils te donneront mon titre. Je vais dormir. Je veux te voir à cheval, dans mon rêve.

CINQUIÈME PARTIE

LUDVIK

1

J'ai dormi longtemps et fort bien. Je me suis réveillé après huit heures, je ne me rappelais aucun rêve, ni bon ni mauvais, je n'avais pas mal à la tête, simplement, je n'avais pas envie de me lever ; je restai donc couché ; le sommeil avait, entre moi et la rencontre d'hier, dressé une manière d'écran ; non que Lucie, ce matin, se fût évanouie de ma conscience, mais elle était redevenue une abstraction.

Abstraction ? Oui : après sa disparition si énigmatique et douloureuse, à Ostrava, je n'avais eu d'abord aucun moyen pratique de rechercher sa trace. Et comme (après mon service militaire) les années s'écoulaient, peu à peu je perdais le désir de telles recherches. Je me disais que Lucie, si fort que je l'eusse aimée, si parfaitement *unique* fût-elle, était inséparable de la *situation* dans laquelle nous nous étions connus et l'un de l'autre épris. C'était, me semblait-il, commettre quelque erreur de raisonnement que d'abstraire la femme aimée de l'ensemble des circonstances dans lesquelles on l'avait rencontrée et fréquentée, de s'appliquer, au prix d'une concentration mentale obstinée, à l'épurer de tout ce qui n'était pas *elle-même*, donc de l'*histoire* qu'on vivait avec elle et qui donnait sa forme à l'amour.

En fait, j'aime chez la femme non pas ce qu'elle est pour elle-même, mais ce par quoi elle s'adresse à moi, ce qu'elle représente *pour moi*. Je l'aime comme un

245

personnage de notre histoire à nous deux. A quoi rimerait un Hamlet privé du château d'Elseneur, d'Ophélie, de toutes les situations concrètes qu'il traverse, du *texte* de son rôle ? Qu'en resterait-il hormis je ne sais quelle essence creuse et illusoire ? Pareillement, Lucie, sans les faubourgs ostraviens, sans les roses glissées dans le grillage, sans ses robes râpées, sans mes longues semaines d'attente sans espoir, ne serait sans doute plus la Lucie que j'aimais.

Ainsi je concevais, ainsi je m'expliquais les choses, et comme les années passaient, j'avais presque peur de la revoir, puisque je savais que nous nous rencontrerions en un lieu où Lucie ne serait plus Lucie, et que je n'aurais plus de quoi renouer le fil. Je ne veux pas dire par là que j'avais cessé de l'aimer, que je l'avais oubliée, que son image avait pâli ; au contraire : elle m'habitait jour et nuit, comme une nostalgie silencieuse ; je la désirais comme on désire des choses perdues à jamais.

Et comme Lucie m'était devenue un passé définitif (qui en tant que passé vit toujours, et en tant que présent est mort), lentement elle perdait pour moi son apparence charnelle, matérielle, concrète, pour de plus en plus se défaire en légende, en mythe écrit sur parchemin et caché dans une cassette de métal déposée au fond de ma vie.

Peut-être pour cela, justement, l'impensable avait-il été possible : mon incertitude devant son visage, dans le fauteuil du salon de coiffure. Pour cela encore, ce matin, j'ai eu l'impression que cette rencontre n'avait pas été *réelle* ; qu'elle avait dû se dérouler, elle aussi, au niveau de la légende, de l'oracle ou de la

246

devinette. Si, hier soir, la présence réelle de Lucie m'avait frappé et projeté soudain dans le temps lointain où elle régnait, en cette matinée de samedi je me suis seulement demandé d'un cœur paisible (reposé par le sommeil) : *pourquoi* est-ce que je l'ai rencontrée ? que signifie ce hasard et qu'a-t-il à me *dire* ?

Les histoires personnelles, outre qu'elles se passent, disent-elles aussi quelque chose ? Malgré tout mon scepticisme, il m'est resté un peu de superstition irrationnelle, telle cette curieuse conviction que tout événement qui m'advient comporte en plus un sens, qu'il *signifie* quelque chose ; que par sa propre aventure la vie nous parle, nous révèle graduellement un secret, qu'elle s'offre comme un rébus à déchiffrer, que les histoires que nous vivons forment en même temps une mythologie de notre vie et que cette mythologie détient la clé de la vérité et du mystère. Est-ce une illusion ? C'est possible, c'est même vraisemblable, mais je ne peux réprimer ce besoin de continuellement *déchiffrer* ma propre vie.

Toujours couché sur mon lit d'hôtel grinçant, je pensais à Lucie de nouveau transformée en simple idée, en simple point d'interrogation. Le lit grinçait et cette particularité affleurant à nouveau à ma conscience opéra un déclic (brusque, discordant) de pensée vers Helena. Comme si ce lit grinçant était la voix m'appelant au devoir, je poussai un soupir, sortis mes pieds hors du lit, m'assis sur le bord, m'étirai, me passai les doigts dans les cheveux, regardai le ciel à travers les carreaux, et puis je me levai. La rencontre d'hier avec Lucie avait tout de même épongé et étouffé mon intérêt pour Helena, si intense peu de jours plus tôt.

Cet intérêt, maintenant, n'était plus que le souvenir d'un intérêt ; qu'un sentiment de devoir à l'égard d'un intérêt perdu.

Je m'approchai du lavabo, me débarrassai de ma veste de pyjama et ouvris le robinet à fond ; les mains en conque sous le jet, à coups précipités, je m'aspergeai largement le cou, les épaules, le corps, avant de m'étriller avec la serviette ; je voulais me fouetter le sang. Je m'effrayai soudain de mon désintérêt pour l'arrivée d'Helena ; je craignis que cette indifférence ne gâchât une occasion exceptionnelle qui avait peu de chances de se répéter. Je me promis une solide collation, ponctuée d'une vodka.

Je descendis à la salle de café, mais n'y trouvai qu'un désolant cortège de chaises rangées, pieds en l'air, sur des guéridons sans nappe entre lesquels traînassait une petite vieille en tablier crasseux.

A la réception, je demandai au portier, effondré derrière son comptoir, dans un fauteuil aussi profond que son indolence, s'il y avait moyen de prendre le petit déjeuner à l'hôtel. Sans un mouvement, il dit que c'était aujourd'hui jour de fermeture du café. Je gagnai la rue. La journée s'annonçait belle, les petits nuages se promenaient au ciel et le vent léger soulevait la poussière du trottoir. Je me hâtai vers la place. Devant une boucherie, il y avait une queue ; cabas ou filet au bras, les femmes attendaient patiemment leur tour. Parmi les passants, j'en remarquai bientôt certains, tenant au poing, comme une torche miniature, un cornet de glace surmonté d'un chaperon rose qu'ils léchaient. Au même moment, je débouchai sur la grand-place. Il y avait une maison d'un étage — un self-service.

J'y pénétrai. La salle était spacieuse, le sol en carrelage ; debout face à des tables très hautes, des gens mordaient dans des petits pains garnis et buvaient du café ou de la bière.

Je n'avais pas envie de déjeuner ici. Depuis mon réveil, l'obsession me tenait d'un substantiel repas d'œufs et de lard fumé, avec un verre d'alcool, pour me revigorer. Le souvenir me revint d'un restaurant situé un peu plus loin, sur une autre place avec un square et un monument baroque. Il n'avait sans doute rien de bien engageant, mais pourvu que j'y trouve une table, une chaise et un garçon disposé à me servir.

Je passai à côté du monument : le piédestal soutenait un saint, le saint soutenait un nuage, le nuage un ange, l'ange un autre nuage, sur lequel était assis un ange, le dernier ; j'élevai mon regard le long du monument, cette touchante pyramide de saints, de nuages et d'anges dont la lourde masse de pierre simulait les cieux et leur profondeur, tandis que le ciel réel, bleu pâle, demeurait désespérément loin de cette poudreuse portion de terre.

Donc, je traversai le square, avec ses pelouses et ses bancs (néanmoins, assez nu pour ne pas altérer une atmosphère de vide poussiéreux) et je saisis le bec-de-cane de la porte du restaurant. C'était fermé. Je commençai à comprendre que le petit festin tant souhaité resterait songe, et je m'en alarmai, le tenant, avec un entêtement enfantin, pour la condition décisive de la réussite de cette journée. Je compris que les petites villes ne se souciaient pas des originaux attachés au petit déjeuner assis, puisqu'elles n'ouvraient leurs restaurants que beaucoup plus tard. Je renonçai donc à en chercher un, fis demi-tour et retraversai le square en sens inverse.

Et de nouveau je rencontrais ces gens aux petits cornets surmontés de chaperons roses, et de nouveau je me répétais que ces cornets rappelaient des torches et que cette apparence avait peut-être certaine signification, vu que lesdites torches n'en étaient pas, mais seulement des *parodies de torches*, et ce qu'elles portaient solennellement, cette trace fugitive de plaisir rose, ce n'était pas une volupté mais une *parodie de volupté*, ce qui, selon toute vraisemblance, exprimait l'inévitable caractère parodique de toutes les torches et voluptés de cette ville de poussière. Puis je supputai qu'à condition de remonter le courant des porte-flambeaux lécheurs, j'avais une chance d'arriver à une pâtisserie où se trouveraient un coin de table et un siège, voire un café noir et même un petit gâteau.

En fait, j'aboutis à un milk-bar; on y faisait la queue pour obtenir du chocolat ou du lait avec des croissants et revoici les tables montées sur des échasses, les clients buvant et mangeant là-dessus; l'arrière-boutique comportait bien quelques guéridons, des chaises, mais tout était occupé. Je pris donc la file progressant à tout petits pas, après dix minutes d'attente j'obtins un chocolat et deux croissants, je les emportai vers une haute tablette encombrée d'une demi-douzaine de chopes vidées, et là, sur un bout de surface sans liquide renversé, je posai mon verre.

Je mangeai à une vitesse attristante : à peine trois minutes plus tard, je me retrouvai dans la rue; neuf heures sonnaient; j'avais encore deux heures devant moi : Helena avait pris ce matin à Prague le premier avion pour Brno afin de pouvoir attraper le car qui arrive ici un peu avant onze heures. Je savais que ce seraient deux heures parfaitement vides.

Je pouvais, bien entendu, aller voir les vieux lieux de mon enfance, m'arrêter près de ma maison natale où maman vécut jusqu'à ses derniers jours. Je pense souvent à elle, mais, ici, dans la ville où son petit squelette gît sous un marbre étranger, mes souvenirs sont empoisonnés : l'âcre sensation de mon impuissance d'alors les envenime — et c'est ce dont je me défends.

Je n'avais donc plus qu'à m'asseoir sur un banc de la place pour me relever presque aussitôt, aller voir des vitrines, parcourir les couvertures de livres aux devantures des librairies, et finir par acheter le *Rude pravo* dans un tabac, me réinstaller sur le banc, donner un coup d'œil aux titres insipides, lire deux informations de quelque intérêt dans la rubrique étrangère, me relever du banc, replier le journal et l'introduire, intact, dans une poubelle ; puis, lentement me rapprocher de l'église, m'arrêter devant, regarder les deux clochers puis monter les larges marches, passer le porche et entrer dans la nef, timidement, pour que les gens ne s'offusquent pas de ce que le nouvel arrivé ne se soit pas signé et ne soit venu ici, comme dans un parc, que pour se promener.

Quand il y eut plus de monde, je me fis vite l'effet d'un intrus qui ne savait quelle attitude prendre en ce lieu, aussi je m'en allai, regardai l'horloge et constatai que mon temps mort avait la vie dure. Afin de profiter de ce temps vide, je m'appliquai à me souvenir d'Helena, à penser à elle ; mais cette pensée refusait d'évoluer, restait statique et parvenait à peine à m'évoquer l'image visuelle d'Helena. D'ailleurs, c'est connu : quand un homme attend une femme, il n'est qu'à grand-peine capable de réfléchir sur elle et il ne peut que faire les cent pas sous son effigie figée.

Je faisais donc les cent pas. En face de l'église, j'aperçus une dizaine de voitures d'enfant arrêtées, vides, devant le bâtiment de la mairie (maintenant Comité national de la ville). Je ne pus m'expliquer de quoi il s'agissait. Puis, un jeune homme essoufflé vint ranger une poussette à côté des autres, sa compagne (un peu agitée) en tira un paquet d'étoffes et de broderies blanches (contenant sans aucun doute un bébé), et le couple disparut en hâte à l'intérieur de la mairie. Pensant que j'avais une heure et demie à tuer, je le suivis.

Dès le grand escalier, pas mal de badauds se trouvaient là, plus nombreux à mesure que je montais. Le couloir du premier étage paraissait bondé tandis que l'escalier menant plus haut était vide. L'événement qui avait attiré tout ce monde devait donc, apparemment, se dérouler au premier, probablement dans le salon dont la porte grande ouverte sur le corridor était obstruée par une foule considérable. Je m'y rendis ; les dimensions de la salle étaient modestes, il y avait environ sept rangées de chaises déjà occupées par des personnes ayant l'air d'attendre un spectacle. Sur le devant il y avait une estrade supportant une longue table couverte d'un tissu rouge avec, dans un vase, un grand bouquet ; derrière, au mur, les plis d'un drapeau aux couleurs de l'État retombaient, disposés avec art ; en bas de l'estrade et lui faisant face (à trois mètres du premier rang de parterre), huit sièges s'incurvaient en demi-cercle ; à l'autre extrémité de la salle, au fond, il y avait un petit harmonium ; un vieux monsieur à lunettes, assis, penchait sa calvitie sur le clavier découvert.

Plusieurs chaises étaient encore libres ; j'en occupai une. Longtemps, il ne se passa rien, mais le public ne montrait nul ennui, on s'inclinait vers son voisin, on conversait à mi-voix. Entre-temps les petits groupes attardés dans le couloir avaient fini d'emplir la salle, prenant les dernières places assises ou faisant tapisserie tout autour.

Enfin il se passa quelque chose : derrière l'estrade, une porte s'ouvrit ; une dame en robe brune, avec des lunettes sur un long nez mince, apparut ; elle promena son regard sur l'assistance, et leva la main droite. Le silence m'entoura. Ensuite, cette femme retourna du côté de la pièce d'où elle avait surgi, comme pour adresser un signe ou un mot à quelqu'un, mais elle revint aussitôt et se colla le dos au mur, tandis qu'au même moment un sourire solennel et figé apparut sur son visage. Tout était bien synchronisé, car, derrière moi, l'harmonium commença en même temps que le sourire.

Quelques secondes plus tard, dans la porte derrière l'estrade, apparut une jeune femme, rougeaude, aux cheveux jaunes, richement frisée et maquillée, l'air hagard, dans ses bras un sac blanc avec le bébé. La dame en brun, pour lui faciliter le passage, se plaquait encore plus contre le mur, tandis que son sourire voulait encourager la porteuse du bébé. Et la porteuse s'avançait, d'un pas hésitant, serrant son nourrisson ; une deuxième surgit avec le même sac blanc et derrière elle (à la queue leu leu) tout un petit cortège ; j'observais toujours la première : ses yeux ayant d'abord erré non loin du plafond s'étaient abaissés et avaient certainement rencontré le regard de quelqu'un dans la salle, puisque, perdant contenance, elle avait subitement essayé de regarder ailleurs et s'était mise à sourire, seulement ce sourire (cet effort du sourire) s'était bien vite défait en une contraction de ses lèvres figées. Tout cela se passa sur son visage en l'espace de quelques secondes (le temps de franchir à peine six mètres à partir de la porte) ; comme, allant droit devant elle, elle ne virait pas assez tôt devant la demi-lune des chaises, la dame en brun avait bondi du mur (la mine un peu renfrognée) et l'avait accostée afin de lui rappeler, d'un frôlement de main, la bonne direction. Corrigeant sur-le-champ sa déviation, la femme décrivait un mouvement tournant, suivie des autres porteuses d'enfant. Il y en avait huit au total. Ayant achevé enfin le parcours prescrit, elles avaient stoppé, dos au public, chacune debout devant une chaise. La dame en brun fit un signe de haut en bas ; lentement, l'une après l'autre, les femmes (toujours le dos tourné au public) comprirent et (avec les paquets de nourrissons) s'assirent.

La dame en brun sourit de nouveau et alla vers la porte restée entrouverte. Elle s'immobilisa un instant sur le seuil, puis, fit trois ou quatre pas rapides et revint à reculons dans la salle où elle se radossa contre le mur. Apparut alors un homme d'une vingtaine d'années, vêtu de noir, chemise blanche dont le col, orné d'une cravate à motif peint, s'incrustait dans son cou. Il avait la tête basse et le pas lourd. Sept autres hommes marchaient à sa suite, d'âges divers mais tous en foncé et chemise du dimanche. Ils contournèrent les femmes pouponnantes et s'arrêtèrent chacun derrière une chaise. A ce moment, ils furent deux ou trois à montrer une sorte d'inquiétude, jetant des regards alentour, comme s'ils cherchaient on ne savait quoi. La dame en brun (son visage s'était immédiatement recouvert du nuage d'humeur de tout à l'heure) accourut et, l'un des hommes perplexes lui ayant chuchoté quelques mots, elle approuva de la tête ; sur ce, ces hommes changèrent vite de place.

Redevenue souriante, la dame en brun reprit encore la direction de la porte derrière l'estrade. Cette fois, elle n'eut pas même besoin d'ébaucher un signal quelconque. Un nouveau détachement faisait son entrée, et je dois dire qu'il était discipliné, et souverainement au fait, marchant sans embarras, avec le naturel des professionnels ; les enfants qui le composaient pouvaient avoir dix ans ; ils avançaient à la queue leu leu, garçons et filles alternés ; les garçons portaient un pantalon bleu marine, une chemisette blanche avec un foulard triangulaire rouge dont une pointe leur retombait entre les omoplates, les deux autres nouées sous le menton ; les fillettes avaient une petite jupe bleu marine, une blouse blanche et, autour du cou, le même foulard que les garçons ; tous avaient un petit bouquet de roses à la main. Ils marchaient, comme je l'ai dit, avec autant d'assurance que d'élégance, et non pas comme les deux détachements précédents : ils ne suivirent pas le demi-cercle des chaises, ils longèrent le devant de l'estrade ; là, ils firent halte, puis un quart de tour, de sorte que leur ligne occupait toute la longueur de l'estrade, face aux femmes assises et à la salle.

Il s'écoula encore quelques secondes quand, à la porte, un nouveau personnage parut, que personne ne suivait, et qui se dirigea droit vers l'estrade et sa longue table drapée de rouge. C'était un homme d'âge moyen, au crâne dégarni. Sa démarche était digne, son port rigide, complet noir, dans sa main un grand porte-feuille pourpre ; il s'arrêta à mi-longueur de la table et fit face au public qu'il salua en s'inclinant. On voyait son visage bouffi et, porté en sautoir, un large ruban rouge bleu blanc soutenant une médaille dorée qui lui pendait à hauteur de l'estomac et s'était balancée plusieurs fois au-dessus de la tribune pendant sa courbette.

Soudain, un des garçonnets alignés devant l'estrade se mit à discourir à haute voix. Il disait que le printemps était là, que les papas et les mamans exultaient et que toute la terre se réjouissait. Il continua un moment dans cet esprit, et puis l'une des fillettes l'interrompit pour dire des choses analogues, dont le sens n'était pas tout à fait clair, mais où il y avait les mêmes mots qui revenaient : maman, papa et aussi printemps, et, quelquefois, le mot rose. Après cela un autre garçonnet lui coupa la parole à son tour, lui-même interrompu par une nouvelle fillette ; impossible pourtant de dire qu'ils se disputaient, étant donné que tous affirmaient à peu près la même chose. L'un des garçonnets déclara, par exemple, que l'enfant était la paix. La fillette qui lui succéda dit par contre que l'enfant était une fleur. L'unanimité se fit d'ailleurs sur cette dernière idée, que le chœur des enfants reprit à l'unisson en s'avançant, bras tendu et bouquet au bout. Comme ils étaient huit, tout juste le nombre des femmes assises en demi-cercle, chacune reçut un bouquet. Les enfants revinrent près de l'estrade et désormais se turent.

En revanche, l'homme debout sur l'estrade ouvrit son grand portefeuille pourpre et commença à lire à haute voix. Il parla, lui aussi, du printemps, des fleurs, des mamans et des papas, il parla aussi de l'amour qui, d'après lui, portait des fruits, mais son vocabulaire amorça bientôt une métamorphose, il ne disait plus le papa et la maman, mais le père et la mère, il énumérait tout ce que l'État leur (aux pères et aux mères) procurait, soulignant qu'ils devaient, en retour, pour le bien de l'État, élever leurs enfants en citoyens modèles. Après quoi il déclara que tous les parents ici présents allaient en sceller l'engagement solennel par leur signature et il montrait le bout de la table où, dans sa reliure de peau, un fort volume était couché.

A ce moment, la dame en brun vint se mettre derrière la mère assise au bout du demi-cercle, lui toucha l'épaule, la mère se retourna et la dame lui prit des mains son nourrisson. Puis la mère se leva et alla vers la table. L'homme au ruban ouvrit le livre et tendit une plume à la mère. Elle signa, regagna sa chaise et la dame en brun lui rendit le bébé. Le père alla signer à son tour ; puis la dame en brun se saisit du bébé de la mère suivante, qu'elle dirigea vers l'estrade ; après elle, son mari signa, après lui, une autre mère, un autre mari, et ainsi de suite, jusqu'à la fin. Puis l'harmonium émit une nouvelle série de sons tandis

257

que mes voisins s'empressaient d'aller serrer la main des mères et des pères. J'avais suivi le mouvement (comme voulant, moi aussi, donner des poignées de main) ; quand tout à coup je m'entendis héler par mon nom : c'était l'homme au ruban qui me demandait si je ne le reconnaissais pas.

Bien sûr que je ne le reconnaissais pas, quoique l'ayant observé durant tout son discours. Pour ne pas donner une réponse négative à la question un peu gênante, je lui demandai comment il allait. Il dit que ça n'allait pas mal et je le reconnus : Kovalik, un camarade de collège. Comme estompés par un certain empâtement de sa physionomie, ses traits ne me revenaient que maintenant ; d'ailleurs parmi mes condisciples, Kovalik avait toujours figuré dans la bonne grisaille, ni brave ni fripouille, ni sociable ni solitaire, ses études marchaient moyennement ; le sommet de son front s'ornait en ce temps-là d'un épi de cheveux aujourd'hui absents — j'avais donc quelques excuses de ne pas l'avoir reconnu tout de suite.

Il demanda ce que je faisais là, si j'avais des parentes parmi les mères. Je lui dis que je n'en avais pas, que je n'étais venu que par curiosité. Souriant de contentement, il entreprit de m'expliquer que le Comité national de la ville avait déployé le maximum d'efforts pour un déroulement véritablement digne des cérémonies civiques, et, avec une fierté timide, il ajouta que lui, préposé aux affaires civiles, y était pour quelque chose et qu'à ce titre il avait même reçu des éloges de ses supérieurs. Je lui demandai si ce qui venait d'avoir lieu était un baptême. Il me dit que ce n'était pas un baptême, mais une *bienvenue dans la vie aux nouveaux citoyens*. Il était manifestement enchanté de pouvoir causer. Deux grandes institutions, d'après lui, s'opposaient : l'Église catholique avec ses rites, de tradition millénaire, et, en face, des institutions civiles dont le jeune cérémonial doit se substituer à ces rites immémoriaux. Il disait que les gens ne renonceraient à célébrer les baptêmes et les mariages à l'église que lorsque nos cérémonies civiques auraient autant de grandeur et de beauté que les cérémonies religieuses.

Je lui dis que, selon toute apparence, ce n'était pas si facile. Il en convint et se dit heureux de ce qu'eux-mêmes, les préposés aux affaires civiles, trouvaient enfin un peu d'appui auprès de nos artistes, qui avaient (espérons-le !) compris que c'était un grand honneur de donner à notre peuple des enterrements, mariages et baptêmes (lapsus qu'il rattrapa vivement en disant : bienvenue aux nouveaux citoyens) vraiment socialistes. Quant aux vers, ajouta-t-il, que les petits pionniers avaient dits ce jour-là, ils étaient très beaux. J'acquiesçai et lui demandai s'il ne serait pas plus efficace, pour déshabituer les gens des cérémonies ecclésiastiques, de leur donner au contraire pleine possibilité d'éviter *n'importe quelle* cérémonie.

Il dit que jamais les gens ne se laisseraient frustrer de leurs mariages ou de leurs obsèques. Sans compter que, de notre point de vue (il appuya sur le mot notre, comme pour me faire comprendre que, lui aussi, était entré au Parti communiste), il serait dommage de ne pas utiliser de telles cérémonies pour rapprocher ces gens de notre idéologie et de notre État.

Je demandai à mon vieux camarade de classe comment il s'y prenait avec les récalcitrants, à supposer qu'il y en eût. Il me dit que ces gens-là existaient naturellement, parce que tout le monde n'a pas encore assimilé la nouvelle mentalité, mais s'ils boudent, on leur envoie invitation sur invitation, de sorte que la plupart finissent par venir de toute façon, huit ou quinze jours après. Je demandai si l'assistance à ce genre de cérémonies était obligatoire. Non, me répondit-il dans un sourire, mais c'est sur elle que le Comité national juge du niveau de conscience des citoyens ainsi que de leur attitude envers l'État, et comme chacun, finalement, s'en rend compte, alors il vient.

Je dis à Kovalik que le Comité national traite ses fidèles avec plus de rigueur que l'Église n'en manifeste aux siens. Kovalik sourit et dit qu'il n'y avait rien à faire. Puis il·m'invita à passer un moment dans son bureau. Je lui dis que je n'avais malheureusement guère de temps, devant attendre quelqu'un à la gare routière. Il me demanda encore si j'avais vu un « des gosses » (il voulait dire : des copains de collège). Je lui dis que non, mais que j'étais content de l'avoir rencontré, parce que, quand j'aurais un enfant à baptiser, je ne manquerais pas de faire le voyage jusqu'ici, et de m'adresser à lui. En s'esclaffant, il me flanqua une bourrade dans l'épaule. On s'était serré la main et j'étais redescendu sur la place, songeant qu'il restait quinze minutes avant l'arrivée du car.

Quinze minutes, ce n'était plus très long. La place franchie, je repassai à proximité du salon de coiffure, j'y glissai un nouveau regard à travers les vitres (quoique sachant Lucie absente, elle serait là seulement l'après-midi) ; puis je flânais du côté de la gare routière et me représentais Helena : son visage sous un fond de teint hâlé, sa chevelure rousse, décolorée à l'évidence, sa ligne, loin d'être svelte mais gardant néanmoins l'élémentaire rapport de proportions qui permet de percevoir une femme comme femme, je me représentais tout ce qui la situait à l'excitante frontière du dégoût et de l'attirance, sa voix, plus ample qu'il n'était agréable, et sa mimique excessive qui trahissait malgré elle l'impatiente ambition de plaire *encore*.

Je n'avais vu Helena que trois fois dans ma vie, soit trop peu pour que ma mémoire conservât d'elle une image exacte. Chaque fois que je tentais de l'évoquer, quelque trait de cette image ressortait à ce point accentué qu'Helena se métamorphosait pour moi constamment en sa caricature. Pourtant, si inexacte que fût mon imagination, je crois que c'est précisément par ces déformations qu'elle saisissait en Helena quelque chose d'essentiel qui se dérobait sous son apparence.

Cette fois, ce dont j'étais incapable de me débarrasser, c'était surtout l'image d'inconsistance corporelle d'Helena, son amollissement, signes non seulement de son âge, de sa maternité, mais avant tout de son psychisme (érotisme) désarmé, de son incapacité à résister (vainement dissimulée par la suffisance de ses propos), de sa vocation de proie sexuelle. Cette image reflétait-elle vraiment l'essence d'Helena ou seulement mon rapport à elle ? Qui sait. L'autocar arriverait d'une seconde à l'autre et je voulais qu'Helena apparaisse telle que ma fantaisie l'avait façonnée. Je me cachai sous le porche d'un des immeubles de la place qui cernent la gare routière, voulant la regarder un petit moment, la voir écarquiller les yeux à la ronde, *impuissante,* assaillie par l'idée qu'elle avait voyagé en vain et qu'elle ne me verrait pas ici.

Un car express s'arrêta sur le terre-plein et, une des premières, Helena en descendit. Elle portait un imperméable bleu qui (le col relevé, la taille bien sanglée sous une ceinture) lui conférait une allure jeune et sportive. Elle se tourna de côté et d'autre et, loin de demeurer perplexe, fit une volte-face et se dirigea sans hésiter vers mon hôtel où une chambre lui était réservée.

Encore une fois, je vérifiai que l'imagination ne m'offrait qu'une image déformée d'Helena. Heureusement, l'Helena de la réalité se révélait toujours plus jolie que celle de mes fictions, comme, une fois encore, je le constatai en la voyant de dos prendre, sur ses hauts talons, le chemin de l'hôtel. Je la suivis.

Elle était déjà à la réception, penchée sur le comptoir où le portier indifférent l'inscrivait dans son registre. Elle lui épelait son nom : « Zemanek, Ze-ma-nek... » Debout derrière elle, je l'écoutais. Quand le portier eut posé son stylo, Helena lui demanda : « Le camarade Jahn est bien descendu ici ? » Je m'avançai et, par-derrière, mis ma main sur son épaule.

2

Tout ce qu'il y avait eu entre moi et Helena avait été la suite d'un calcul minutieusement établi. Nul doute qu'à partir de notre premier rendez-vous Helena n'eût aussi caressé quelque dessein, mais il est peu probable que ses intentions allaient au-delà d'un vague désir de femme qui veut préserver sa spontanéité, sa poésie sentimentale, et, par conséquent, est peu soucieuse de régler et régenter d'avance le cours des événements. Moi, en revanche, j'avais agi dès le commencement à la fois comme auteur et comme metteur en scène de l'aventure que j'allais vivre, et je n'avais abandonné au caprice de l'inspiration ni le choix de mes propos, ni le choix de la chambre où je voulais rester seul avec elle. J'appréhendais le moindre risque de manquer l'occasion offerte à laquelle je tenais si immensément, non qu'Helena fût spécialement jeune, agréable ou jolie, mais pour la seule et unique raison qu'elle s'appelait comme elle s'appelait ; qu'elle avait pour mari l'homme que je haïssais.

Lorsque, à notre institut, on m'avait un jour annoncé la visite d'une camarade Zemanek, de la radio, qu'il m'incomberait de documenter sur le thème de nos recherches, je m'étais, il est vrai, immédiatement souvenu de mon ancien compagnon d'études, mais l'identité de nom m'était apparue simple jeu du hasard, et si la perspective de recevoir cette personne me contrariait c'était pour des motifs d'une tout autre nature.

Je n'aime pas les journalistes. Ils sont le plus souvent superficiels, verbeux et d'un aplomb sans pareil. Qu'Helena se présentât pour la radio et non pour un journal me refroidissait seulement davantage. C'est que les journaux peuvent, à mon sens, se prévaloir d'une circonstance atténuante, et de taille : ils ne sont pas bruyants. Leur futilité demeure silencieuse ; ils ne s'imposent pas ; il est possible de les mettre à la poubelle. Également futile, la radio ne jouit pas de cette circonstance atténuante ; elle nous poursuit au café, au restaurant, voire durant nos visites chez des gens devenus incapables de vivre sans la nourriture ininterrompue des oreilles.

Chez Helena, même la façon de parler m'avait rebuté. Je compris tout de suite que ses opinions sur notre institut et sur nos recherches étaient faites, de sorte qu'il ne s'agissait plus maintenant que de me soutirer quelques exemples concrets destinés à donner corps aux clichés habituels. Je fis mon possible pour lui compliquer la tâche, employant un langage difficile, impossible à comprendre, et m'appliquant à bousculer toutes ses opinions préconçues. Lorsque le danger menaça qu'elle allait, malgré tout, se retrouver dans mes explications, j'essayai de lui échapper en passant au confidentiel ; je lui dis que le roux de sa chevelure lui allait très bien (je pensais exactement le contraire), je la questionnai sur son travail à la radio, sur ses lectures préférées. Et, dans une réflexion silencieuse bien au-dessous de notre conversation, j'en venais à l'idée que l'homonymie n'était pas forcément fortuite. Cette journaliste phraseuse, remuante, arriviste, avait, me sembla-t-il, un air de famille avec ce personnage que j'avais connu pareillement phraseur, remuant et arriviste. Aussi, adoptant le ton léger du flirt, je me renseignai sur son mari. La piste était bonne, deux ou trois questions ont identifié avec certitude Pavel Zemanek. Je dois dire qu'à cet instant je ne songeai pas à me rapprocher d'elle de la manière qu'il advint par la suite. Au contraire : l'antipathie que j'avais ressentie pour elle dès son entrée s'était seulement accrue après ma découverte. Je cherchai tout de suite un prétexte qui me permît de rompre l'entretien avec la journaliste importune en la refilant à un collègue ; je pensai même à l'allégresse que j'éprouverais à foutre à la porte cette femme au sourire incessant, et je regrettai que ce fût impossible.

Mais, juste au moment où j'étais le plus lassé, Helena, en écho au ton intime de mes questions et remarques (dont la fonction purement investigatrice ne pouvait lui apparaître), s'était manifestée par quelques gestes si naturellement féminins que ma rancune revêtit subitement une couleur nouvelle : sous le voile des simagrées professionnelles d'Helena, je discernai une *femme*, apte à fonctionner comme femme. Dans un ricanement intérieur, je me persuadai d'abord que Zemanek avait bel et bien mérité une pareille compagne, qui lui était certainement une punition suffisante, mais je dus me reprendre presque aussitôt : cette appréciation hautaine était trop subjective, voire trop voulue ; cette femme-là, sans conteste, avait été tout à fait jolie et rien n'autorisait à croire que Pavel Zemanek, aujourd'hui, n'usât plus d'elle volontiers en tant que femme. Complaisamment, je prolongeai le badinage sans trahir ce que je pensais. Un je-ne-sais-quoi me poussait à poursuivre le plus loin possible ma découverte des traits *féminins* de la journaliste assise en face de moi et cette poursuite déterminait le cours de notre conversation.

La médiation d'une femme est susceptible de communiquer à la haine certains aspects caractéristiques de la sympathie, par exemple la curiosité, l'intérêt charnel, le désir de franchir le seuil de l'intimité. J'accédais à une sorte d'extase : je me figurais Zemanek, Helena, tout leur monde (monde qui m'était si étranger), et, avec une singulière volupté, je caressais ma rancune (rancune attentionnée, presque tendre) pour l'apparence d'Helena, rancune pour sa chevelure rousse, pour ses yeux bleus, pour ses cils dressés court, rancune pour son visage rond, pour ses narines sensuelles, rancune pour l'écart léger des incisives, rancune pour la réplétion du corps mûr. Je l'observais comme on observe les femmes que l'on aime, je notais chaque détail comme pour l'enchâsser dans mon souvenir, et, afin de dissimuler mon intérêt rancunier, je choisissais des mots de plus en plus légers, de plus en plus aimables, si bien qu'Helena devenait de plus en plus féminine. Je ne pouvais m'empêcher de penser que sa bouche, ses seins, ses yeux, sa chevelure appartenaient à Zemanek et, dans mon esprit, j'empoignais tout cela, le palpais, le soupesais, essayais de déterminer s'il serait possible de le broyer entre mes paumes ou de l'écraser contre un mur, puis, j'observais tout cela encore une fois, attentivement, j'essayais de le voir avec les yeux de Zemanek et, de nouveau, avec les miens.

L'idée peut-être me toucha-t-elle, impraticable et toute platonique, que je pourrais pourchasser cette femme de la plage exiguë de notre conversation coquette jusqu'au lit. Mais ç'avait été une de ces idées qui fulgurent par la tête et puis s'éteignent. Helena déclara qu'elle me remerciait de mes précieux renseignements et qu'elle s'en voudrait de me retenir plus longtemps. Nous prîmes congé l'un de l'autre et j'étais content de son départ. La curieuse exaltation était retombée ; je ne ressentais plus, pour cette femme, que mon antipathie de tout à l'heure et trouvais fâcheux de lui avoir prodigué des marques aussi directes de sollicitude et d'affabilité (même feintes).

Les choses en seraient sans doute restées là si, quelques jours plus tard, Helena n'avait pas téléphoné pour me demander un rendez-vous. Possible qu'elle éprouvât vraiment le besoin de me soumettre le texte de son émission, pourtant j'eus instantanément l'impression que c'était un prétexte et que le ton dont elle me parlait se réclamait du côté léger et familier de notre récente entrevue plutôt que de sa partie sérieuse et professionnelle. J'adoptai ce ton vite et sans réfléchir et je n'en changeai plus. Nous nous rencontrâmes au café ; ostensiblement, je restai indifférent à l'égard de tout ce qui concernait son papier ; je négligeai sans vergogne ce à quoi elle s'intéressait en tant que journaliste. Mon attitude la désarçonnait, mais en même temps, je constatai que je commençais à la dominer. Je lui proposai une promenade en dehors de Prague. Elle protesta et me rappela qu'elle était mariée. Rien ne pouvait me combler autant que cette manière de résister. Je m'attardai sur son objection, si chère pour moi; je m'en amusais; j'y revenais; j'en blaguais. Elle fut tout heureuse à la fin de pouvoir fuir ce sujet en acceptant l'invitation. Après cela, tout allait marcher point par point d'après mon plan. Je l'avais rêvé avec la force de quinze années de rancune et je ressentais l'incompréhensible certitude qu'il réussirait et s'accomplirait.

Oui, le plan s'accomplissait bien. Je pris la petite valise d'Helena près du comptoir de la réception et, l'accompagnant, montai jusqu'à sa chambre, soit dit en passant, aussi laide que la mienne. En dépit de son drôle de penchant à qualifier toutes choses de meilleures qu'elles n'étaient en réalité, Helena dut elle-même en convenir. Je lui dis qu'elle n'avait pas à s'en faire pour cela, que nous saurions nous débrouiller. Elle m'adressa un regard lourd de signification. Elle dit ensuite qu'elle voulait faire un brin de toilette, je répondis que c'était une bonne idée et que je l'attendrais dans le hall de l'hôtel.

Lorsqu'elle descendit (sous son imperméable déboutonné, elle était en jupe noire et pull-over rose), je pus une nouvelle fois me convaincre de son élégance. Je lui dis que nous irions déjeuner dans un restaurant qui était médiocre, mais quand même le meilleur de l'endroit. Elle me dit que, puisque j'étais né ici, elle s'en remettrait à moi et m'obéirait pour tout. (Elle avait l'air de choisir un vocabulaire un tout petit peu à double sens; cette application était aussi ridicule que réjouissante.) Nous refîmes ma route matinale, lors de ma vaine quête d'un bon petit déjeuner et, à plusieurs reprises, Helena réaffirma sa joie de faire connaissance avec ma ville natale, mais quoiqu'elle s'y trouvât en effet pour la première fois, elle ne regardait pas autour d'elle, elle ne s'intéressait pas à ce qu'abritait tel ou tel édifice comme devrait le faire le visiteur d'une ville inconnue. Je me demandais si cette indifférence procédait d'un certain racornissement d'une âme qui ne savait plus ressentir l'habituelle curiosité ou si, plutôt, Helena concentrée entièrement sur moi n'avait plus la tête à rien d'autre ; je voulais croire à la seconde hypothèse.

Nous passâmes près du monument baroque ; le saint soutenait le nuage, le nuage l'ange, l'ange un autre nuage, celui-ci un autre ange ; le bleu de l'air était plus cru que ce matin ; Helena retira son imperméable, le mit sur son bras et dit qu'il faisait chaud ; cette chaleur renforçait encore l'obsédante impression de vide poussiéreux ; le monument se dressait au milieu de la place, tel un débris du ciel qui ne pouvait y retourner ; je me dis que nous deux aussi avions été *jetés* sur cette place étrangement déserte, avec son square et son restaurant, jetés irrévocablement ; que nos pensées et nos paroles avaient beau escalader des hauteurs, nos actes étaient bas comme cette terre elle-même.

Oui, fortement m'assaillit le sentiment de ma bassesse ; j'en étais surpris ; mais j'étais encore plus surpris de ne pas en être horrifié et d'accepter cette bassesse avec plaisir, voire avec joie et soulagement ; plaisir augmenté de la certitude que la femme qui avançait à mon côté se laissait mener vers les heures douteuses de l'après-midi par des mobiles à peine plus élevés que les miens propres.

Le restaurant avait déjà ouvert ses portes, mais la

salle à manger était vide : il n'était que midi moins le quart. Les tables étaient mises ; devant chaque chaise, une assiette à potage couverte d'une serviette en papier sur laquelle s'entrecroisaient cuiller, fourchette et couteau. Il n'y avait personne. Nous prîmes place à une table, saisîmes le couvert et la serviette, les rangeant de part et d'autre de l'assiette, et nous attendîmes. Quelques minutes plus tard, un garçon apparaissait dans la porte de la cuisine, son œil las traînait un moment autour de la salle, et il s'apprêtait déjà à repartir.

Je l'appelai : « Garçon ! »

Pivotant sur ses talons, il fit quelques pas en direction de notre table. « Vous vouliez quelque chose ? dit-il, arrivé à cinq ou six mètres de nous. — On mangerait volontiers », dis-je. Il répliqua : « Seulement à partir de midi ! » et, virevoltant une nouvelle fois, il repartit vers son refuge. « Garçon ! » appelai-je encore. Il se retourna. « S'il vous plaît, dus-je crier à cause de la distance, vous auriez de la vodka ? — Non, il n'y a pas de vodka. — Alors, qu'est-ce que vous pouvez nous servir ? — Du genièvre, répondit-il de loin. — C'est assez minable, criai-je ; enfin, apportez toujours deux genièvres ! »

« Je ne vous ai même pas demandé si vous prenez du genièvre », dis-je à l'adresse d'Helena.

Elle se mit à rire : « Non, ce n'est pas dans mes habitudes !

— Ça ne fait rien, dis-je. Vous vous y ferez. Ici, vous êtes en Moravie, et le genièvre est l'alcool favori du peuple morave.

— A la bonne heure ! s'exclama Helena, toute

réjouie. Pour moi, il n'y a rien qui vaille un petit restaurant à la bonne franquette comme celui-ci, rendez-vous des chauffeurs et des ajusteurs, où on mange et où on boit des choses tout à fait ordinaires.

— Vous avez peut-être coutume de vider un verre de rhum dans votre chope de bière ?

— Pas précisément, tout de même ! dit Helena.

— Mais vous aimez le milieu populaire.

— C'est vrai, fit-elle. Je déteste les boîtes chics, ces meutes de larbins avec leurs kyrielles de plats...

— Absolument d'accord, rien ne vaut un bistrot où le serveur vous ignore, un local enfumé, qui sent mauvais ! Et surtout, il n'y a rien de mieux que le genièvre. Lorsque j'étais étudiant, je ne buvais pas autre chose.

— Moi aussi j'aime les nourritures les plus simples, disons un beignet de pommes de terre ou des saucisses avec de l'oignon, je ne connais pas meilleur... »

Mon incrédulité est à ce point invétérée que si quelqu'un me confie ce qu'il aime ou ce qu'il n'aime pas, je ne prends pas du tout cela au sérieux ou, plus exactement, je ne vois là qu'un simple témoignage de l'image qu'il veut donner de lui-même. Pas une seconde je n'avais cru qu'Helena respirât plus aisément dans des bouis-bouis sordides à l'atmosphère confinée que dans des salles de restaurant nettes et convenablement aérées, ou qu'elle préférât un alcool vulgaire aux bons vins. N'empêche que sa profession de foi n'était pas dénuée de valeur à mes yeux, dévoilant en effet son goût d'une certaine affectation, depuis longtemps démodée, qui fleurissait aux années d'enthousiasme révolutionnaire où on se pâmait devant tout ce qui était « ordinaire », « populaire », « simple », « rustique », et se montrait prompt à mésestimer toute forme de « raffinement » et d' « élégance ». Dans cette affectation, je reconnaissais l'époque de ma jeunesse et, dans Helena, avant tout la femme de Zemanek. Mon oisiveté distraite de ce matin rapidement s'estompait et je commençais à me concentrer.

Le garçon reparut avec un miniplateau supportant deux verres de genièvre qu'il posa sur la table, en même temps qu'une feuille tapée à la machine où se déchiffrait (difficilement, c'était la énième copie) le menu.

Je levai mon verre en disant : « Allons, trinquons à ce genièvre, à ce breuvage roturier ! »

Elle rit, choqua son verre, déclarant là-dessus : « J'ai toujours eu la nostalgie d'un être simple et droit. Pas sophistiqué. Limpide. »

Nous bûmes une gorgée et je dis : « De telles gens sont rares.

— On en rencontre, dit Helena. Vous êtes du nombre.

— Pensez-vous ! dis-je.

— Si, si. »

L'ébahissement me reprit devant l'incroyable capacité humaine à remodeler le réel à l'image de son idéal, mais je n'hésitai pas et j'entérinai l'interprétation par Helena de ma propre personne.

« Qui sait. Peut-être, dis-je. Droit et limpide. Mais qu'est-ce que ça veut dire ? Le tout, c'est d'être comme on est, de ne pas rougir de vouloir ce que l'on veut, de désirer ce que l'on désire. Les hommes sont esclaves des normes. Quelqu'un leur a dit qu'il fallait être comme ceci ou comme cela, alors ils s'y efforcent et n'apprendront jamais quels ils furent ni qui ils sont. Du coup, ils ne sont personne. Plus que tout, il faut oser être soi-même. Je vous le déclare, Helena, depuis le début vous me plaisez et je vous désire, toute mariée que vous êtes. Je ne peux pas le dire autrement et je ne peux pas ne pas le dire. »

Ce que je disais était gênant, mais nécessaire. Le maniement de la pensée féminine a ses règles inflexibles ; celui qui se met en tête de persuader une femme, de réfuter son point de vue à coups de bonnes raisons, a peu de chances d'aboutir. Il est bien plus judicieux de repérer l'image qu'elle veut donner d'elle-même (ses principes, idéaux, convictions), puis d'essayer d'établir (par sophismes) un rapport harmonieux entre ladite image et la conduite que nous souhaitons lui voir tenir. Par exemple, Helena se consumait en rêveries de « simplicité », de « naturel », de « limpidité ». Ces idéaux provenaient de l'ancien puritanisme révolutionnaire et s'alliaient à l'idée d'homme « pur », « sans tache », moralement ferme et strict. Seulement, comme le monde des principes d'Helena ne reposait pas sur une réflexion, mais (comme c'est le cas pour la plupart des gens) sur quelques impératifs sans lien logique, il n'y avait rien de plus facile que d'associer l'image d'un « personnage limpide » à un comportement tout à fait immoral, et par là empêcher que la conduite souhaitée d'Helena (l'adultère) n'entre dans un conflit traumatisant avec ses idéaux. L'homme est en droit de vouloir n'importe quoi d'une femme, mais, s'il ne veut pas se comporter comme une brute, il doit faire en sorte qu'elle puisse agir en harmonie avec ses illusions les plus profondes.

Pendant ce temps, l'un après l'autre, des clients arrivèrent, occupant bientôt la plupart des tables. Le garçon, qui avait reparu, en faisait le tour et demandait ce qu'il allait avoir à servir. Je passai le menu à Helena. Elle me le rendit en disant que je m'y connaissais mieux qu'elle en cuisine morave.

Bien sûr, il était inutile de s'y connaître en cuisine morave, vu que la carte ne variait pas d'un mot de celle de tous les autres restaurants de cette catégorie et consistait en une énumération sommaire de quelques plats passe-partout dont vous ne savez lequel choisir. Je considérais (avec mélancolie) la carte, mais, déjà, impatient, le serveur était là, attendant la commande.

« Un instant, lui dis-je.

— Ça fait un quart d'heure vous vouliez déjeuner, à part ça vous n'avez pas encore choisi ! » me blâma-t-il, et il tourna les talons.

Par bonheur, il revint bientôt et nous fûmes autorisés à demander deux paupiettes et d'autres tournées de genièvre et de soda.

Helena (mâchant sa paupiette) déclara que c'était superbe (elle raffolait de cet adjectif) de nous voir assis tout à coup dans une ville qu'elle ne connaissait pas, dont elle rêvait toujours lorsqu'elle faisait encore partie de l'Ensemble Fucik où l'on chantait des airs de cette région. Elle dit aussi que c'était mal, sans doute, mais qu'elle n'y pouvait rien, qu'elle se sentait bien avec moi, que c'était plus fort qu'elle. Je répondis qu'avoir honte de ses sentiments était une ignoble hypocrisie. Et j'appelai le garçon afin de régler l'addition.

Dehors, le monument baroque se dressait face à nous. Il me sembla ridicule. Je le montrai du doigt : « Regardez, Helena, ces saints acrobates ! Regardez comme ils grimpent ! Ce qu'ils ont envie de monter au ciel ! Et le ciel se fout d'eux ! Le ciel ne sait même pas qu'ils existent, ces pauvres culs-terreux ailés !

— C'est la vérité, approuvait Helena, en qui le grand air doublait le travail de l'alcool. Qu'est-ce qu'elles fichent là, ces statues de saints ? Pourquoi ne pas construire à la place un truc à la gloire de la vie et pas de la religion ? » Il devait toutefois lui rester un brin de contrôle puisqu'elle ajouta : « Est-ce que je déraille ? Dites-le que je ne déraille pas !

— Non, vous ne déraillez pas, Helena. Vous avez complètement raison, la vie est belle et nous ne la fêterons jamais assez.

— Oui, disait-elle, les gens peuvent dire ce qu'ils veulent, la vie, c'est superbe, et puis moi, les prophètes de malheur, je les ai en horreur ; parce que, si je voulais me plaindre, j'aurais plus de motifs que n'importe qui, seulement, je m'en garde bien ; pourquoi se plaindre, avouez, quand il peut vous tomber un jour comme aujourd'hui ; c'est tellement superbe : une ville où je n'étais jamais venue, et je suis avec vous... »

Helena continuait et nous fûmes bientôt devant une façade neuve.

« Où est-ce qu'on est ? fit Helena.

— Écoutez-moi, lui dis-je, ces bistrots, c'est barbant. Moi, je vous propose une petite taverne particulière que j'ai dans cette maison. Allez, venez !

— Où me conduisez-vous ? protesta Helena en me suivant dans l'entrée de l'immeuble.

— La véritable taverne privée, style morave. Vous ne connaissez pas ?

— Non », dit Helena.

Au troisième étage, j'ouvris avec la clé et nous entrâmes.

3

Helena ne s'arrêtait nullement au fait que je l'amenais dans un appartement emprunté et n'avait besoin d'aucun commentaire. Au contraire, le seuil franchi, elle était, semblait-il, résolue à passer d'emblée du jeu équivoque de la coquetterie à ce comportement qui n'a plus qu'une seule signification, et qui croit qu'il n'est pas un jeu mais la vie elle-même. Elle s'arrêta au centre de la pièce, à demi retournée dans ma direction, et son regard m'indiqua qu'elle n'attendait plus rien que mon approche, mon baiser et mon étreinte. A cet instant précis, elle était exactement l'Helena de mes rêveries : désarmée et livrée à merci.

J'allai à elle ; elle leva son visage vers moi ; au lieu du baiser (si attendu), je souris et pris entre mes doigts les épaules de son imperméable bleu. Elle comprit et le déboutonna. Je l'emportai dans l'entrée, l'accrochai à la patère. Non, maintenant que tout était au point (mon appétit et son abandon), je n'allais pas me précipiter et risquer de manquer peut-être, par hâte, un élément du *tout* que je voulais m'approprier. J'entrepris de bavarder sur n'importe quoi ; l'engageant à s'asseoir, je lui montrai toutes sortes de détails domestiques ; j'ouvris l'armoire à la vodka sur laquelle, la veille, Kostka avait attiré mon attention ; je débouchai la bouteille, la posai sur la petite table avec deux petits verres que je remplis.

« Je vais être ivre, dit-elle.

— Nous le serons l'un et l'autre », dis-je (bien que sachant que moi, je ne serai pas ivre, décidé à garder entière ma mémoire).

Elle ne se dérida pas ; grave, elle but et dit : « Vous savez, Ludvik, ça me ferait terriblement mal que vous me preniez pour une de ces petites bonnes femmes qui, parce qu'elles s'embêtent, ont des aventures plein la cervelle. Je ne suis pas naïve et je sais que vous avez connu des tas de femmes et qu'elles vous ont appris à les regarder cavalièrement. Seulement, moi, je serais malheureuse...

— Moi aussi, je serais malheureux, dis-je, si vous n'étiez qu'une petite femme comme les autres, acceptant d'un cœur léger chaque aventure qui vous détourne de votre mari. Si vous étiez de celles-là, notre rencontre perdrait tout son sens.

— C'est vrai ?

— C'est vrai, Helena. Vous avez raison, j'ai eu beaucoup de femmes et elles m'ont appris à ne pas craindre d'en changer le cœur léger, mais notre rencontre à nous, c'est autre chose.

— Vous ne dites pas ça simplement comme ça ?

— Non. La première fois que je vous ai vue, je me suis vite rendu compte qu'il y avait des années que je vous attendais, vous précisément.

— Vous n'êtes pas un phraseur, tout de même ! Vous ne diriez pas ce que vous dites si vous ne le ressentiez pas.

— C'est certain, je ne sais pas simuler des sentiments, c'est même l'unique chose que les femmes n'ont jamais réussi à m'apprendre. Aussi, je ne vous mens pas, Helena, si peu croyable que cela paraisse :

en vous rencontrant j'ai réalisé que c'était vous que j'attendais depuis longtemps. Que je vous attendais, sans vous connaître. Et qu'à présent je vous veux à moi. Que c'est aussi inéluctable que le destin.

— Mon Dieu », dit Helena, abaissant ses paupières ; elle avait des plaques de rougeur sur le visage et c'était de plus en plus l'Helena de ma rêverie : désarmée et livrée à merci.

« Ludvik, si vous pouviez savoir ! Ça a été pareil pour moi ! J'ai su tout de suite en vous voyant pour la première fois que ce n'était pas un flirt et c'est justement ça qui m'a effrayée, puisque je suis mariée, et je savais que tout ce qui était entre nous était la vérité, que vous étiez ma vérité et que je n'y pouvais rien.

— Vous aussi, Helena, vous êtes ma vérité », lui dis-je.

Assise sur le divan, elle ouvrait sur moi de grands yeux, tandis que de la chaise où je lui faisais face, je l'observais avidement. Je posai mes mains sur ses genoux, puis, lentement je relevai sa jupe jusqu'à dévoiler la bordure des bas et les bandes élastiques qui, sur les cuisses déjà grasses d'Helena, évoquaient je ne sais quoi de triste et de pauvre. Immobile sous mon contact, Helena demeurait là, sans un geste ni un regard.

« Ah, si vous saviez tout...

— Si je savais quoi ?

— Comment je vis.

— Comment vivez-vous ? »

Elle eut un sourire amer.

Tout d'un coup j'eus peur qu'elle ne sortît le banal

expédient des épouses infidèles, calomniant son mariage et m'en ravalant le prix au moment même où il devenait ma proie : « N'allez surtout pas m'expliquer que vous êtes malheureuse en ménage, que votre mari ne vous comprend pas !

— Je ne voulais pas dire cela, se défendit Helena, un peu décontenancée par mon attaque, encore que...

— Encore que vous le pensiez en ce moment. Ça vient à l'idée de chaque femme qui se trouve seule avec un autre homme, mais c'est là, justement, que commence le mensonge, or vous, Helena, vous entendez rester vraie, n'est-ce pas ? Votre époux, vous l'avez sûrement aimé, vous ne vous seriez pas donnée sans amour.

— Oui, reconnut-elle doucement.

— Au fond, c'est quel type d'homme, votre mari ? »

Elle haussa les épaules et sourit : « Un homme.

— Il y a longtemps que vous vous connaissez ?

— Treize ans de mariage et on s'était connus avant.

— Vous étiez encore étudiante ?

— Oui. En première année. »

Elle voulut rabattre sa jupe, je lui pris les mains et l'en empêchai. Je continuai de l'interroger : « Et lui ? Où est-ce que vous l'aviez rencontré ?

— Aux répétitions de l'Ensemble.

— De l'Ensemble ? Il chantait à la chorale, votre époux ?

— Oui. Comme nous tous.

— Ainsi, c'est à l'Ensemble de chant que vous vous êtes connus... Un beau cadre pour un amour naissant.

280

— Oh oui !

— Toute cette époque-là, d'ailleurs, était belle.

— Vous aussi, vous aimez vous en souvenir ?

— La plus belle période de ma vie. Mais dites-moi, votre mari, ç'a été votre premier amour ? »

Elle hésita : « Je n'ai guère envie de penser à lui !

— Helena, je veux vous connaître. Désormais, je veux tout savoir de vous. Plus je verrai clair en vous et plus vous serez mienne. Donc, avant lui, vous aviez eu quelqu'un ? »

Elle hocha la tête : « Oui. »

Qu'Helena eût toute jeune appartenu à un homme et que, de ce fait, l'importance de son union avec Pavel Zemanek fût amoindrie, voilà qui n'était pas loin de me désappointer : « Un vrai amour ? »

Elle secoua la tête : « Une sotte curiosité.

— En sorte que votre premier amour, ce fut quand même votre époux.

— Oui, concéda-t-elle, mais c'est bien ancien..

— Quel air avait-il ? insistai-je à mi-voix.

— Enfin pourquoi tenez-vous à le savoir ?

— Parce que je vous veux entière, avec tout ce qui est sous ce crâne-là ! » et je lui caressai les cheveux.

S'il est une chose qui interdit à une femme de raconter son mari à son amant, c'est rarement la noblesse, la délicatesse ou l'authentique pudeur, mais la simple crainte d'agacer l'amant. Quand celui-ci dissipera cette appréhension, sa maîtresse lui en saura gré, elle se sentira plus à l'aise, mais surtout : ça lui fera de quoi causer, car la somme des sujets possibles de conversation n'est pas illimitée et, pour la femme mariée, l'époux fournit le thème rêvé, le seul où elle se sente sûre d'elle, le seul qu'elle traite en *experte*, et chaque être humain, après tout, est heureux de se manifester comme expert et de s'en vanter. Aussi, quand je lui eus donné l'assurance que cela ne me dérangeait pas, Helena s'était mise, très décontractée, à parler de Pavel Zemanek, à ce point emportée par le souvenir qu'elle n'ajouta pas à son portrait la moindre tache noire ; elle me raconta comment elle s'était éprise de lui (de ce garçon blond qui se tenait droit), quelle considération il lui avait inspirée lorsqu'il était devenu responsable politique de leur Ensemble, combien elle l'admirait avec toutes ses amies (il savait si bien parler !), comme leur histoire d'amour se confondait en harmonie avec toute cette époque qu'elle défendit en deux ou trois phrases (est-ce que nous avions eu le moindre soupçon que Staline avait fait fusiller des communistes fidèles ?), sans doute pas avec l'intention de faire une *digression* sur le thème politique mais parce qu'elle se sentait elle-même personnellement contenue dans ce thème. La façon dont elle défendait l'époque de sa jeunesse et s'identifiait à elle (elle en parlait comme d'un chez-soi perdu) prenait presque l'allure d'une petite manifestation, comme si Helena voulait m'avertir : prends-moi et sans conditions, excepté une seule : tu me permettras d'être telle que je suis, tu me prendras avec mes *convictions*. Pareille manifestation de convictions en une circonstance ou il s'agit non pas de convictions mais de corps, a quelque chose d'anormal qui révèle que précisément les convictions traumatisent d'une certaine manière la femme concernée : ou bien elle redoute qu'on ne la suspecte de n'en avoir aucune et elle les exhibe bien vite, ou bien (ce qui, dans le cas d'Helena, était plus vraisemblable) elle doute secrètement de leur valeur et, afin de les revaloriser, elle met en danger, pour elles, ce qui est à ses yeux une valeur hors de doute : l'acte d'amour lui-même (peut-être, éprouve-t-elle l'assurance rusée que, pour l'amant, l'acte d'amour importe davantage qu'une dispute à propos d'une conviction). De la part d'Helena, cette manifestation n'était pas pour me déplaire puisqu'elle me rapprochait du nœud de ma passion.

« Tenez, vous voyez ça ? » Elle me montrait une minuscule plaquette d'argent, attachée à son bracelet-montre par une courte chaînette. Je me penchai pour voir tandis qu'Helena m'expliquait : le motif gravé représentait le Kremlin. « C'est un cadeau de Pavel », et elle me racontait l'histoire de cette breloque, offerte autrefois par une jeune Russe amoureuse à son compatriote Sacha partant pour la longue guerre dont le dernier acte l'amena jusqu'à Prague, qu'il sauva du désastre mais où, lui, trouva sa perte. A l'étage de la villa qu'occupaient Pavel Zemanek et ses parents, l'armée russe avait alors installé une infirmerie ; là, blessé grièvement, le lieutenant Sacha avait vécu ses derniers jours, en compagnie de Pavel avec qui il s'était lié. A l'agonie Sacha avait, en souvenir, donné à Pavel ce Kremlin miniature qu'il avait porté au cou, au bout d'un cordonnet, tout au long de la guerre. Pavel conservait ce présent comme sa plus chère relique. Un jour — ils étaient encore fiancés — Helena et Pavel s'étaient fâchés et même avaient pensé se quitter ; c'est alors que Pavel était venu lui remettre, en signe de réconciliation, ce bijou bon marché (et souvenir si cher) ; depuis, Helena ne décroche jamais cette petite chose, c'est pour elle une sorte de message (je lui demandai lequel, elle répondit : « un message de joie ») qu'elle se doit de porter jusqu'à la fin de ses jours.

Les joues rouges, elle restait assise devant moi (sa jupe relevée découvrait les jarretelles fixées à un slip en lastex noir à la mode), mais, à ce moment-là, elle disparut derrière l'image d'un autre : brutalement le récit de la breloque trois fois donnée avait fait surgir devant moi toute la personne de Pavel Zemanek.

Je n'avais pas cru un instant au garde rouge Sacha. Même s'il y en avait eu un, son existence réelle se fût de toute façon évanouie, derrière l'emphase du geste dont Pavel Zemanek l'avait changé en personnage légendaire de sa vie à lui, en statue sacrée, en outil d'attendrissement, en argument sentimental et objet de piété que sa femme (à l'évidence plus constante que lui-même) révérerait (par zèle et par défi) jusqu'à sa propre mort. Il me semblait que le cœur de Pavel Zemanek (cœur vicieusement exhibitionniste) était là, présent ; et je me revis soudain au centre de cette scène vieille de quinze ans : le grand amphithéâtre de la faculté des Sciences ; sur l'estrade, au milieu de la longue table, Zemanek ; à côté de lui une grosse fille joufflue, cheveux en natte, pull-over laid, et de l'autre côté, un jeune homme, délégué du district. En arrière de l'estrade, le vaste rectangle du tableau noir et à gauche, accroché au mur, le portrait de Fucik. Face à l'estrade, s'élèvent les gradins où, comme tout le monde, j'ai pris place, moi qui, maintenant, avec quinze années de recul, regarde de mes yeux d'alors

Zemanek annonçant que l'on va procéder à l'examen du « cas du camarade Jahn », je le vois tandis qu'il déclare : « Je vais vous lire les lettres de deux communistes. » Une brève pause a ponctué ces paroles, il a saisi une sorte de mince livret, passé sa main dans ses longs cheveux ondulés, et, d'une voix insinuante, presque douce, a commencé sa lecture.

« Il t'en a fallu du temps pour arriver, madame la Mort ! Et pourtant, j'avais bien espéré ne pas faire ta connaissance avant de longues années, vivre encore l'existence d'un homme libre, beaucoup travailler encore et beaucoup aimer et bien chanter encore et rouler, à travers le monde... » J'avais reconnu *Reportage écrit sous la potence*, de Fucik : « J'aimais la vie et c'est pour sa beauté que je suis parti en guerre. Hommes, je vous aimais et j'étais heureux quand vous me rendiez cet amour, et je souffrais lorsque vous ne me compreniez point... » Écrit en secret dans une cellule de prison, ce texte tiré à des millions d'exemplaires, diffusé sur les ondes, étudié obligatoirement dans les écoles, était le livre sacré de l'époque ; Zemanek nous donnait les passages les plus célèbres, que n'importe qui connaissait par cœur. « Que la tristesse ne soit jamais liée à mon nom. C'est la dernière volonté que je vous exprime, à toi papa, à toi maman, à vous mes deux sœurs, à toi ma Gustina, à vous mes camarades, à vous tous que j'aimais... » Au mur pendait l'effigie de Fucik, reproduction du fameux dessin de Max Svabinsky, ce vieux peintre de la « Belle Époque », virtuose d'allégories, de femmes potelées, de papillons, de joliesses ; les camarades, dit-on, au lendemain de la guerre, s'étaient rendus chez lui pour un Fucik qu'ils lui demandèrent de réaliser d'après une photographie, et Svabinsky l'avait représenté au trait (de profil), avec cette ineffable finesse que lui dictait son goût : pour un peu, on lui trouverait une expression de jeune fille, le visage aéré de ferveur et d'aspirations, comme transparent et si beau que les gens qui connurent le modèle préféraient ce dessin à leur souvenir de la physionomie vivante. Et Zemanek continuait pendant que, dans la salle muette, tous écoutaient, tendus, et qu'à la tribune, la grosse fille, de ses yeux admiratifs, ne lâchait pas le récitant ; celui-ci changeait subitement de registre, l'intonation se faisait quasi menaçante ; il était question de ce traître de Mirek : « Dire que ç'avait été un homme crâne, qui ne fuyait pas devant les balles lorsqu'il combattait sur le front d'Espagne, qui n'avait pas plié sous la pénible épreuve du camp de concentration en France ! Et maintenant la baguette d'un agent de la Gestapo le fait pâlir et trahir pour sauver sa peau. Comme elle était superficielle, cette vaillance que quelques coups ont suffi à effacer ! Aussi peu profonde que ses convictions... Il a tout perdu dès l'instant qu'il s'est mis à penser à lui. Pour sauver sa carcasse, il a sacrifié ses compagnons. Il s'est abandonné à la lâcheté et par lâcheté il a trahi... » Sur le mur rêvait le beau visage de Fucik, comme il rêvait au mur de milliers d'autres salles publiques de notre pays, si beau, avec l'expression radieuse d'une jeune fille amoureuse, qu'à le contempler, je sentais la honte, non seulement pour ma faute, mais pour mon visage. Et Zemanek terminait : « Ils peuvent bien nous prendre la vie, pas vrai, Gustina ? Mais notre honneur et notre amour, ils ne peuvent pas nous les ravir. Ah ! braves gens, pouvez-vous vous représenter ce que serait notre existence si nous nous retrouvions après tout ce calvaire ? Pour reprendre une vie libre qu'embellirait un travail créateur ? Quand sera réalisé ce à quoi nous aspirions, ce vers quoi nous tendions nos forces et ce pour quoi nous allons maintenant mourir ? » Les dernières phrases pathétiquement prononcées, Zemanek se tut.

Puis il dit : « C'était une lettre de communiste, écrite à l'ombre de la potence. Maintenant, je vais vous en lire une autre. » Là-dessus, il débita les trois formules lapidaires, ridicules, abominables, de ma carte postale. Puis il garda le silence, l'amphithéâtre aussi et je sus que j'étais perdu. Le silence était long et Zemanek, ce prodigieux metteur en scène, veillait à ne pas l'écourter. Enfin, il m'invita à me prononcer. Je savais que je ne pouvais plus rien sauver ; si, dix fois déjà, ma défense avait fait si peu impression, de quel effet pourrait-elle être aujourd'hui que Zemanek venait de passer mes petites phrases à la toise absolue des tourments de Fucik ? Je n'avais plus qu'à me lever et à parler. J'expliquai encore une fois que j'avais écrit cette carte par simple facétie, je dénonçai toutefois les termes déplacés, l'incongruité et la grossièreté de la blague, et je parlai de mon individualisme, de mes velléités d' « intellectuel », de mon éloignement du peuple, je me découvris même de la vanité, des penchants sceptiques, du cynisme, mais je jurai qu'avec tout cela j'étais pourtant dévoué au Parti et en aucun cas son ennemi. La discussion s'engagea, qui donna aux camarades l'occasion de récuser mon point de vue comme contradictoire ; on me demanda de quelle façon un homme qui lui-même s'avoue cynique peut être dévoué au Parti ; une compagne d'études me rappela certains propos obscènes et voulut savoir si, à mon avis, pareils discours étaient tolérables dans la bouche d'un communiste ; d'autres se répandaient en considérations abstraites sur l'esprit petit-bourgeois pour que je pusse y figurer comme exemple concret ; d'une manière générale, on estimait que mon autocritique n'était pas allée en profondeur et qu'elle manquait de sincérité. Après quoi, la grosse fille qui siégeait derrière la chaire, à côté de Zemanek, m'interrogea : « D'après toi, qu'est-ce qu'ils pourraient bien dire de tes propos, les camarades que la Gestapo torturait et qui n'ont pas survécu ? » (Je me souvins de papa et m'avisai que tout le monde ici feignait d'ignorer la fin qu'il avait eue.) Je restai sans mot dire. Elle répéta sa question. Elle m'obligea à répondre. Je dis : « Je ne sais pas. — Allons, réfléchis un peu, insista-t-elle, tu finiras peut-être par trouver ! » Elle voulait que je prononce par la bouche imaginaire des camarades morts un jugement sévère sur moi-même ; mais c'est un ressac de fureur qui m'inonda dans l'instant, imprévu, inattendu, si bien qu'excédé par toutes ces semaines passées à m'autocritiquer je dis : « Ceux-là ont regardé la mort en face. Ceux-là n'étaient sûrement pas mesquins. S'ils avaient lu ma carte, peut-être qu'ils auraient ri ! »

Dans le fond, la grosse fille venait de m'offrir une chance de sauver au moins quelque chose. C'était l'ultime occasion de *comprendre* la dure critique des camarades, de m'y rallier, de m'y identifier, et, moyennant cette identification, de pouvoir quémander, en retour, une certaine compréhension de leur part. Mais, par ma réponse inopinée, je me retranchai d'un seul coup de leur sphère de pensée, je refusai de tenir le rôle qui se jouait communément lors de centaines de réunions, centaines de procédures disciplinaires, et même centaines d'audiences judiciaires : rôle de l'accusé qui, s'accusant lui-même avec passion (et s'identifiant de la sorte à ses accusateurs), tentait d'implorer pitié.

Un nouveau silence s'était fait. Zemanek y mit fin. Il se dit incapable d'imaginer ce qui pourrait prêter à rire dans mes formulations antiparti. Il invoqua une fois encore les paroles de Fucik et affirma que, dans les situations critiques, louvoiement et scepticisme se transforment immanquablement en trahison et que le Parti est une forteresse qui ne tolère pas de traîtres en son enceinte. Mon intervention, ajouta-t-il, prouvait que je n'avais rien compris du tout, et que non seulement ma place n'était pas dans le Parti, mais que je ne méritais même pas que la classe ouvrière fournisse les moyens d'assurer mes études. Il proposa mon exclusion du Parti et de la faculté. Les gens dans la salle levèrent les mains et Zemanek me dit que je devais restituer ma carte du Parti et m'en aller.

Je me levai pour aller déposer ma carte sur la chaire, devant Zemanek. Il n'eut pas un regard pour moi ; déjà, il avait cessé de me voir. Seulement moi, maintenant, je vois sa femme assise en face de moi, ivre, les joues en feu, la jupe roulée jusqu'à la ceinture. Ses jambes fortes sont bordées en haut par le noir du slip en lastex ; s'ouvrant et se fermant, leur rythme a marqué les pulsions d'une dizaine d'années de l'existence de Zemanek. Mes mains se posent sur ces jambes-là et je crois qu'elles serrent la vie même de Zemanek. J'ai regardé le visage d'Helena, ses yeux, à moitié clos sous mon attouchement.

4

« Déshabillez-vous, Helena », ai-je dit à mi-voix.

Elle se leva du divan, l'ourlet de sa jupe se rabattit au niveau de ses genoux. Elle me regardait dans les yeux et puis, sans un mot (sans me quitter du regard), elle fit lentement glisser la fermeture de sa jupe. Libérée, celle-ci lui descendit le long des jambes ; elle en dégagea son pied gauche, la fit passer du pied droit dans sa main et la déposa sur une chaise. Elle était à présent en pull-over et combinaison. Elle ôta ensuite son pull en passant la tête au travers et l'envoya rejoindre la jupe.

« Ne regardez pas, dit-elle.

— Je veux vous voir, dis-je.

— Non, pas quand je me déshabille. »

Je suis allé près d'elle. L'ayant saisie de chaque côté, au-dessous des aisselles, je fis glisser mes mains vers ses hanches ; sous la soie de la combinaison, un peu moite de sueur, je sentais le galbe mou de son corps. Elle avançait le visage, ses lèvres s'entrouvraient par la longue habitude (par le tic) du baiser. Mais je ne désirais pas l'embrasser, ce que je voulais plutôt, c'était la regarder longtemps, aussi longtemps que possible.

« Déshabillez-vous, Helena, répétai-je en m'écartant de quelques pas pour enlever ma veste.

— Il y a trop de jour ici, dit-elle.

— C'est ce qu'il faut », lui dis-je, et je disposai ma veste sur le dossier d'une chaise.

Elle enleva sa combinaison et la jeta sur le pull et la jupe ; elle détacha et retira ses bas l'un après l'autre ; elle ne les jeta pas mais se déplaça vers la chaise afin de les y poser avec précaution ; puis, elle bomba la poitrine et passa ses mains derrière ses omoplates ; plusieurs secondes s'écoulèrent avant que ses épaules tendues ne retombent en avant du même mouvement que le soutien-gorge qui glissait à la surface des seins ; ceux-ci, serrés entre les épaules et les bras, se blottirent l'un contre l'autre, volumineux, pleins, pâles et, évidemment, un peu alourdis.

« Déshabillez-vous, Helena », lui dis-je une dernière fois. Elle me regarda dans les yeux, puis se délivra du slip en lastex noir qui la moulait étroitement, le jetant du côté de la paire de bas et du pull. Elle était nue.

J'enregistrais les moindres détails de cette scène avec attention : je ne tenais pas à atteindre un plaisir hâtif avec une femme (*n'importe laquelle*), je tenais à m'emparer d'un univers intime étranger tout à fait *précis* et je devais m'en emparer en un seul après-midi, au cours d'un seul acte d'amour où je devais être non seulement celui qui s'abandonne au plaisir mais celui qui quête une proie fugitive et doit donc garder une totale vigilance.

Jusque-là je m'étais emparé d'Helena seulement par le regard. Maintenant encore, je me tenais à quelque distance, alors qu'elle, au contraire, souhaitait déjà la chaleur des contacts qui couvriraient son corps exposé au froid du regard. Même à la distance de ces quelques pas, je sentais déjà l'humidité de sa bouche et l'impatience sensuelle de sa langue. Une seconde encore, deux, et je fus contre elle. Entre les deux chaises qu'encombraient nos vêtements, nous nous étreignîmes debout au milieu de la chambre.

Elle murmurait : « Ludvik, Ludvik, Ludvik... » Je la guidai vers le divan. La couchai. « Viens, viens ! disait-elle. Près de moi, tout près... »

Il est extrêmement rare que l'amour physique se confonde avec l'amour de l'âme. Que fait-elle au juste, l'âme, pendant que le corps s'unit (de ce mouvement si immémorial, universel et invariable) à l'autre corps ? Tout ce qu'elle s'ingénie à inventer pendant ce temps-là, réaffirmant ainsi sa supériorité sur la monotonie de la vie corporelle ! De quel mépris est-elle capable à l'égard de son corps qui ne lui sert (comme le corps de l'autre) que de prétexte à l'imagination mille fois plus charnelle que les deux chairs réunies ! Ou bien inversement : combien est-elle habile à le rabaisser en l'abandonnant à son petit va-et-vient pendulaire, tandis qu'elle s'éloigne avec ses pensées (déjà lasses des caprices du corps) tout à fait ailleurs : vers une partie d'échecs, vers le souvenir d'un déjeuner, ou vers une lecture.

Que deux corps l'un à l'autre étrangers se confondent, ce n'est pas rare. Même l'union des âmes peut se produire quelquefois. Mais il est mille fois plus rare qu'un corps s'unisse avec son âme et s'entende avec elle pour partager une passion...

Qu'a donc fait mon âme pendant que mon corps faisait l'amour avec Helena ?

Mon âme a vu le corps d'une femme. Elle a été indifférente à ce corps. Elle savait que ce corps n'avait pour elle de signification que parce qu'il était d'habitude pareillement vu et aimé par quelqu'un qui n'était pas là ; aussi essayait-elle de regarder ce corps avec les yeux du tiers absent ; aussi s'appliquait-elle à devenir le médium de ce tiers ; elle voyait la nudité d'un corps féminin, sa jambe fléchie, le pli du ventre et le sein, mais tout cela n'acquérait de sens qu'aux instants où mes yeux se faisaient ceux de ce tiers absent ; mon âme, alors, entrait subitement dans ce regard de l'autre et se confondait avec lui ; la jambe fléchie, le pli du ventre, le sein, elle s'en emparait tels que les voyait le tiers absent.

Non seulement mon âme devenait médium de ce tiers mais elle commandait à mon corps de se substituer au sien, après quoi, elle s'écartait pour observer l'empoignade des corps des deux époux, puis soudain, elle ordonnait à mon corps de reprendre son identité, d'entrer dans cet accouplement conjugal et de le disloquer brutalement.

Une veine bleuit au cou d'Helena secouée par le spasme ; sa tête se détourna, dents plantées dans un coussin.

Elle souffla mon nom et ses yeux supplièrent pour un moment de repos.

Mais mon âme ordonnait de poursuivre ; de la chasser de volupté en volupté ; de forcer son corps dans toutes les attitudes afin d'arracher à l'ombre et au secret tous les angles sous lesquels ce tiers absent la regardait ; pas de répit, surtout ; répéter encore et encore cette convulsion dans laquelle elle est vraie et authentique, dans laquelle elle ne feint rien, par laquelle elle est gravée dans la mémoire de ce tiers qui n'est pas ici, gravée comme un poinçon, un sceau, un chiffre, un emblème. Voler donc ce chiffre secret ! ce sceau royal ! Cambrioler le cabinet secret de Pavel Zemanek ; en fouiller jusqu'au moindre recoin et tout y bouleverser !

Je regardai le visage d'Helena, cramoisi, enlaidi par la grimace ; je posai ma main sur lui comme on la pose sur un objet qu'on peut tourner et retourner, pétrir et malaxer, et je sentais que ce visage acceptait bien ainsi cette main : en chose avide d'être pétrie et malaxée ; je lui fis tourner la tête à droite ; et ensuite à gauche ; plusieurs fois de suite ; et puis ce mouvement se transforma en une gifle ; et une autre ; et une troisième. Helena se mit à sangloter, à crier, mais non point de douleur, elle hurla de jouissance, menton dressé vers moi et je la frappais, frappais, frappais ; puis je vis que ce n'était pas seulement le visage, mais la poitrine qui se soulevait vers moi, et, à la volée (tendu au-dessus d'elle), je lui cinglai les bras, les flancs, les seins...

Tout a une fin ; ce beau pillage aussi eut sa fin. Elle gisait sur le ventre en travers du divan, fatiguée, épuisée. Sur son dos, on voyait un grain de beauté et plus bas, zébrant les fesses, les traces rouges des coups.

Je me levai et traversai la pièce en titubant ; j'ouvris la porte de la salle de bains, tournai un robinet, me lavai à grande eau froide la figure, les mains, le corps entier. Je redressai la tête et me vis dans la glace ; mon visage souriait ; quand je le surpris ainsi (souriant), le sourire me parut drôle et j'éclatai de rire. Ensuite, je me séchai et m'assis sur le rebord de la baignoire. J'avais envie d'être seul au moins quelques secondes pour me réjouir de mon subit isolement, pour me réjouir de ma joie.

Oui, j'étais content ; peut-être tout à fait heureux. Je me sentais vainqueur, et les minutes et les heures suivantes me semblaient inutiles et sans intérêt.

Puis je revins.

Helena n'était plus à plat ventre, mais allongée sur le côté ; elle me regardait : « Chéri, viens auprès de moi », dit-elle.

Tant de gens, après avoir uni leurs corps, pensent qu'ils ont uni aussi leurs âmes et se croient automatiquement autorisés, par cette trompeuse croyance, à se tutoyer. Puisque je n'ai jamais partagé la foi en l'harmonie synchrone du corps et de l'âme, le « tu » d'Helena me rendait perplexe et rechignant. Indocile à son invitation, je me dirigeai vers la chaise où étaient mes affaires, pour enfiler ma chemise.

« Ne te rhabille pas... », pria Helena et, la main tendue dans ma direction, elle répéta : « Allons, viens ! »

Je n'avais qu'un désir : que les instants à venir n'aient pas lieu et, si mon vœu était impossible, qu'à tout le moins ces instants se perdent dans l'insignifiance, qu'ils soient sans poids, plus légers qu'une poussière ; je ne voulais plus du contact d'Helena, l'idée de la tendresse m'effrayait, mais également m'effrayait l'éventualité d'une tension ou d'une quelconque dramatisation ; pour cela, à mon corps défendant, je renonçai à ma chemise pour m'asseoir finalement sur le divan, près d'Helena. Ce fut horrible : elle se traîna jusqu'à moi, le visage contre ma jambe qu'elle embrassait ; en un rien de temps ma jambe était mouillée ; mais ce n'étaient pas les baisers : comme elle levait la tête, je constatai que son visage ruisselait de larmes. Elle les essuya en disant : « Ne te fâche pas, mon amour, ne te fâche pas si je pleure. » Se collant encore plus fort à moi, elle m'entoura à bras-le-corps sans plus maîtriser ses sanglots.

« Qu'est-ce qui te prend ? » lui dis-je.

Hochant la tête, elle dit : « Rien, rien, mon petit fou », et se mit à me couvrir le visage et tout le corps de baisers fébriles. « Je suis folle d'amour », ajouta-t-elle ensuite et, comme je ne disais rien, elle continua : « Tu vas te moquer de moi, mais ça m'est égal, je suis folle d'amour, folle d'amour ! » et comme je ne lui disais toujours rien, elle dit : « Et je me sens heureuse... », puis elle m'indiqua la petite table et la bouteille de vodka inachevée : « Dis donc, sers-moi ! »

Je n'avais pas la moindre envie de verser à boire ni à Helena ni à moi ; j'avais peur que de nouveaux verres de vodka ne se soldent par une dangereuse rallonge à cette séance (qui était splendide mais à condition d'être finie, d'être derrière moi).

« Chéri, je t'en supplie ! » Elle montrait toujours la petite table et ajouta en guise d'excuse : « Faut pas m'en vouloir, je suis heureuse. Je veux être heureuse...

— Tu n'as peut-être pas besoin de vodka pour ça, dis-je.

— Moi, j'en ai envie, tu permets ? »

Il n'y avait rien à faire ; je lui remplis un verre. « T'en veux plus, toi ? » demanda-t-elle ; je répondis non de la tête. Elle fit cul sec, puis dit : « Laisse-moi ça ici ! » Je déposai bouteille et petit verre sur le parquet, à portée de main du divan.

Elle se remettait de sa fatigue de tout à l'heure avec une surprenante rapidité ; elle devenait subitement une gamine, elle voulait se réjouir, être gaie et manifester son bonheur. A l'évidence, elle se sentait très libre et naturelle dans sa nudité (n'ayant sur elle que sa montre-bracelet où sonnaillait la miniature du Kremlin au bout de sa chaînette), elle essayait toutes sortes de postures pour se sentir le mieux possible : jambes sous elle croisées à la turque ; puis, ses chevilles une fois dégagées, elle s'appuya sur le coude ; puis se recoucha sur le ventre, le visage enfoncé dans mes cuisses. Encore et encore, elle m'avouait combien elle était heureuse ; en même temps elle cherchait à m'embrasser, ce que je supportais avec beaucoup d'abnégation, surtout parce qu'elle avait la bouche par trop humide et que, mes épaules ou mes joues ne lui suffisant pas, elle s'en prenait, par surcroît, à mes lèvres (et je n'aime pas un baiser mouillé, sauf dans l'aveuglement du désir).

Elle me dit encore qu'elle n'avait jusqu'ici rien vécu de comparable ; je lui répondis (comme ça) qu'elle exagérait. Elle commença à jurer qu'en amour jamais elle ne mentait et que je n'avais aucune raison de ne pas la croire. Développant sa pensée, elle affirmait qu'elle avait tout pressenti, qu'elle avait tout pressenti dès notre première rencontre ; que le corps a son instinct, qui ne trompe pas ; qu'évidemment elle avait été subjuguée par mon intelligence et mon entrain (oui, entrain ! où prenait-elle cela ?), mais qu'elle savait aussi, bien qu'elle n'eût pas osé en parler avant, qu'il y avait eu d'emblée entre nous un de ces accords secrets comme les corps n'en signent qu'une fois dans la vie. « C'est pour cela que je suis tellement heureuse, tu sais ? » Elle s'inclina pour attraper la bouteille et se versa une autre rasade. Le verre vidé, elle rit : « Il faut bien que je boive seule puisque tu ne veux plus, toi ! »

Bien que l'aventure fût pour moi close, je dois confesser que les paroles d'Helena ne m'avaient pas déplu : elles confirmaient la réussite de mon entreprise et le bien-fondé de ma satisfaction. Par la seule raison que je ne savais que dire et que je ne voulais pas avoir l'air taciturne, je lui objectai que, certainement, elle exagérait en parlant d'une expérience qui ne se passe qu'une fois dans la vie ; avec son mari, n'avait-elle pas vécu un grand amour ?

Ces mots plongèrent Helena dans une méditation sérieuse (elle était assise sur le divan, les pieds au sol, légèrement écartés, les coudes s'appuyant sur les genoux, le verre vide dans sa main droite) et elle conclut en disant tout bas : « Oui. »

Elle supputait sans doute que le pathétique de l'expérience qu'elle venait de vivre l'obligeait à une sincérité non moins pathétique. Elle répéta « oui », et dit qu'il serait probablement mauvais de dénigrer ce qu'il y avait eu autrefois au nom de ce miracle de tout à l'heure. Elle but un nouveau verre puis, loquace, développa l'idée que précisément les expériences les plus puissantes sont incomparables entre elles ; pour la femme, aimer à vingt ans et aimer à trente ans sont deux choses tout à fait différentes. Et, que je la comprenne bien : du point de vue non seulement psychique mais aussi physique.

Ensuite (pas très logiquement et sans cohérence), elle assura que j'avais un certain air de ressemblance avec son époux ! Elle ne savait pas trop comment ; bien sûr que je n'avais pas du tout la même allure, mais elle ne se trompait pas, elle avait son infaillible instinct qui lui faisait percer *au-delà* de l'apparence extérieure.

« J'aimerais bien savoir en quoi je ressemble à ton mari », dis-je.

Elle me dit qu'elle s'excusait, que c'était pourtant moi qui l'avais questionnée sur lui, qui avais voulu qu'elle me parle de lui et que, uniquement à cause de cela, elle osait en parler. Mais si je tenais à entendre la vérité vraie, il lui fallait me le dire : deux fois seulement dans sa vie elle avait été attirée avec une violence aussi inconditionnelle : par son mari et par moi. Ce qui nous rendait proches était, à l'écouter, une espèce d'élan vital ; la joie qui rayonnait de nous ; une éternelle jeunesse ; la force.

Voulant éclairer ma ressemblance avec Pavel Zemanek, Helena employait des mots assez confus, mais il était hors de doute qu'elle voyait cette ressemblance, la sentait et y tenait opiniâtrement. Je ne peux dire que ces affirmations m'offensaient ou me blessaient, j'étais seulement abasourdi par leur ridicule insondable ; je me rapprochai de la chaise et commençai de m'habiller avec lenteur.

« Je t'ai vexé, mon amour ? » Helena ressentit mon déplaisir, elle se leva et vint à moi ; elle me câlina le visage et me pria de ne pas lui en vouloir. Elle m'empêchait de me rhabiller. (Pour je ne sais quelles raisons mystérieuses, elle considérait mon pantalon et ma chemise comme ses ennemis.) Elle me disait qu'elle m'aimait vraiment, qu'elle n'avait pas coutume de galvauder ce verbe ; qu'elle saurait bien trouver l'occasion de me le prouver ; que dès mes premières questions à propos de son mari, elle avait deviné que c'était bête de parler de lui ; elle ne voulait pas de l'intrusion d'un autre homme, d'un étranger, dans nos rapports ; oui, d'un étranger, car, depuis longtemps, son époux n'était rien de plus pour elle. « Car enfin, mon petit fou, c'est fini avec lui depuis trois bonnes années déjà. On n'a pas divorcé à cause de la petite. On vit chacun de son côté. Vraiment comme deux étrangers. Il n'est plus pour moi que mon passé, un passé bien lointain...

— C'est la vérité ? demandai-je.

— Oui, c'est la vérité, dit-elle.

— Ne mens pas comme ça, c'est grotesque ! dis-je.

— Mais je ne mens pas ! Nous sommes sous le même toit, mais pas comme mari et femme ; ça, je t'assure, il y a des années qu'on n'en parle plus ! »

Le visage implorant d'une pauvre femme amoureuse me regardait. Plusieurs fois de suite, elle me réaffirma qu'elle avait dit vrai, qu'elle ne me mentait pas ; je n'avais aucune raison d'être jaloux de son mari ; son mari c'est le passé ; elle n'avait donc pas été infidèle aujourd'hui, n'ayant pas à qui l'être ; et je n'avais pas à me tracasser : notre après-midi d'amour avait été non seulement beau mais *pur*.

Saisi d'un effroi lucide, je comprenais tout à coup qu'au fond, je ne pouvais guère ne pas la croire. Lorsqu'elle s'en aperçut, soulagée, elle me demanda et me redemanda de lui dire à haute voix qu'elle m'avait convaincu ; puis elle se versa de la vodka et voulut trinquer avec moi (je refusai) ; elle m'embrassa ; malgré ma chair de poule, je ne pus détourner mon regard ; ses yeux bêtement bleus et sa nudité (mobile et frétillante) me fascinaient.

Cette nudité, je ne la voyais plus comme avant ; c'était d'emblée une nudité *dénudée* ; dénudée du pouvoir excitant qui enveloppait tous les défauts de son âge dans lesquels l'histoire des époux Zemanek paraissait concentrée, et qui m'avaient par suite captivé. Maintenant qu'elle était devant moi, dépouillée, sans mari ni liens conjugaux, rien qu'elle-même, ses défauts physiques avaient brusquement perdu leur charme pervers, et eux aussi n'étaient plus qu'eux-mêmes : de simples défauts physiques.

Helena devenait de plus en plus ivre et de plus en plus contente ; elle était heureuse que j'aie cru à son amour, ne sachant comment manifester ses sensations de bonheur : d'un coup, elle eut l'idée d'ouvrir la radio (me tournant le dos, elle s'accroupit devant le poste et tourna le bouton) ; on entendit du jazz ; Helena se remit debout, les yeux brillants ; elle ébaucha maladroitement les mouvements ondulants d'un twist (terrifié, je regardais ses seins s'envoler de droite et de gauche). Elle pouffa : « C'est bien ? Tu sais, je n'ai jamais dansé ça. » Elle rit à haute voix, et vint m'enlacer ; elle voulait que je la fasse danser ; elle se fâcha de mon refus ; elle disait que ces danses-là, elle ne les connaissait pas et que moi je devais les lui apprendre ; qu'elle comptait sur moi pour lui enseigner beaucoup de choses, qu'elle voulait redevenir jeune avec moi. Elle me pria de l'assurer qu'elle était toujours jeune (je le fis). Elle se rendit compte que j'étais vêtu et qu'elle ne l'était pas ; elle rit ; ça lui paraissait curieusement insolite ; elle demanda si le maître des lieux n'avait pas une grande glace où elle pourrait nous voir. En fait de miroir, il n'y avait qu'un vitrage de bibliothèque ; elle tenta de nous y distinguer, mais l'image manquait de netteté ; elle se rapprocha de la bibliothèque et pouffa de nouveau devant les titres au dos des livres : la Bible, l'*Institution* de Calvin, *Les Provinciales* de Pascal, les ouvrages de Hus ; elle sortit la Bible, se campa dans une pose solennelle, ouvrit le volume au hasard et se mit à lire d'un ton de prédicant. Elle tint à savoir si elle ferait un bon prêtre. Je lui déclarai que cette lecture sacrée lui allait bien, mais qu'elle ferait mieux de se rhabiller parce que M. Kostka allait rentrer. « Quelle heure est-il ? s'informa-t-elle. — Six heures et demie », répondis-je. Elle m'attrapa le poignet gauche, où je porte ma montre, et s'écria : « Menteur ! Six heures moins le quart ! Tu veux te débarrasser de moi ! »

Je souhaitais qu'elle fût loin ; que son corps (si désespérément matériel) se dématérialisât, fondît, s'en allât en ruisseau, ou encore disparût en vapeur par la fenêtre — mais ce corps était là, corps qu'à personne je n'avais volé, en qui je n'avais ni vaincu ni détruit personne, corps laissé pour compte, abandonné par l'époux, corps dont j'avais prétendu abuser mais qui avait abusé de moi, et qui maintenant jouissait impertinemment de ce triomphe, exultait, bondissait de joie.

Il ne me fut pas accordé de pouvoir abréger mon étrange supplice. Vers six heures et demie elle commença enfin à se rhabiller. Elle vit alors sur son bras la marque rouge de mes coups ; elle la caressa ; elle dit que ça lui ferait un souvenir de moi jusqu'à notre prochaine rencontre ; puis elle se reprit très vite : nous allions sûrement nous revoir bien avant que ce souvenir ne s'efface de sa chair ! Debout contre moi (un bas déjà enfilé, l'autre à la main), elle voulait que je lui promette qu'on se verrait vraiment bien avant ; j'acquiesçai d'un signe de tête ; ça ne lui suffisait pas, elle exigea ma parole que nous nous retrouverions encore *beaucoup de fois* d'ici là.

Elle fut très longue à s'habiller. Elle partit quelques minutes avant sept heures.

J'ouvris la fenêtre, impatient du courant d'air qui emporterait vite tout souvenir de cet inutile après-midi, tout résidu d'odeur ou de sensation. J'enlevai la bouteille, rangeai les coussins du divan et lorsqu'il m'eut semblé que toute trace avait disparu, je m'affalai dans le fauteuil, près de la fenêtre, dans l'attente (presque instante) de Kostka : de sa voix d'homme (j'avais grand besoin d'une voix d'homme, profonde), de sa haute taille avec sa poitrine *plate*, de ses propos paisibles, dans l'attente aussi de ce qu'il m'apprendrait de Lucie, qui, contrairement à Helena, avait été si doucement immatérielle, abstraite, si éloignée des conflits, des tensions et des drames ; et cependant pas tellement sans influence sur ma vie : l'idée me vint que cette influence s'exerçait de la même façon que, selon les astrologues, les mouvements des étoiles influencent la vie humaine ; au creux du fauteuil (face à la fenêtre béante qui expulsait l'odeur d'Helena) je pensais être venu à bout de mon rébus superstitieux, en devinant pourquoi Lucie avait traversé le ciel de ces deux journées : seulement pour réduire à rien ma vengeance, pour résoudre en brume tout ce qui m'avait conduit ici ; car Lucie, cette femme que j'avais tant aimée et qui, inexplicablement, m'avait échappé au dernier moment, était la déesse de la fuite, la déesse de la vaine poursuite, la déesse des brumes ; elle tient toujours ma tête entre ses mains.

SIXIÈME PARTIE

KOSTKA

1

Il y a longtemps qu'on ne s'était pas vus, mais, en fait, nous nous sommes assez rarement vus. C'est étrange parce que, en imagination, je le rencontre souvent, Ludvik Jahn, très souvent, lui destinant mes soliloques comme à mon principal adversaire. Je m'étais tellement habitué à sa présence immatérielle qu'hier tombant sur lui à l'improviste, en chair et en os, après de nombreuses années, je suis resté pantois.

J'ai appelé Ludvik mon adversaire. Ai-je le droit de l'appeler ainsi ? Par coïncidence, chaque fois que nous nous sommes rencontrés, je me trouvais presque sans secours et, c'est lui qui, chaque fois, m'a aidé. Cependant, sous cette alliance, il y a toujours eu un abîme de désaccord. J'ignore si Ludvik l'a comme moi mesuré. En tout cas, il donnait plus d'importance à notre lien externe qu'à notre différence interne. Irréconciliable avec les ennemis extérieurs et tolérant quant aux différends intérieurs. Moi, non. Moi, c'est juste le contraire. Ce qui ne veut pas dire que je n'aime pas Ludvik. Je l'aime, comme nous aimons nos adversaires.

2

J'ai fait sa connaissance lors d'une de ces réunions mouvementées dont, en l'année quarante-sept, les facultés bouillonnaient. L'avenir de la nation se trouvait en balance. J'étais dans toutes les discussions, controverses et votes, du côté de la minorité communiste, contre ceux qui formaient à l'époque la majorité dans les universités.

Bien des chrétiens, catholiques ou protestants, m'en tenaient rigueur. Ils considéraient comme une trahison que je me fusse solidarisé avec un mouvement qui avait inscrit l'athéisme sur son enseigne. Ceux qu'il m'arrive de rencontrer aujourd'hui croient qu'après ces quinze ans j'ai pris conscience de mon erreur. Mais je suis forcé de les décevoir. Je n'ai pas jusqu'ici changé d'attitude.

Évidemment que le mouvement communiste est sans Dieu. Toutefois, seuls les chrétiens refusant de voir la poutre qu'ils ont dans l'œil peuvent en faire grief au seul communisme. Je dis : les chrétiens. Mais où sont-ils au juste ? A la ronde, je ne vois que des pseudo-chrétiens, qui vivent exactement comme des incroyants. Or, être chrétien, cela signifie vivre autrement. Cela signifie suivre la route du Christ, *imiter* le Christ. Cela signifie se détacher des intérêts particuliers, du bien-être et du pouvoir personnels, se tourner vers les pauvres, les humiliés, vers ceux qui souffrent. Est-ce cela que les Églises faisaient ? Mon père était un ouvrier perpétuellement en chômage, humble dans sa foi. Il tournait vers Dieu son visage pieux, mais l'Église, elle, jamais ne tourna son visage vers lui. Il resta abandonné au milieu de ses semblables, abandonné dans le sein de l'Église, seul avec son Dieu, jusqu'à sa maladie et sa mort.

Les Églises n'ont pas compris que le mouvement ouvrier était la montée des humiliés et des soupirants affamés de justice. Elles ne se souciaient pas d'instaurer, avec eux et pour eux, le royaume de Dieu sur la terre. Elles se sont alliées aux oppresseurs, et ainsi ont enlevé Dieu au mouvement ouvrier. Et voici qu'elles prétendent lui reprocher d'être sans Dieu? Quel pharisaïsme! Certes, le mouvement socialiste est athée, seulement, moi, je vois là un blâme divin, qui s'adresse à nous! Blâme pour notre carence du cœur à l'égard des miséreux et des éprouvés.

Et que me faut-il faire en cette occurrence? M'effrayer du nombre décroissant de fidèles? M'épouvanter de ce que l'école enseigne aux enfants une pensée antireligieuse? Non. La véritable religion n'a nul besoin des faveurs de la puissance temporelle. La malveillance séculière n'a d'autre effet que de fortifier la foi.

Ou bien devrais-je combattre le socialisme parce qu'il est, par notre faute, athée? Je ne peux que déplorer la tragique méprise qui éloigna le socialisme de Dieu. Je ne puis que m'efforcer de la mettre en lumière et travailler à la réparer.

Au reste, pourquoi cette inquiétude, chrétiens, mes frères? Tout s'accomplit par la volonté de Dieu et, souvent, je me demande si ce n'est pas à dessein que

311

Dieu fait connaître à l'humanité que l'homme ne saurait s'asseoir impunément sur son trône à lui, et qu'aussi équitable soit-elle, l'ordonnance des choses de ce monde hors de sa participation ne peut que mal tourner et se corrompre.

Je me rappelle ces années où, chez nous, les gens déjà se croyaient à deux pas du paradis. Et comme ils étaient fiers : c'était leur paradis, ils allaient y parvenir sans que personne dût les aider du haut des cieux ! Seulement, après, il s'est évaporé sous leurs yeux.

3

Avant Février 1948, mon christianisme arrangeait les communistes. Ils aimaient bien m'entendre expliquer le contenu social de l'Évangile, tonner contre ce vieux monde vermoulu qui croulait sous ses biens et ses guerres, démontrer la parenté du christianisme et du communisme. Il s'agissait pour eux de gagner à leur cause les couches les plus larges et donc aussi les croyants. Mais, passé Février, tout commençait à changer. En tant qu'assistant, j'avais pris la défense de plusieurs étudiants menacés d'exclusion de la faculté à cause des idées politiques de leurs parents. Ma protestation m'avait valu un conflit avec la direction de l'établissement. Des voix s'élevèrent pour dire qu'un homme aux convictions religieuses aussi tranchées ne pouvait éduquer la jeunesse socialiste. Il semblait que je serais contraint de me battre pour subsister. C'est alors que j'appris que l'étudiant Ludvik Jahn venait de parler en ma faveur lors d'une réunion plénière du Parti. Oublier ce que j'avais représenté pour le Parti à la veille de Février eût été d'après lui pure ingratitude. Et comme on lui objectait mon christianisme, il avait rétorqué que, dans ma vie, la religion ne serait qu'une phase transitoire que je dépasserais grâce à mon jeune âge.

J'allai le remercier de son soutien. Je lui déclarai cependant que, n'ayant cure de le tromper, je tenais à lui rappeler que j'étais plus vieux que lui et qu'il n'y avait pas d'espoir que je puisse « dépasser » ma foi. Un débat s'engagea sur l'existence de Dieu, sur la finitude et l'éternité, la position de Descartes face à la religion, la question de savoir si Spinoza était matérialiste et beaucoup d'autres choses. Nous ne parvînmes pas à nous entendre. Pour finir, je demandai à Ludvik s'il ne regrettait pas de m'avoir appuyé, dès lors que je lui apparaissais irrécupérable. Il me dit que ma croyance religieuse était mon affaire à moi et qu'après tout ça ne regardait personne.

Je n'eus pas d'autre occasion de le rencontrer à la faculté. Nos destinées devaient s'avérer d'autant plus proches. Quelque trois mois après notre entretien, Jahn fut écarté du Parti et de la faculté. Et six autres mois plus tard, mon tour venait de quitter l'Université. Étais-je mis à la porte ? Poussé à m'en aller ? Je ne saurais dire. Il est vrai que les voix s'étaient multipliées contre ma personne et mes convictions. Il est vrai que certains collègues m'avaient laissé entendre que je devrais faire une sorte de déclaration publique colorée d'athéisme. Il est vrai enfin qu'il y avait eu pendant mes cours quelques interventions agressives de la part d'étudiants communistes qui offensaient ma foi. Une proposition tendant à mon départ était dans l'air. Mais il n'est pas moins vrai que je comptais toujours, parmi les communistes de la faculté, pas mal d'amis qui m'estimaient en raison de mon attitude d'avant Février. Peut-être eût-il suffi de peu : que je commence à me défendre. Certainement je les aurais trouvés derrière moi. Seulement, je n'en fis rien.

4

« Suivez-moi », dit Jésus à ses disciples et, sans récriminer, eux quittèrent leurs filets, leurs barques, leurs foyers, leurs familles, et ils le suivirent. « Quiconque met la main à la charrue, et regarde en arrière, n'est pas propre au royaume de Dieu. »

Si nous écoutons l'appel du Christ, nous devons le suivre sans conditions. Tout cela est archiconnu par l'Évangile, mais à l'époque moderne, ces paroles ne rendent qu'un son de conte de fées. Un appel, à quoi cela peut-il rimer dans la prose de nos existences ? Où nous faudrait-il aller et qui devrions-nous suivre, abandonnant nos filets ?

Et pourtant la voix de l'appel résonne même dans notre monde, pour peu que nous ayons l'ouïe aiguë. L'appel, bien sûr, ne nous est pas transmis par la poste, comme une dépêche recommandée. Il arrive masqué. Rarement sous un travesti rose et séduisant. « Ce n'est pas à l'action que tu choisiras mais à ce qui t'adviendra contre ton choix, contre ta pensée et contre ton désir que tu dois te dévouer, c'est là où est ta voie, où je t'appelle, où tu dois me suivre, c'est là où est passé ton maître… » a écrit Luther.

J'avais beaucoup de raisons de tenir à ma place d'assistant. Relativement confortable, elle comportait beaucoup de temps libre pour la poursuite de mes études et promettait pour le restant de mes jours une carrière de professeur d'Université. Mais ce qui, précisément, m'épouvanta, ce fut que je tenais à mon poste. Cela m'épouvanta d'autant plus que je voyais alors nombre de gens de valeur, pédagogues ou étudiants, éloignés par force de leur travail. J'eus peur de me cramponner à une bonne situation dont les perspectives assurées me séparaient du sort précaire de mes semblables. Je compris que les suggestions visant à me faire partir de la faculté étaient un *appel*. J'entendais quelqu'un me rappeler. Quelqu'un qui me mettait en garde contre le confort de ma carrière susceptible d'enchaîner ma pensée, ma croyance et jusqu'à ma conscience.

Ma femme, qui m'avait donné un enfant, alors âgé de cinq ans, me pressait, bien entendu, de mille manières, de me défendre et de tout mettre en œuvre afin de me maintenir à la faculté. Elle pensait au petit garçon, à l'avenir de la famille. Rien d'autre ne comptait pour elle. Quand je regardais ses traits déjà flétris, une terreur me prenait de cet infini de soucis, soucis pour le lendemain et pour l'année suivante, soucis pour tous les jours et les années à venir. Je redoutais ce poids et entendais en mon âme les paroles de Jésus : « Ne soyez donc point en souci pour le lendemain ; car le lendemain aura soin de lui-même. A chaque jour suffit sa peine. »

Mes ennemis pensaient que j'allais me ronger de tourments, et voilà que je ressentis une insouciance imprévue. Ils s'imaginaient que je sentirais ma liberté restreinte, et c'est tout juste à ce moment que je découvris pour moi la liberté réelle. Je compris que l'homme n'a rien à perdre, que sa place est partout,

partout où le Christ est allé, ce qui signifie : partout parmi les hommes.

Surpris d'abord et contrit, j'allai au-devant de la méchanceté de mes adversaires. J'acceptai le tort qu'ils m'infligeaient comme un appel chiffré.

5

Les communistes supposent, tout à fait religieuse-
ment, que l'homme coupable au regard du Parti peut
obtenir l'absolution s'il va travailler pendant un certain
temps parmi les agriculteurs ou les ouvriers. Au cours
des années qui suivirent Février, beaucoup d'intellectuels prenaient ainsi, pour une période plus ou moins
prolongée, le chemin des mines, des fabriques, des
chantiers et des fermes d'État d'où, après une mystérieuse purification dans l'ambiance de ces lieux, il leur
était possible de réintégrer les administrations, écoles
ou secrétariats.

Lorsque j'offris à la direction de la faculté de m'en
aller sans demander l'attribution d'un poste de chercheur scientifique, désirant au contraire un emploi
dans un milieu populaire, de préférence comme travailleur spécialisé quelque part dans une ferme d'État,
mes collègues communistes, amis ou adversaires, inter-
prétèrent ma démarche non pas au sens de ma foi, mais
de la leur : comme la manifestation d'une exceptionnelle aptitude à l'autocritique. L'ayant appréciée, ils
m'aidèrent à trouver une place de choix dans une ferme
d'État en Bohême occidentale, avec un bon directeur et
dans un beau paysage. Comme viatique, on m'établit
une fiche de notes personnelle singulièrement élo-
gieuse.

Ma nouvelle situation me combla d'une vraie joie.
Je me sentais renaître. La ferme d'État avait été créée

dans une commune abandonnée, proche de la frontière et à peine à moitié repeuplée depuis la déportation des Allemands à la suite de la guerre. Tout autour s'étendaient des collines pour la plupart déboisées, couvertes de pâturages. Des maisonnettes de villages s'éparpillaient au fond des vallées. Les brumes voguant par là se posaient comme paravent mouvant entre moi et la terre habitée, de sorte que le monde semblait au cinquième jour de la création, quand Dieu hésitait encore s'il allait le confier aux hommes.

Même les gens avaient plus de consistance. Ils faisaient face à la nature, aux herbages sans bornes, aux troupeaux de vaches et de brebis. Je respirais bien en leur compagnie. Les idées m'étaient vite venues sur le meilleur parti à tirer de la végétation de ces paysages vallonnés : engrais, ensilage rationnel des foins, champs expérimentaux de plantes médicinales, serre. Le directeur m'était reconnaissant de mes initiatives, et moi je lui vouais gratitude de ce qu'il me permettait de gagner mon pain par une besogne utile.

6

On était en 1951. Septembre avait été frileux mais s'était brusquement réchauffé vers la mi-octobre, et l'automne fut beau jusqu'au fort du mois de novembre. Les meules qui séchaient à flanc de prairie exhalaient leur odeur à la ronde. Dans l'herbe, luisait le frêle corps des colchiques. Dans les hameaux des alentours on commençait à parler de la jeune vagabonde.

Des garnements d'un village voisin étaient allés aux prés fauchés. Alors qu'ils se racontaient à grand bruit leurs histoires, ils avaient aperçu une fille qui sortait d'une meule, toute dépeignée, des brins d'herbe sèche dans les cheveux, une fille qu'aucun d'eux n'avait jamais vue par ici. Effarouchée, elle s'était retournée de tous côtés avant de se sauver vers la forêt. Le temps qu'ils aient eu l'idée de lui courir après, ils l'avaient perdue de vue.

A cela s'ajoutait le récit d'une paysanne du même endroit : un après-midi qu'elle vaquait dans la cour, avait surgi une gamine d'une vingtaine d'années, manteau très usé, lui demandant, la tête baissée, un morceau de pain. « Où donc vas-tu comme ça ? » avait dit la femme. La jeune fille avait répondu qu'elle avait un long chemin devant elle. « Et tu fais ça à pied ? — J'ai perdu l'argent qui me restait », répondit-elle. La paysanne n'insista pas et lui donna du pain et du lait.

Puis, notre berger, lui aussi, raconta son histoire : une fois, sur les hauteurs, il avait déposé sa tartine et son pot à lait contre une souche. Il s'était éloigné un moment vers son troupeau et, quand il était revenu, le pain avait mystérieusement disparu avec le pot.

Les enfants s'étaient tout de suite emparés de ces nouvelles que leur imagination multipliait avidement. Il suffisait qu'on annonce la perte de quelque objet pour qu'ils y trouvent confirmation de l'existence de l'inconnue. L'eau était très froide en ce début de novembre, néanmoins ils l'avaient vue à l'approche du soir en train de se baigner dans un étang pas loin du village. Une autre fois, on avait entendu, le soir, quelque part au loin, le chant grêle d'une voix féminine. Les adultes soutenaient qu'on avait mis la radio dans un des chalets sur les pentes, mais les gosses savaient bien que c'était elle, la sauvageonne, qui marchait sur les crêtes, les cheveux fous, et chantait.

Un autre soir, ils avaient fait un feu de fanes dans un champ et jeté des pommes de terre dans la cendre ardente. Et puis ils avaient regardé vers l'orée de la forêt, et une petite fille s'était récriée qu'elle la voyait les observant de la pénombre. A ces mots, un garçon avait attrapé une motte de terre et l'avait lancée dans la direction que la petite fille avait indiquée. Curieusement aucun cri ne se fit entendre, mais il se produisit autre chose. Tous les enfants s'en prirent au lanceur de la motte et faillirent lui tomber dessus.

Oui, c'était ainsi : jamais l'habituelle cruauté enfantine ne se laissa réveiller par l'histoire de la jeune fille errante, en dépit des larcins attachés à l'idée qu'on avait d'elle. Des sympathies cachées lui étaient acquises depuis le premier instant. Les cœurs étaient-

321

ils touchés par l'innocente insignifiance de ses vols ?
Par son âge tendre ? Ou bien était-ce la main d'un ange
qui la protégeait ?

Que ce fût comme ceci ou comme cela, la motte
jetée avait allumé l'amour des enfants pour l'errante.
En quittant leur feu moribond, ils laissèrent tout
auprès un tas de pommes de terre cuites, sous un lit de
fines braises pour les maintenir tièdes, une branche de
sapin fichée sur cet amas. Ils avaient même trouvé un
nom pour la fille. Sur une feuille de cahier arrachée, ils
avaient crayonné en grosses lettres : *Vagabondine, voici
pour toi*. Ils avaient placé le papier près du tas avec une
motte dessus. Ensuite, ils allèrent se poster dans les
broussailles afin de suivre l'approche de la craintive
silhouette. Le soir s'épaississait en nuit et personne ne
se montrait. Les enfants durent enfin sortir de leurs
cachettes pour rentrer à la maison. Mais le lendemain,
de très bonne heure, tous revinrent au galop dans le
champ. Les pommes de terre avaient disparu ainsi que
le papier et la branche.

La fille devint une fée que les enfants gâtaient. Ils
lui déposaient un petit pot de lait, du pain, des
pommes de terre, avec de petites lettres. Ils chan-
geaient chaque fois de place pour leurs cadeaux. Ils
évitaient de lui poser sa nourriture en un lieu fixe,
comme on l'aurait fait pour un mendiant. Ils jouaient
avec elle. A la chasse au trésor. Partis de l'endroit où ils
avaient laissé le premier tas de pommes de terre rôties,
ils s'écartaient peu à peu du village et s'enfonçaient
dans la campagne. Ils laissaient leurs trésors près des
souches, au pied d'un rocher, près d'un calvaire, près
d'un églantier. Personne ne reçut confidence de ces

cachettes. Ils se gardèrent d'un seul accroc à la toile d'araignée de ce jeu, jamais ils n'épièrent Vagabondine, jamais ne lui barrèrent la route. Ils l'acceptèrent invisible.

7

Ce conte ne dura guère. Le directeur de notre ferme s'en fut un jour, en compagnie du président du Comité national de la commune, loin sur les hauteurs, afin de répertorier plusieurs maisons inhabitées dont on voulait faire des dortoirs pour des ouvriers agricoles occupés à l'écart du bourg. En chemin, ils furent pris sous une ondée. Il n'y avait, à proximité, qu'un bosquet de jeunes épicéas, avec, à sa lisière, une petite grange. Ils y coururent, retirèrent la cheville de bois qui servait de serrure et foncèrent à l'intérieur. Le jour entrait par la porte autant que par les fissures du toit. Dans un coin, le foin était creusé comme un lit. C'est là qu'ils s'étendirent ; ils écoutaient le floc des gouttes sur le toit, ils respiraient le parfum entêtant, et bavardaient. Soudain, en plongeant les doigts dans le mur de fourrage qui s'élevait sur sa droite, le président tâta sous les brins secs une surface dure. C'était une petite valise. Vétuste, en carton bouilli de quatre sous. Je ne sais pas combien de temps les deux hommes hésitèrent devant le mystère. Ce qui ne fait pas de doute, c'est qu'ils ouvrirent la valise où ils découvrirent quatre robes de jeune fille, neuves, superbes. La belle apparence de ces vêtements formait, paraît-il, contraste inattendu avec l'aspect usé de la valise, et suggérait le soupçon du vol. Les robes recouvraient un peu de lingerie de femme et un paquet de lettres lié avec une faveur bleue. C'était tout. Jusqu'à cette heure, je n'ai rien su de cette correspondance, j'ignore même si le directeur et le président en prirent connaissance. Je sais seulement qu'elle leur révéla le nom de la destinataire : Lucie Sebetkova.

Quand ils eurent tous les deux assez médité sur leur trouvaille, le président détecta un second objet dans le foin. Un pot à lait, écaillé. Le pot, en émail bleu, dont, à l'auberge, tous les soirs depuis quinze jours, le berger de la ferme racontait la perte énigmatique.

Après, l'affaire suivit son cours. Le président se mit à l'affût dans les taillis, tandis que le directeur redescendait au bourg d'où il dépêcha un gendarme. L'obscurité venue, la jeune fille regagnait son abri odorant. Ils la laissèrent entrer, repousser la porte derrière elle, patientèrent une demi-minute et puis pénétrèrent à leur tour.

8

Les deux hommes qui piégèrent Lucie dans la grange à fourrage étaient de braves gens. Le président, ancien ouvrier agricole, était un honnête homme, père de six enfants. Quant au gendarme, c'était un rustaud candide et bonhomme aux grandes moustaches. Ni l'un ni l'autre n'aurait fait de mal à une mouche.

Et pourtant, j'avais ressenti une curieuse souffrance dans l'instant où j'appris comment Lucie s'était trouvée prise. Aujourd'hui encore, mon cœur étouffe lorsque je me représente le directeur et le président fourgonnant dans sa valise, détenant entre leurs mains toute son intimité matérialisée, les doux secrets de son linge sali, regardant là où il ne faut pas regarder.

Et la même souffrance m'étreint à l'autre image ; image de cette fragile tanière de foin sans nul moyen de fuir, l'unique issue étant bouchée par deux gaillards de haute stature.

Plus tard, en connaissant mieux l'histoire de Lucie, je compris avec étonnement qu'à travers ces deux images torturantes, l'essence même de son destin s'était alors immédiatement dévoilée devant moi. Ces deux images représentaient une *situation de viol*.

9

Cette nuit-là, Lucie ne dormit plus dans la grange, mais sur un lit de fer dressé dans une boutique désaffectée qui servait de poste au Corps de Sécurité. Le lendemain, on l'interrogea au Comité national. On apprit qu'elle avait jusque-là travaillé à Ostrava, où elle résidait. Elle s'en était enfuie, incapable d'y tenir plus longtemps. Lorsqu'ils voulurent des précisions, ils butèrent contre un silence têtu.

Pourquoi cette fugue jusqu'ici, en Bohême occidentale? Ses parents, dit-elle, habitaient Cheb. Pour quelle raison n'était-elle pas retournée chez eux? Elle était descendue du train bien avant d'arriver dans cette ville, cédant à une peur panique. Son père n'avait jamais su que la battre.

Le président du Comité national déclara à Lucie qu'on allait la renvoyer à Ostrava, d'où elle était partie sans avoir demandé son congé comme elle aurait dû. Lucie leur dit qu'elle quitterait le train à la première gare. Ils crièrent un peu, mais ne furent pas longs à comprendre que cela n'arrangeait rien. Ils lui demandèrent en conséquence s'ils devaient l'expédier chez elle, à Cheb. Elle secoua la tête avec véhémence. Ils furent sévères encore un moment et puis le président céda à sa propre bonté. « Alors qu'est-ce que tu veux ? » Elle voulut savoir si elle ne pourrait pas rester, trouver du travail ici. Ils haussèrent les épaules et lui répondirent qu'ils iraient voir à la ferme d'État.

La pénurie de main-d'œuvre causait au directeur de constantes difficultés. Aussi accepta-t-il sans hésiter la proposition du Comité national. Après quoi il m'annonça que j'allais enfin recevoir, pour la serre, l'ouvrière que je réclamais depuis longtemps. Et le même jour le président du Comité national vint me présenter Lucie.

Je me souviens bien de ce jour. La fin de novembre approchait et, après des semaines de soleil, l'automne venait juste de montrer son visage de vent et de pluie. Il bruinait. Dans un manteau marron, valise au bout du bras, la tête penchée et les yeux indifférents, elle était à côté du président. Il tenait à la main le pot à lait bleu et prononça solennellement : « Si tu as fait quelque chose de mal, nous t'avons pardonné et nous te faisons confiance. On pouvait te faire retourner à Ostrava, mais on te laisse rester ici. La classe ouvrière a besoin d'honnêtes gens n'importe où. Tâche de ne pas la décevoir ! »

Pendant qu'il allait déposer au bureau le pot à lait pour notre berger, j'emmenai Lucie à la serre, la présentai à ses deux compagnes de travail et la mis au courant.

10

Dans mon souvenir, Lucie éclipse tout ce que je vivais alors. Dans son ombre, mais tout de même assez nette, la silhouette du président du Comité national se découpe. Lorsque vous étiez hier devant moi, Ludvik, assis dans ce fauteuil, je n'ai pas voulu vous froisser. Maintenant que vous êtes de nouveau avec moi tel que vous m'êtes le plus familier, comme une image, comme une ombre, je vais vous le dire : cet ancien ouvrier agricole, qui voulait bâtir un paradis pour ses compagnons de misère, cet honnête homme qui prononçait avec un enthousiasme naïf les grands mots de pardon, de confiance, de classe ouvrière, était beaucoup plus proche de mon cœur et de ma pensée que vous, quoiqu'il ne m'ait jamais témoigné de faveur personnelle.

Jadis, vous prétendiez que le socialisme avait poussé sur le tronc du rationalisme et du scepticisme européens, hors de la religion ou contre la religion, et qu'il n'était pas concevable autrement. Mais voulez-vous toujours soutenir sérieusement qu'il n'y a pas moyen d'édifier une société socialiste sans croire à la primauté de la matière ? Êtes-vous vraiment sûr que des hommes croyant en Dieu ne peuvent pas nationaliser les usines ?

Je suis absolument certain que la lignée spirituelle qui se réclame du message de Jésus mène à l'égalité sociale et au socialisme bien plus naturellement. Et quand je me rappelle les plus ardents communistes de la première période socialiste dans mon pays, comme par exemple ce président qui remit Lucie entre mes mains, ces gens-là m'apparaissent beaucoup plus proches des zélateurs religieux que des voltairiens douteurs. L'époque révolutionnaire après 1948 n'avait pas grand-chose de commun avec le scepticisme ou le rationalisme. C'était le temps de la grande foi collective. L'homme qui, l'approuvant, marchait avec cette époque était habité de sensations fort voisines de celles que procure la religion : il renonçait à son moi, à son intérêt, à sa vie privée, pour quelque chose de plus élevé, de supra-personnel. Les thèses du marxisme, certes, ont une origine profane, mais la portée qu'on leur reconnaissait était comparable à celle de l'Évangile et des commandements bibliques. Il se créait un cercle d'idées intouchables, donc, dans notre terminologie, sacrées.

Cette époque en partance, ou partie déjà, avait en elle quelque chose de l'esprit des grandes religions. Dommage qu'elle n'ait pas su conduire jusqu'au bout sa religieuse connaissance de soi ! De la religion, elle avait les gestes et les sentiments, mais, au-dedans, elle restait creuse et sans Dieu. Pourtant, moi, je croyais toujours que le Seigneur s'apitoierait, qu'il se ferait connaître, qu'à la fin il sanctifierait cette grande foi profane. J'attendais en vain.

Cette époque a trahi, à la fin, sa religiosité et elle a payé les frais de l'héritage rationaliste dont elle ne se réclamait que parce qu'elle ne se comprenait pas elle-même. Depuis des siècles le rationalisme sceptique corrode le christianisme. Il le corrode mais il ne le détruira pas. Mais quant à la théorie communiste, pourtant son œuvre à lui, il en fera table rase d'ici quelques décennies. En vous, Ludvik, il l'a déjà tuée. Et vous le savez bien.

11

Quand les gens réussissent à s'évader au royaume des contes, il peut leur arriver d'être pleins de noblesse, de compassion, de poésie. Dans le royaume de la vie quotidienne, ils sont dominés, hélas, par les précautions, la méfiance et les suspicions. C'est ainsi qu'ils se comportèrent envers Lucie. Dès qu'elle sortit de l'empire des contes d'enfants et devint une véritable jeune fille, partageant les occupations et le sommeil des autres ouvrières, elle fut du même coup la cible d'une curiosité non dépourvue de cette méchanceté que les humains gardent pour les anges rejetés des cieux et pour les fées chassées d'un conte.

Son naturel silencieux ne servit guère Lucie. D'Ostrava, la ferme d'État reçut, au bout d'un mois, son dossier du service des cadres. Ces notes nous révélèrent qu'elle avait tout d'abord travaillé comme apprentie coiffeuse à Cheb. A la suite d'une infraction aux bonnes mœurs, elle avait passé un an dans une maison de correction et c'est de là qu'elle était allée à Ostrava. Ses qualités d'ouvrière s'y affirmaient sans conteste. Au foyer où elle logeait, sa conduite était exemplaire. Avant sa disparition, elle avait commis un seul délit, tout à fait insolite : on l'avait prise en train de voler des fleurs au cimetière.

Les renseignements étaient sommaires et, loin d'éclaircir le secret de Lucie, ils le rendaient encore plus énigmatique.

J'avais promis au directeur de m'occuper de Lucie. Elle m'attirait. Taciturne, elle se donnait à sa tâche. Il y avait du calme dans sa timidité. Je n'observais chez elle aucune des marques d'excentricité qu'on aurait pu attendre d'une jeune personne ayant vécu plusieurs semaines en vagabonde. Elle déclarait qu'elle se trouvait bien à la ferme et qu'elle n'avait pas l'intention d'en partir. Douce, prompte à céder dans toute dispute, elle s'était concilié les bonnes grâces de ses compagnes. Il n'empêche que son laconisme conservait je ne sais quel signe d'un sort douloureux et d'une âme meurtrie. Je ne souhaitais rien tant que l'entendre se confesser à moi, mais je savais qu'elle avait, dans sa vie, essuyé force questions qui devaient lui évoquer l'image d'un interrogatoire. Aussi je ne lui demandai rien et me mis moi-même à raconter. Je lui parlais tous les jours. Je lui expliquais mes projets de créer à la ferme un champ de plantes médicinales. Je lui racontais que les paysans d'autrefois se soignaient en faisant bouillir ou macérer différents végétaux. Je lui parlais de la pimprenelle, qu'on a utilisée contre le choléra ou la peste, de la saxifrage qui casse la pierre dans la vessie et la vésicule biliaire. Lucie écoutait. Elle aimait les plantes. Mais quelle sainte simplicité ! Elle n'en savait rien, elle était incapable d'en nommer une seule.

L'hiver attaquait et Lucie, à part ses belles robes d'été, n'avait rien à se mettre. Je l'aidai à répartir ses finances. Je l'amenai à s'acheter un imperméable et un chandail, par la suite d'autres choses aussi : chaussures, pyjama, bas, manteau épais...

Je lui demandai un jour si elle croyait en Dieu. Sa réponse me parut remarquable. Elle n'avait dit ni oui ni non. Elle avait à peine haussé les épaules et dit : « Je ne sais pas. » Je lui demandai si elle savait qui était Jésus-Christ. Elle avait répondu oui. En fait, elle ignorait tout de lui. Son nom se liait pour elle vaguement à l'image de Noël, à un brouillard de deux ou trois représentations qui ne composaient pas le moindre sens. Lucie n'avait jusque-là connu ni la foi ni l'incroyance. Je ressentis un vertige identique, peut-être, à celui que connaît un amoureux quand il découvre qu'aucune chair masculine ne l'a précédé dans sa bien-aimée. « Tu voudrais que je te parle de lui ? » proposai-je ; elle fit un signe de consentement. Les pâturages et les collines étaient déjà sous la neige. Je racontai. Lucie m'écoutait...

12

Il y en avait eu trop sur ses épaules fragiles. Elle
aurait eu besoin de quelqu'un qui l'aurait aidée, mais
personne n'avait su le faire. Le secours que la religion
t'offre, Lucie, est simple : Donne-toi. Donne-toi avec
ton fardeau, qui te fait chanceler. Il y a un grand
soulagement dans le don de soi. Je sais que tu n'avais
pas à qui te donner, parce que tu redoutais les gens.
Mais il y a Dieu. Donne-toi à lui. Tu te sentiras légère.

Se donner, cela signifie déposer la vie passée.
L'extirper de l'âme. Se confesser. Dis-moi, Lucie,
pourquoi t'es-tu enfuie d'Ostrava ? A cause de ces
fleurs sur une tombe ?

Aussi.

Mais pourquoi les avais-tu prises ?

C'est parce qu'elle était triste. Elle les mettait dans
un vase, dans sa chambre du foyer. Elle en cueillait
aussi en pleine nature, seulement Ostrava est une ville
noire et, loin à la ronde, il n'y a pas de nature ; que des
crassiers, des palissades, des terrains en friche, un
boqueteau par-ci, par-là, plein de suie. De belles
fleurs, Lucie n'en avait trouvé qu'au cimetière. Fleurs
sublimes, fleurs solennelles. Des glaïeuls, des roses ou
des lis. Et puis des chrysanthèmes, leurs volumineuses
boules de pétales fragiles...

Et comment est-ce qu'ils t'ont attrapée ?

C'était souvent qu'elle y allait, au cimetière,
l'endroit lui plaisait. Non seulement pour les bouquets

qu'elle en rapportait, mais à cause du calme. Ce calme la soulageait. Chaque tombe était un jardinet en soi, alors elle s'attardait auprès de chacune, avec son monument, ses inscriptions éplorées. Afin qu'on ne la dérangeât pas, elle copiait les façons de certains visiteurs, personnes d'âge surtout, s'agenouillant au pied des tombes. Une fois, elle s'était ainsi complu devant une sépulture encore fraîche. Le cercueil avait été enseveli peu de jours auparavant. La terre était encore molle, jonchée de couronnes et, devant, dans un vase, il y avait un bouquet de roses. Lucie était à genoux et le saule pleureur, au-dessus, était comme une voûte céleste intime et murmurante. Elle fondait d'un bonheur inexprimable. Au même instant s'approchait un vieux monsieur avec son épouse. Peut-être était-ce la tombe de leur fils, de leur frère, qui sait. Ils virent une jeune inconnue prosternée auprès de la tombe. Ils s'étonnèrent. Qui pouvait-elle être ? Cette apparition semblait leur cacher un secret, un secret de famille, peut-être quelque parente qu'ils n'avaient jamais vue, ou bien une maîtresse du disparu... Ils s'étaient arrêtés, n'osant l'importuner. Ils la regardaient de loin. Voici qu'elle se relève, retire du vase ce bouquet de belles roses qu'eux-mêmes y avaient placées dernièrement, se retourne et s'éloigne. Ils s'élancent alors derrière elle. Qui êtes-vous, demandèrent-ils. Elle ne savait quoi dire, elle bégayait de confusion. Ils s'aperçurent qu'elle ignorait tout de leur défunt. Ils appelèrent une jardinière à la rescousse. Sommèrent la jeune fille de montrer ses papiers. La tancèrent à grands cris et déclarèrent qu'il n'y avait rien de plus abominable que de piller les morts. La jardinière confirma que ce n'était pas le premier vol de fleurs dans son cimetière. Ils firent venir un agent, Lucie fut à nouveau harcelée de questions et elle avoua tout.

13

« ... et laisse les morts ensevelir leurs morts », dit
Jésus. Les fleurs des sépultures appartiennent aux
vivants. Tu ne connaissais pas Dieu, Lucie, mais tu
aspirais à lui. Dans la beauté des fleurs naturelles, tu
trouvais la révélation du surnaturel. Ces fleurs, tu n'en
avais pas besoin pour quelqu'un. C'était pour toi seule.
Pour le vide dans ton âme. Et ils te prirent et ils
t'humilièrent. Mais est-ce la seule raison pour laquelle
tu t'es sauvée de la ville noire ?

Elle se taisait. Puis, de la tête, elle fit non.

Quelqu'un t'a fait du mal ?

Elle acquiesça d'un signe de tête.

Raconte, Lucie !

La chambre était toute petite. Au plafond, sans
abat-jour, dénudée, obscène, une ampoule pendait,
oblique, à sa douille. Contre le mur, un lit, une image
accrochée au-dessus et, sur l'image, un bel homme en
longue tunique bleue, agenouillé. C'était le Jardin de
Gethsémani, mais cela, Lucie ne le savait pas. Là,
donc, il l'avait amenée et elle s'était défendue et elle
avait crié. Il voulait la violer, il lui arrachait ses
vêtements et elle lui avait échappé et elle avait fui, loin.

Qui était-ce, Lucie ?

Un soldat.

Tu l'aimais ?

Non, elle ne l'aimait pas.

Mais pourquoi, alors, étais-tu allée avec lui dans

cette pièce où il n'y avait qu'une lampe nue et un lit ?

C'était ce vide dans son âme qui l'avait attirée vers lui. Et pour combler ce vide, la malheureuse n'avait trouvé qu'un blanc-bec qui faisait son service militaire.

Tout de même, Lucie, je n'arrive pas très bien à comprendre. Puisque tu l'avais d'abord suivi dans cette pièce où il n'y avait qu'un lit, pourquoi est-ce que tu t'es enfuie, après ?

Il était méchant et brutal, comme tous les autres.

De qui parles-tu, Lucie ? Quels tous les autres ?

Elle se taisait.

Qui avais-tu connu avant le soldat ? Parle, Lucie ! Raconte !

14

Ils étaient six et elle toute seule. Six, de seize à
vingt ans. Elle en avait seize. Ils formaient une bande,
dont ils parlaient avec respect, comme d'une secte
païenne. Ce jour-là, ils avaient prononcé le mot
d'initiation. Ils avaient apporté plusieurs bouteilles
d'un mauvais vin. Elle s'était associée à la soûlerie avec
une soumission aveugle où elle déversait tout son
amour inassouvi pour sa mère et son père. Elle a bu
quand ils ont bu, elle a ri quand ils ont ri. Ensuite, ils
lui intimèrent l'ordre de se dévêtir. Jamais elle ne
l'avait fait en leur présence. Mais comme, devant son
hésitation, le chef de la bande s'était mis nu le premier,
elle comprit que l'injonction n'était aucunement dirigée contre elle, et elle s'exécuta avec docilité. Confiante
en eux, confiante en leur grossièreté même. Ils étaient
son abri, son bouclier, elle ne pouvait pas imaginer de
les perdre. Ils étaient sa mère, ils étaient son père. Ils
ont bu, ils ont ri et lui ont donné d'autres ordres. Elle
écarta les jambes. Elle avait peur, elle savait ce que cela
signifiait, mais elle obéit. Elle poussa un cri et le sang
coula d'elle. Les gamins beuglaient, levaient leurs
verres, et arrosaient de grossier vin mousseux le dos du
chef, le corps fragile de Lucie, son entrecuisse, ils
clamaient de vagues formules de Baptême et d'Initiation et là-dessus, le chef la quitta et se remit debout
tandis qu'un autre de la bande lui succédait et ainsi à
tour de rôle, par rang d'âge, le benjamin en dernier, il

avait seize ans, comme elle, et Lucie n'en pouvait plus de douleur, elle était impatiente de repos, impatiente de solitude et, puisqu'il était le plus jeune, elle eut l'audace de le repousser. Mais lui, précisément parce qu'il était le plus jeune, n'entendait pas qu'on l'humilie! Il était affilié à la bande! Et à part entière! Il voulait le prouver et il gifla Lucie, et nul ne leva le petit doigt pour elle parce que tous savaient que le benjamin était dans son droit et qu'il exigeait son dû. Les larmes de Lucie avaient giclé, mais elle n'osa pas résister et donc écarta les jambes pour la sixième fois...

Où était-ce, Lucie?

Le logement d'un de la bande, ses parents travaillaient tous deux à l'équipe de nuit, il y avait la cuisine et une chambre, dans la chambre une table, un canapé et un lit, au-dessus de la porte, dans un sous-verre, l'inscription: *Que Dieu nous donne le bonheur!* et, encadrée à la tête du lit, une belle dame en robe bleue pressait un enfant contre son sein.

La Vierge Marie?

Elle ne savait pas.

Et après, Lucie, qu'est-ce qu'il s'est passé après?

Après, ça a recommencé, souvent, dans le même logement et puis dans d'autres et aussi dehors, dans les bois. C'était devenu une habitude pour la bande.

Ça te plaisait, Lucie?

Non, ils la traitaient de plus en plus mal, ils étaient de plus en plus grossiers mais il n'y avait pas moyen d'en sortir, ni d'avancer ni de reculer.

Et ça s'est terminé comment, Lucie?

Un soir, dans un de ces logements vides. La police arriva et emmena tout le monde. Les gars de la bande avaient des cambriolages sur la conscience. Lucie n'était pas au courant, mais on savait qu'elle frayait avec la bande et qu'elle lui offrait tout ce qu'une fille peut offrir. Elle fut la honte de toute la ville de Cheb et, chez elle, on la battit comme plâtre. Les garçons récoltèrent des peines diverses, et elle fut envoyée en maison de correction. Là elle resta pendant une année — jusqu'à ses dix-sept ans. Après quoi, pour rien au monde elle ne voulut revenir dans sa famille. C'est ainsi qu'elle échoua dans la ville noire.

Je fus surpris et troublé quand, avant-hier, au téléphone, Ludvik me révéla qu'il connaissait Lucie. Heureusement, il ne la connaissait que de vue. A Ostrava, il aurait plus ou moins eu affaire à une fille qui logeait avec elle dans un foyer. Hier, devant une nouvelle question de sa part, je lui ai tout raconté. Depuis longtemps, j'avais besoin de me libérer de ce poids, mais je n'avais personne à qui me confier sans crainte. Ludvik a pour moi de la sympathie et, en même temps, il est suffisamment loin de ma vie et plus encore de celle de Lucie. Je n'avais donc pas à craindre pour le secret de Lucie.

Non, les confidences de Lucie, je ne les ai divulguées à personne, excepté Ludvik, hier. Néanmoins, sur la maison de correction et les fleurs du cimetière, par les fiches du service des cadres, tous les gens de la ferme avaient su la vérité. Ils étaient très gentils avec elle, mais lui rappelaient son passé sans cesse. Pour le directeur, elle était « la petite cambrioleuse de tombes ». Il avait beau dire ça sans malice, de tels propos rendaient les vieux péchés de Lucie perpétuellement présents. Elle était toujours et sans cesse coupable. Alors qu'elle n'avait pas de besoin plus urgent qu'une totale absolution. Oui, Ludvik, l'absolution, voilà ce qu'il lui fallait, cet épurement mystérieux qui vous est inconnu et incompréhensible.

D'eux-mêmes, en effet, les gens ne savent pas

pardonner, ce n'est même pas en leur pouvoir. Ils sont impuissants à rendre nul le péché qui a été commis. Cela dépasse les seules forces de l'homme. Faire qu'un péché ne compte pas, l'effacer, le gommer du temps, autrement dit transmuter quelque chose en néant, c'est un acte impénétrable et surnaturel. Dieu seul, parce qu'il échappe aux lois de ce bas monde, parce qu'il est libre, parce qu'il sait créer des miracles, peut laver les péchés, peut les transmuter en néant, peut les absoudre. L'homme n'a puissance d'absoudre l'homme qu'en prenant appui sur l'absolution divine.

Or, comme vous, Ludvik, ne croyez pas en Dieu, vous ne savez pas pardonner. Vous êtes obsédé par cette réunion plénière où des mains unanimes se levèrent contre vous, approuvant la ruine de votre vie. Vous ne leur avez jamais pardonné cela. Et pas seulement à chacun d'eux. Ils étaient là une centaine, soit un nombre susceptible de représenter une sorte de micro-modèle d'humanité. Vous n'avez jamais pardonné au genre humain. Depuis lors, vous lui avez retiré votre confiance et lui prodiguez votre haine. Même si je puis vous comprendre, cela ne change rien au fait qu'une pareille haine vouée aux hommes est terrifiante et pécheresse. Elle est devenue votre malédiction. *Car vivre dans un monde où nul n'est pardonné, où la rédemption est refusée, c'est comme vivre en enfer.* Vous vivez en enfer, Ludvik, et vous me faites pitié.

16

Tout ce qui sur cette terre appartient à Dieu peut appartenir au Diable. Même les mouvements des amants dans l'amour. Pour Lucie, ils devinrent la sphère de l'odieux. Ils se confondaient pour elle avec les visages ensauvagés des adolescents de la bande et, plus tard, avec celui du soldat enragé. Oh, je le vois aussi net que si je le connaissais! Il mêle les clichés amoureux, sirupeux et douceâtres, aux basses brutalités du mâle sevré de femelles derrière les fils de fer de la caserne! Et Lucie subitement découvre que les mots tendres ne sont qu'un voile trompeur sur le corps bestial de la grossièreté. Et l'univers entier de l'amour s'éboule devant elle et glisse dans la vase du dégoût.

J'avais reconnu l'abcès, c'est ici que je devais commencer. Le rôdeur de la côte qui brandit, frénétique, une lanterne à bout de bras, ce peut être un dément. Mais la nuit, lorsque les vagues malmènent une barque déroutée, cet homme est un sauveur. La planète où nous vivons est la zone frontalière entre le ciel et l'enfer. Nulle action n'est en soi bonne ou mauvaise. Seule, sa place dans l'ordre la fait bien ou mal. Pareillement, Lucie, les rapports charnels n'ont par eux-mêmes ni vertu ni vice. S'ils s'harmonisent à l'ordre que Dieu a établi, si tu aimes d'amour fidèle, même l'amour sensuel sera une bénédiction et tu deviendras heureuse. Car Dieu a décrété : « L'homme quittera son père et sa mère, s'attachera à sa femme et ils deviendront une seule chair. »

Jour après jour, je m'entretenais avec Lucie, chaque fois lui répétant qu'elle était pardonnée, qu'elle n'avait pas à se torturer, qu'il lui fallait délacer la camisole de force de son âme, qu'elle devait humblement se reposer sur l'ordre divin où même l'amour charnel trouvera sa place.

Et les semaines passaient...

Puis un jour de printemps se leva. Les pommiers fleurissaient sur les pentes des collines, et leurs couronnes, sous la brise, ressemblaient à des cloches qui se balancent. Je fermais les yeux pour entendre leur son de velours. Et puis je les ouvris et j'aperçus Lucie en blouse bleue, une pioche à la main. Elle regardait en bas, vers la vallée, et elle souriait.

J'observais ce sourire, et je me concentrais avidement dans sa lecture. Est-ce possible ? Jusqu'ici, l'âme de Lucie avait été une fuite continuelle, fuite devant le passé et devant l'avenir. Tout lui faisait peur. Le passé et l'avenir étaient pour elle des maelströms. Elle s'accrochait avec angoisse au canot percé du présent, labile refuge.

Et voilà qu'aujourd'hui elle sourit. Sans motif. Juste comme ça. Et ce sourire m'annonçait qu'elle regardait l'avenir avec confiance. Et je me sentais comme un navigateur débarquant après des mois sur un rivage. J'étais heureux. Adossé à un tronc biscornu, j'avais refermé les paupières. J'écoutais la brise et le chant des pommiers blancs, j'entendais les trilles des oiseaux et ces trilles se transformaient devant mes yeux fermés en mille lumières que portaient d'invisibles mains comme pour une fête. Je ne voyais pas ces mains, mais j'entendais les tons aigus des voix et il me semblait que c'étaient des enfants, un cortège gai d'enfants... Soudain, sur mon visage, une main s'est posée. Et une voix : « Vous êtes si bon, monsieur Kostka... » Je n'avais pas rouvert les yeux. Je n'avais pas bougé la main. Je voyais toujours les voix de petits oiseaux changées en farandole de lampions, j'entendais toujours tintinnabuler les pommiers. Plus faible, la voix achevait : « Je vous aime... »

Peut-être aurais-je dû attendre cet instant, et puis m'en aller très vite, puisque ma tâche était remplie. Mais avant de comprendre quoi que ce soit, la faiblesse me paralysa. Nous étions tout seuls dans ce paysage ouvert, au milieu des pauvres pommiers ; j'embrassai Lucie et m'étendis avec elle dans le lit de la nature.

17

Il est arrivé ce qui n'aurait pas dû arriver. Quand, au travers de son sourire, j'avais vu l'âme apaisée de Lucie, j'étais au but et je n'avais qu'à partir. Mais je ne l'ai pas fait. Et après ce fut mauvais. Nous continuions à vivre dans la même ferme. Lucie s'épanouissait, ressemblait au printemps qui, autour de nous, lentement, tournait à l'été. Mais moi, au lieu d'être heureux, je m'affolais de ce grand printemps féminin à mon côté, que j'avais moi-même mis en marche et qui maintenant m'ouvrait toutes ses corolles dont je savais qu'elles n'étaient pas à moi, qu'elles ne devaient pas être à moi. J'avais, à Prague, mon fils et ma femme impatiente de mes rares visites à la maison.

J'avais peur de briser ce commencement d'intimités, ce qui eût meurtri Lucie, mais je n'osais les développer, puisqu'il m'était clair que je n'y avais nul droit. Je désirais Lucie et, en même temps, je craignais son amour parce que je ne voyais pas qu'en faire. Je n'avais maintenu le naturel de nos conversations d'avant qu'au prix d'un effort extraordinaire. Mes doutes s'interposèrent entre nous. J'avais le sentiment que mon aide spirituelle à Lucie était maintenant démasquée. Qu'en fait, je l'avais voulue physiquement dès la minute où elle m'était apparue. Que j'avais agi comme un séducteur déguisé en prêtre consolateur. Que tous ces beaux sermons sur Jésus et Dieu n'avaient fait qu'habiller les appétits les plus bassement charnels. Il me semblait qu'en donnant libre cours à ma sexualité, j'avais souillé la pureté de mon dessein premier et tout à fait démérité auprès de Dieu.

Mais à peine arrivée à cette idée, ma réflexion pivotait sur elle-même : quelle outrecuidance, me morigénais-je, quelle prétention vaniteuse de vouloir paraître méritoire, vouloir plaire à Dieu ! Que signifient les mérites humains face à Lui ? Rien, rien, rien. Lucie m'aime et sa santé est suspendue à mon amour ! Dois-je la rejeter dans la désespérance, par unique souci de ma propre pureté ? Ne vais-je pas, par là même, m'attirer le mépris de Dieu ? Et si ma passion est péché, qu'est-ce qui est le plus important, la vie de Lucie ou mon innocence ? Ce sera tout de même *mon* péché, *moi* seul le porterai, ce péché-là ne perdra que moi-même !

Au milieu de ces réflexions et doutes, un coup imprévu vint du dehors. Les instances centrales avaient fabriqué une accusation politique à l'encontre de mon directeur. Comme il se défendait bec et ongles, on lui reprocha en outre de s'entourer d'éléments suspects. Je figurais parmi ceux-ci : chassé de l'Université en raison de ses opinions hostiles à l'État, clérical. Le directeur s'était vainement attaché à prouver que je n'étais pas un clérical et qu'on ne m'avait pas chassé de l'Université. Plus il parlait en ma faveur, plus il démontrait notre connivence et plus il aggravait son cas. Pour moi, c'était devenu intenable.

Injustice, Ludvik ? Oui, tel est bien le mot que vous prononcez le plus souvent, écoutant cette affaire ou d'autres pareilles. Mais moi, je ne sais pas ce qu'est l'injustice. S'il n'y avait rien au-dessus des choses humaines et si les actes n'avaient d'autre portée que celle que leurs auteurs leur attribuent, la notion d'injustice serait légitime, et moi-même habilité à m'en servir, m'étant vu chassé d'une ferme d'État où j'avais travaillé avec ardeur. Peut-être même eût-il été logique de tenter une parade contre cette injustice et de me battre furieusement pour mes petits droits de l'homme.

Mais il se trouve d'ordinaire que les événements comportent un autre sens que dans l'esprit de leurs aveugles auteurs ; ils ne sont souvent que des instructions déguisées, venues d'en haut, et les gens qui les ont laissé s'accomplir ne sont rien de plus que les messagers à leur insu d'une volonté suprême qu'ils ne soupçonnent même pas.

J'en étais convaincu, c'était ce qui venait de se passer. Aussi ai-je accueilli les événements à la ferme comme un soulagement. J'y ai reconnu une directive claire : Éloigne-toi de Lucie avant qu'il ne soit trop tard. Ta mission est remplie. Ses fruits ne t'appartiennent pas. Ta route passe ailleurs.

Donc, j'ai agi comme à la faculté des Sciences, deux ans plus tôt. A Lucie en pleurs, désespérée, j'ai fait mes adieux et je suis allé au-devant de la catastrophe apparente. J'ai proposé moi-même d'abandonner la ferme d'État. Le directeur, il est vrai, a protesté mais je savais qu'il le faisait par politesse et qu'en son for intérieur il était soulagé.

Seulement, cette fois-ci, le caractère volontaire de ma sortie n'émut personne. Il n'y avait pas ici d'amis communistes d'avant Février qui eussent pavé mon chemin de sortie de bonnes notes et de bons conseils.

Je quittai la ferme en homme qui convenait qu'il n'était plus digne d'effectuer aucun travail tant soit peu important dans cet État. C'est ainsi que je suis devenu ouvrier du bâtiment.

18

C'était un jour d'automne, en 1956. Pour la première fois après cinq ans, je rencontrai Ludvik dans le wagon-restaurant du rapide Prague-Bratislava. Moi, j'allais au chantier de construction d'une usine, dans l'est de la Moravie. Ludvik avait récemment mis fin à son contrat des mines d'Ostrava. A Prague, il venait de déposer une demande pour avoir l'autorisation de terminer ses études. De là, il rentrait chez lui, en Moravie. Pour un peu, on ne se serait pas remis. Nous étant reconnus, nous fûmes surpris par la concordance de nos destins.

Je me rappelle très bien, Ludvik, avec quelle attention vous avez écouté, quand je vous ai raconté mon départ de la faculté, puis les intrigues à la ferme d'État, qui ont fait de moi un maçon. Je vous remercie de cette attention-là. Vous étiez furieux, vous avez parlé d'injustice, d'imbécillité. Vous vous êtes même fâché contre moi : vous m'avez reproché de ne pas m'être défendu, d'avoir capitulé. Il ne faut jamais et nulle part, disiez-vous, partir de son plein gré. Notre adversaire doit être contraint de recourir au pire ! A quoi bon lui donner bonne conscience ?

Vous mineur, moi maçon. Nos destins assez semblables, et nous deux si différents ! Moi pardonnant, vous irréconciliable, moi pacifique, vous réfractaire. Combien proches extérieurement, combien éloignés l'un de l'autre au fond de nous-mêmes !

Sur cet éloignement intérieur, vous en saviez beaucoup moins que moi. M'expliquant en détail votre exclusion du Parti vous étiez convaincu comme d'une chose on ne peut plus naturelle que j'étais d'accord avec vous, également scandalisé de cette bigoterie des camarades qui vous pénalisaient parce que vous aviez blagué ce qui pour eux était sacré. Y avait-il de quoi se fâcher ? demandiez-vous, sincèrement étonné.

Je vais vous dire quelque chose : à Genève, quand Calvin y faisait la loi, vivait un jeune homme, qui vous ressemblait peut-être, garçon intelligent et blagueur. On mit la main sur ses carnets pleins de quolibets sur le compte de Jésus-Christ et de l'Écriture. Y a-t-il de quoi se fâcher ? se dit sans aucun doute ce garçon qui vous ressemblait tellement. Après tout, il n'avait rien fait de mal, il blaguait, voilà tout. La haine ? il ne la connaissait guère. Il ne connaissait, sans doute, que la moquerie et l'indifférence. Il fut exécuté.

Ah, n'allez pas me croire partisan d'une telle cruauté ! Je veux simplement dire qu'aucun grand mouvement qui veut transformer le monde ne tolère le sarcasme ou la moquerie, parce que c'est une rouille qui corrode tout.

Examinez seulement votre propre attitude, Ludvik. Ils vous ont exclu du Parti, chassé de la faculté, incorporé parmi les soldats politiquement dangereux, et envoyé pour deux ou trois ans dans les mines. Et vous ? Vous êtes aigri, convaincu d'une immense injustice. Ce sentiment d'injustice, détermine, aujourd'hui encore, tout votre comportement. Je ne vous comprends pas ! Qu'avez-vous à parler d'injustice ? Ils vous ont expédié parmi les noirs — les ennemis du communisme. Entendu ! Mais était-ce une injustice ? N'était-ce pas plutôt pour vous une grande occasion ? Vous auriez pu agir dans les rangs adverses ! Y a-t-il plus importante et plus haute mission ? Est-ce que Jésus n'envoie pas ses disciples « comme des brebis au milieu des loups » ? « Ce ne sont pas ceux qui sont en bonne santé qui ont besoin de médecin, ce sont ceux qui se portent mal », a dit Jésus. « Je suis venu appeler non les justes, mais les pécheurs... » Seulement, vous ne désiriez pas, vous, aller au milieu des pécheurs et de ceux qui se portent mal !

Vous me direz que ma comparaison est inadéquate. Que Jésus dépêchait ses disciples « au milieu des loups » avec sa bénédiction, alors que vous avez d'abord été excommunié et déclaré anathème, et seulement ensuite envoyé parmi les ennemis, comme ennemi, parmi les loups, comme loup, parmi les pécheurs, comme pécheur.

Mais, niez-vous vraiment votre péché ? Ne vous sentez-vous aucune culpabilité à l'égard de votre communauté ? D'où vous vient cet orgueil ? L'homme dévoué à sa foi est humble et humblement il doit accepter le châtiment, même injuste. Les humiliés seront élevés. Les repentis seront absous. Ceux à qui on fait tort ont une chance de prouver leur fidélité. Si vous êtes amer envers les vôtres pour l'unique raison qu'ils avaient chargé vos épaules d'un trop lourd fardeau, c'est que votre foi était faible et que vous n'êtes pas sorti vainqueur de l'épreuve imposée.

Dans votre litige avec le Parti, je ne suis pas, Ludvik, de votre côté, parce que je sais que les grandes choses sur cette terre ne peuvent être créées qu'avec une communauté d'individus dévoués sans limites qui humblement consacrent leur vie à un dessein supérieur. Vous n'êtes pas, Ludvik, dévoué sans limites. Votre foi est fragile. Comment ne le serait-elle pas quand vous ne vous êtes jamais référé qu'à vous-même et à votre misérable raison !

Je ne suis pas ingrat, Ludvik, je sais ce que vous avez fait pour moi comme pour tant d'autres que le régime actuel a brisés. Grâce à vos relations, qui datent de l'avant-Février, avec des communistes considérables, fort aussi de votre situation d'à présent, vous ne ménagez guère les démarches, vous intervenez, vous accourez à l'aide. Vous m'en voyez votre ami. Mais, que je vous le dise pour la dernière fois : regardez au fond de votre âme ! Le motif profond de vos bontés n'est pas l'amour, c'est la haine ! La haine pour ceux qui vous ont nui autrefois, en levant leur main dans la grande salle ! Ignorant Dieu, votre âme ignore le pardon. Vous désirez la revanche. Vous identifiez ceux qui vous ont fait du mal jadis à ceux qui font le mal aux autres aujourd'hui, et vous vous vengez. Oui, vous vous vengez ! Vous êtes plein de haine, même si vous aidez les gens ! Je le sens. Je le sens dans chacun de vos mots. Mais que produit la haine, sinon la haine en revanche et une chaîne de revanches ? Vous vivez en enfer, Ludvik, je vous le répète, en enfer, et j'ai pitié de vous.

19

Si Ludvik entendait mon soliloque, il pourrait se dire que je suis ingrat. Je sais qu'il m'a beaucoup aidé. Quand, en cinquante-six, nous nous sommes rencontrés dans le train, il était peiné par mon destin et il avait aussitôt commencé à chercher le métier qui me conviendrait, dans lequel je pourrais donner ma mesure. Sa promptitude, son efficacité me surprirent. Dans sa ville natale, il parla à un de ses copains. Il prétendait me faire enseigner les sciences naturelles au lycée. C'était bien hardi. En un temps où la propagande antireligieuse battait son plein, prendre un croyant comme professeur à l'école secondaire était presque impossible. Tel fut d'ailleurs l'avis du copain, qui trouva autre chose : le service de virologie de l'hôpital où, depuis huit ans maintenant, je cultive germes et bactéries sur des souris et des lapins.

C'est comme ça. Sans Ludvik, je n'habiterais pas ici et Lucie non plus.

Elle s'était mariée quelques années après que j'eus quitté la ferme. Elle n'avait pas pu y rester, son mari étant à la recherche d'un emploi urbain. Comme ils se demandaient où ils iraient se fixer, elle finit par obtenir qu'ils déménageraient dans la ville où je résidais.

De ma vie je n'ai reçu plus beau cadeau, récompense plus précieuse. Ma brebis, ma colombe, l'enfant à qui j'avais rendu la santé, que j'avais nourrie de mon âme, elle revient vers moi. Elle ne me réclame rien.

Elle a son époux. Mais elle se veut proche de moi. Elle a besoin de moi. Elle a besoin de m'entendre de loin en loin. Me voir à la messe du dimanche. Me rencontrer dans la rue. J'étais heureux et j'ai senti à ce moment que je n'étais plus jeune, que j'étais plus vieux que je n'imaginais, et qu'il se pouvait que Lucie fût la seule œuvre de ma vie.

Que c'est peu, Ludvik ? Non. C'est assez et je suis heureux. Je suis heureux. Je suis heureux...

20

Ah, ce que je peux me berner ! M'endurcir comme un maniaque dans la certitude que ma voie est la bonne ! Me vanter du pouvoir de ma foi devant un incroyant !

Oui, j'ai réussi à amener Lucie à la croyance en Dieu. Je suis parvenu à la tranquilliser, à la guérir. Je l'ai débarrassée de son horreur des choses de la chair. Finalement je me suis écarté de ses pas. Oui, mais que lui ai-je ainsi procuré ?

Son ménage n'a pas bien marché. Son mari est grossier, il la trompe aux yeux de tout le monde, et on raconte qu'il la brutalise. Lucie ne me l'a jamais avoué. Elle savait le chagrin que j'en aurais eu. Elle s'efforçait de me montrer une image heureuse de sa vie. Mais dans une petite ville, on ne peut rien cacher.

Ah, ce que je peux me berner ! J'avais interprété les machinations politiques contre le directeur de la ferme d'État comme un appel chiffré de Dieu pour que je parte. Mais entre tant de voix, comment reconnaître celle de Dieu ? Et si la voix alors captée n'était que la voix de ma lâcheté ?

Car j'avais à Prague femme et enfant. Ils comptaient peu pour moi, mais je n'avais pas été capable de rompre. Je redoutais une situation insoluble. L'amour de Lucie m'apeurait. Je ne savais qu'en faire. Je m'effrayais des complications qu'il amènerait.

Je me faisais la tête de l'ange qui lui apportait le

salut et, en vérité, je n'étais qu'un suborneur de plus. Après l'avoir aimée une seule et unique fois, je m'étais détourné d'elle. J'affectais de lui apporter le pardon alors qu'elle seule avait à me pardonner. Elle avait pleuré de désolation lors de mon départ et cependant, après quelques années, elle s'installa ici, pour moi. Elle causait avec moi. S'adressait à moi comme à un ami. Elle me pardonna. D'ailleurs tout est clair. Cela ne m'était pas arrivé souvent dans mon existence, mais cette jeune fille m'aimait. Je tenais sa vie entre mes mains. Son bonheur dépendait de moi. Et je m'étais évadé. Nul n'a jamais été aussi coupable à son égard.

Subitement, l'idée me vient que j'invoque de prétendus appels divins comme simples prétextes pour me dérober à mes obligations humaines. Les femmes me font peur. Je crains leur chaleur. J'ai peur de leur présence continuelle. La perspective de vivre avec Lucie m'a effrayé, tout comme m'effraie l'idée de partager durablement le deux-pièces de l'institutrice de la ville voisine.

Et pourquoi, en fait, il y a quinze ans, suis-je parti volontairement de l'Université ? Je n'aimais pas ma femme, de six ans plus vieille que moi. Je ne pouvais plus supporter sa voix, ni ses traits, ni le tic-tac régulier de la pendule domestique. Je n'étais plus en état de vivre plus longtemps avec elle et il m'était non moins impossible de la poignarder d'un divorce parce qu'elle était bonne et n'avait jamais démérité de moi. Alors j'ai entendu tout d'un coup la voix salvatrice de l'appel sublime. J'ai entendu Jésus qui m'exhortait à quitter mes filets.

Ô Seigneur, est-ce vraiment cela ? Suis-je si minablement ridicule ? Dis que cela n'est pas ! Donne-m'en l'assurance ! Fais-toi entendre, mon Dieu, plus fort, plus fort ! Dans ce tohu-bohu de voix brouillées, je ne t'entends pas du tout !

SEPTIÈME PARTIE

LUDVIK-HELENA-JAROSLAV

1

Rentré de chez Kostka à mon hôtel tard dans la soirée, j'étais décidé à partir pour Prague le lendemain à la première heure, n'ayant plus rien à faire ici : ma trompeuse mission dans ma ville natale était terminée. Par malchance, le méli-mélo qui tourbillonnait dans ma tête était tel que je m'étais agité sur mon lit (grinçant) un grand bout de la nuit sans pouvoir fermer l'œil ; quand j'avais cru enfin dormir, j'avais maintes fois tressailli, le vrai sommeil ayant tardé jusqu'à l'aube. Ainsi, je m'étais réveillé trop tard, vers les neuf heures, les cars et les trains du matin étaient partis et il fallait attendre deux heures de l'après-midi pour la prochaine liaison avec Prague. Cette constatation n'était pas loin de me désespérer : je me voyais comme un naufragé, et je ressentis une brusque et vive nostalgie de Prague, de mon service, de ma table de travail chez moi, de mes livres. Mais il n'y avait rien à faire ; je devais serrer les dents et descendre à la salle à manger.

Je m'y glissai avec circonspection, craignant la possible présence d'Helena en ce lieu. Mais elle n'y était pas (sans doute, magnétophone en bandoulière, courait-elle déjà par le village voisin, embêtant les passants avec son micro et ses questions) ; en revanche, la salle craquait d'une bruyante clientèle attablée et fumant devant ses chopes, ses cafés noirs et ses cognacs. Hélas, ce matin non plus ma ville natale ne me ferait pas la grâce d'un petit déjeuner correct !

J'avais gagné le trottoir ; ciel bleu, petits nuages déchirés, première lourdeur de l'air, légère poussière en suspension, rue qui débouche sur la grand-place avec son beffroi (oui, celui qui ressemblait à un reître sous son heaume), tout ce décor m'enveloppa dans son haleine de tristesse aride. De loin, on percevait le cri aviné d'une traînante chanson morave (où me semblaient ensorcelées la nostalgie, la plaine et les longues chevauchées des uhlans enrôlés de force) et dans ma pensée émergea Lucie, cette histoire depuis longtemps révolue, qui ressemblait maintenant à cette chanson traînante et apostrophait mon cœur que traversaient (comme si elles traversaient la plaine) tant de femmes, sans rien laisser derrière elles, de même que la poussière en suspension ne laisse aucune trace sur cette plate esplanade, se dépose entre les pavés, puis s'envole plus loin sous un souffle de vent.

Je marchais sur ces pavés poussiéreux et je sentais la lourde légèreté du vide qui pesait sur ma vie : Lucie, la déesse des brumes, m'avait jadis privé d'elle-même, hier, elle avait métamorphosé en néant ma vengeance exactement préméditée, et, sitôt après, elle a changé jusqu'au souvenir d'elle-même en je ne sais quelle dérision navrante, je ne sais quel leurre grotesque, puisque les révélations de Kostka attestaient que durant toutes ces années je me suis souvenu d'une autre femme, vu qu'en fait je n'avais jamais su qui était Lucie.

Depuis toujours j'aimais me répéter que Lucie m'était une espèce d'abstraction, une légende et un mythe, mais j'entrevoyais à présent, derrière la poésie de ces mots, une vérité sans poésie : je ne connaissais pas Lucie ; je ne savais pas qui elle était réellement, qui elle était en elle-même et pour elle. Je n'avais perçu (dans mon égocentrisme juvénile) que les côtés de son être tournés directement vers moi (vers ma solitude, ma servitude, vers mon désir de tendresse et d'affection) ; elle n'avait été pour moi que fonction de la situation que j'avais vécue ; tout ce qui en elle dépassait cette situation concrète de ma vie, tout ce qu'elle était en soi, m'échappait. Mais à supposer qu'elle n'ait été vraiment pour moi que fonction d'une situation, il était logique que dès que cette situation s'était transformée (dès qu'une autre situation lui avait succédé, dès que j'avais vieilli et changé), *ma Lucie* elle aussi ait disparu, puisqu'elle n'était plus que ce qui d'elle m'échappait, ce qui ne me concernait pas, ce qui en elle me dépassait. De même était-il tout à fait logique qu'après quinze ans je ne l'aie pas du tout reconnue. Depuis longtemps elle était pour moi (et je ne l'avais jamais considérée autrement que « pour moi ») quelqu'un d'autre, une inconnue.

La dépêche de ma défaite m'avait cherché pendant quinze années et m'avait atteint. Kostka (que je n'avais jamais écouté que d'une oreille) signifiait pour elle davantage, faisait davantage pour elle, la connaissait plus que moi, et il avait su *mieux* (plus, certainement pas, car la force de mon amour à moi avait touché au paroxysme) l'aimer : à lui, elle avait tout confié — à moi, rien ; il l'avait rendue heureuse — moi, malheureuse ; il avait connu son corps — moi, jamais. Et pourtant, pour obtenir alors ce corps désespérément désiré, il aurait suffi d'une chose si simple : la comprendre, s'orienter en elle, l'aimer non pas seulement pour cette partie de sa personnalité qui s'adressait à moi, mais aussi pour tout ce qui ne me concernait pas directement, pour ce qu'elle était en elle-même et pour elle. Moi je ne le savais pas et ainsi je nous avais fait mal à tous deux. Une vague de colère contre moi-même m'inonda, colère contre mon âge d'alors, contre le stupide *âge lyrique* où l'on est à ses propres yeux une trop grande énigme pour pouvoir s'intéresser aux énigmes qui sont en dehors de soi et où les autres (fussent-ils les plus chers) ne sont que miroirs mobiles dans lesquels on retrouve étonné l'image de son propre sentiment, son propre trouble, sa propre valeur. Oui, pendant ces quinze ans-là, j'ai pensé à Lucie seulement comme au miroir qui garde mon image d'autrefois !

Tout d'un coup je revis la chambre nue, avec un seul lit, éclairée par le réverbère à travers le carreau malpropre, je revis le refus sauvage de Lucie. Tout cela rappelait une mauvaise plaisanterie : je la pensais vierge et elle se défendait précisément parce qu'elle ne l'était plus et craignait, sans doute, que je ne découvre la vérité. A moins que sa défense n'admît une autre explication (répondant à la façon dont Kostka voyait Lucie) : ses premières expériences sexuelles l'avaient profondément marquée et avaient à ses yeux dépouillé l'acte d'amour des significations que la plupart des gens lui prêtent ; elles avaient vidé l'acte d'amour de toute tendresse, de tout sentiment d'amour ; pour Lucie, le corps était hideux, et l'amour incorporel ; entre l'âme et le corps, une guerre silencieuse et têtue s'était installée.

Cette exégèse (combien mélodramatique, mais tellement plausible), me remémorait le navrant discord (j'en avais vécu maintes variantes) de l'âme et du corps, et me rappela (car le triste, ici, sans cesse se mêlait au ridicule) une aventure dont j'avais assez ri autrefois : une bonne amie, femme de mœurs fort souples (dont j'avais souvent usé), s'était fiancée avec un certain physicien, bien résolue, cette fois, à vivre enfin *l'amour* ; mais, pour le ressentir comme un amour *véritable* (distinct des douzaines de liaisons qu'elle avait traversées), elle avait interdit au fiancé les rapports intimes jusqu'à leur nuit de noces, elle se promenait avec lui dans les allées vespérales, elle lui pressait la main, elle échangeait des baisers aux lanternes, et permettait ainsi à son âme (délivrée du poids du corps) de planer haut dans les nues et de succomber aux vertiges. Un mois après le mariage, elle divorça et se plaignit amèrement de ce que son mari avait déçu son grand sentiment, s'était montré amant médiocre et presque impuissant.

Lointain, interminable, le long cri aviné de la chanson morave se confondait avec l'arrière-goût grotesque de cette histoire, avec le vide poussiéreux de la ville, et avec ma tristesse qu'aigrissait encore ma faim. Après tout, je me trouvais à deux pas du milk-bar ; je secouai la poignée, mais c'était fermé. Un citoyen qui passait me lança : « Ouais, aujourd'hui, toute la boutique est à la fête ! — La Chevauchée des Rois ? — Ben ! Ils ont leur stand là-bas. »

Je lâchai un juron, mais dus me résigner ; je m'engageai en direction de la chanson. Vers cette kermesse du folklore que j'avais fuie comme la peste, mes crampes d'estomac m'entraînaient.

2

Fatigue. Fatigue depuis l'aube. Comme si j'avais bamboché la nuit entière. J'ai pourtant dormi toute la nuit. Seulement, mon sommeil, ce n'est plus que du sommeil écrémé. Je m'empêchais de bâiller en avalant mon petit déjeuner. Là-dessus, les gens ont commencé à arriver. Des copains de Vladimir, et puis toutes sortes de badauds. Un gars de la coopérative a amené dans notre cour un cheval pour Vladimir. Au milieu de tout ce monde, apparut Kalasek, le responsable culturel du Comité national du district. Deux ans que je suis en guerre avec lui. Il s'était mis en noir, il avait l'air solennel, il était avec une élégante. Une Praguoise, journaliste à la radio. Il paraît que je dois les accompagner. La dame veut enregistrer des interviews pour une émission sur la Chevauchée.

Allez au diable ! Je n'ai pas envie de faire le pitre. La journaliste s'enthousiasmait d'avoir fait ma connaissance, et, bien sûr, Kalasek s'est mis aussi de la partie. Il paraît que c'est mon devoir politique d'y aller. Bouffon. Je leur aurais bien tenu tête. Je leur ai dit que c'était mon fils qui faisait le roi, que je voulais être là pendant qu'il allait se préparer. Mais Vlasta m'avait pris en traître. Préparer le fils, c'était son affaire. Moi, je n'avais qu'à m'en aller et parler à la radio.

De guerre lasse, j'ai obéi. La journaliste s'était installée dans un local du Comité national. C'est là qu'elle avait son magnétophone, avec un jeunot qui s'en occupait. Ce qu'elle pouvait travailler de la langue, à se l'user ! En parlant, elle n'arrêtait pas de rire. Puis, le micro sous le nez, elle posa la première question à Kalasek.

Il toussa un petit coup et commença. La pratique des arts populaires faisait partie intégrante de l'éducation communiste. Le Comité national du district en était pleinement conscient. C'est pourquoi il soutenait pleinement. Il leur souhaitait plein succès et partageait pleinement. Il remerciait tous ceux qui avaient participé. Ces organisateurs enthousiastes et cette enthousiaste jeunesse scolaire qui, pleinement.

Fatigue, fatigue. Les mêmes, sempiternelles phrases. Entendre depuis quinze ans toujours les mêmes sempiternelles phrases. Et les entendre de la bouche d'un Kalasek, qui se fout éperdument de l'art populaire. L'art populaire, pour lui, c'est un moyen. Qui lui permet de se vanter d'une nouvelle action. D'accomplir une directive. D'insister sur ses mérites. Il n'a pas bougé un doigt pour la Chevauchée des Rois, lésinant sur notre dos jusqu'au dernier sou. Malgré ça, la Chevauchée sera portée à son actif à lui. C'est lui qui règne sur la culture au niveau du district. Un ancien garçon de magasin qui ne distingue pas un violon d'une guitare.

La journaliste avait ramené son micro devant ses lèvres. Si j'étais, cette année, satisfait de la Chevauchée ? J'ai failli lui rire au nez : la Chevauchée des Rois n'avait pas encore pris le départ ! Mais c'est elle qui a ri : un folkloriste aussi chevronné que moi devait sûrement savoir ce que ça allait donner. C'est vrai qu'eux sont comme ça, ils savent tout d'avance. Le déroulement des choses à venir leur est déjà connu. L'avenir a déjà eu lieu et, pour eux, il ne fera que se répéter.

J'avais envie de lui déballer tout ce que j'avais sur le cœur. Que la Chevauchée ne vaudrait pas celle des autres années. Que l'art populaire perdait de plus en plus de ses partisans. Que les autorités le laissaient tomber. Que cet art-là était quasiment mort. Qu'il ne fallait pas se leurrer parce qu'on entendait constamment à la radio un semblant de musique populaire. Toutes ces formations d'instruments populaires, ces ensembles de chants et de danses populaires, c'était plutôt de l'opéra, ou de l'opérette, de la musique à passer le temps, mais fichtre pas de l'art populaire. Un orchestre d'instruments populaires avec chef, partitions et pupitres ! Presque une orchestration symphonique ! Quel abâtardissement ! Ce que vous servent, madame la journaliste, les formations et les ensembles, c'est tout simplement la vieille pensée musicale romantique avec les emprunts à la mélodie populaire ! Le véritable art du peuple est mort, chère madame, il est mort.

J'aurais voulu dégorger ça d'un coup dans le micro, mais j'ai dit autre chose. La Chevauchée des Rois était de toute beauté. La vigueur de l'art populaire. Le festival des couleurs. Je partageais pleinement. Je remerciais de tous les concours. L'enthousiasme des animateurs et des enfants des écoles, qui, pleinement.

J'avais honte de parler comme eux voulaient que je parle. Je suis si lâche que ça ? Ou si discipliné ? Ou bien si fatigué ?

J'étais bien content d'avoir fini mon topo et de

pouvoir me tirer. J'avais hâte d'être chez moi. Dans la cour, une armée de badauds et d'auxiliaires de tout poil s'agitait, nœuds et flots de rubans à la main, autour du cheval. J'entendais assister à l'habillage de Vladimir. Je pénétrai dans la maison, mais la porte de la salle de séjour, où on était en train de le costumer, était fermée à clé. Je cognai et j'appelai. Ce fut Vlasta qui me répondit de l'intérieur. Tu n'as rien à faire ici, le roi passe ses vêtements. Nom de Dieu, dis-je, pourquoi est-ce que je ne pourrais pas en être ? C'est contre la tradition, répliqua la voix de Vlasta. Je ne voyais pas en quoi la présence paternelle à l'habillage du roi contrevenait à la tradition, mais je ne tentai pas de la dissuader. Il me plaisait de les savoir captivés par mon univers. Mon univers pauvre et orphelin.

Et donc je retournai dans la cour, bavarder avec ceux qui décoraient le cheval. C'était une lourde bête de trait prêtée par la coopérative. Patiente et de tout repos.

Puis j'entendis un brouhaha dans la rue, à travers la porte cochère. Peu après, on appela et on tambourina. Mon heure était venue. J'étais tout remué. J'ouvris la porte et je sortis. La Chevauchée des Rois était là, rangée devant chez nous. Chevaux chamarrés, enrubannés. Montés par des jeunes aux éclatants costumes traditionnels. Comme il y a vingt ans. Comme il y a vingt ans, quand ils étaient venus me chercher. Quand ils étaient venus prier mon père de leur donner son fils pour roi.

En tête du cortège, tout contre notre porte, les deux écuyers se tenaient en selle, déguisés en femmes, sabre au poing. Ils attendaient Vladimir pour l'accompagner et veiller sur lui jusqu'au soir. Un cavalier quitta la colonne, arrêta sa monture et déclama :

> « *Holà, holà ! Oyez tous !*
> *Gentil papa, souffrez qu'en grand arroi*
> *nous emmenions votre fils comme roi !* »

Il promit qu'ils feraient bonne garde sur leur roi. Qu'ils lui feraient traverser sans dam les forces hostiles. Qu'ils ne le laisseraient pas entre les mains des ennemis. Qu'ils étaient prêts à en découdre. Holà, holà.

Je tournai la tête : déjà, dans la pénombre de notre porte cochère, se détachait sur son cheval enrubanné une silhouette aux traditionnels atours féminins, manches bouffantes, des rubans de couleur tombant devant son visage. Le roi. Vladimir. Subitement, j'oubliai ma fatigue et ma contrariété et je me sentis bien. Le vieux roi envoie dans le monde un jeune roi. J'étais venu à lui. Tout près du cheval, je me haussai sur la pointe des pieds, lèvres tendues vers son visage masqué. « Bon voyage, Vladimir », lui soufflai-je. Il ne répondit pas. Il ne bougea pas. Et Vlasta me dit en souriant : Il n'a pas le droit de te répondre. Toute la journée durant, il ne faut pas qu'il dise un mot.

3

Moins d'un quart d'heure me suffit pour gagner le village (au temps de mon adolescence il était séparé de la ville par des champs ; aujourd'hui il forme avec elle un seul ensemble) ; la chanson qu'un moment avant j'entendais encore dans la ville retentissait maintenant avec force dans les haut-parleurs fixés aux façades ou sur les poteaux électriques (dupe éternelle que je suis : il y a un moment, je me suis laissé attrister par la nostalgie et l'ivresse supposée de cette voix lointaine et ce n'était qu'une voix reproduite qu'on devait à une installation technique et à une paire de disques rayés !) ; à l'entrée du village, on avait dressé un arc de triomphe barré d'une large banderole avec, en lettres ornementales, l'inscription : BIENVENUE A TOUS ; par ici, les attroupements grossissaient, gens pour la plupart en tenue de ville avec, tout de même, trois, quatre vieux qui avaient sorti leurs costumes régionaux : bottes à la hussarde, culotte de lin blanc et chemise à motifs brodés. Puis, la rue s'élargissait en longue place villageoise : entre la chaussée et l'alignement des maisons basses s'étendait un espace herbu avec quelques jeunes arbres et quelques stands (pour la fête d'aujourd'hui) où l'on vendait bière, limonade, cacahuètes, chocolat, pains d'épice, saucisses à la moutarde et gaufres ; le milk-bar municipal avait lui aussi son kiosque : lait, fromages, beurre, yaourt et crème aigre ; bien qu'aucun stand ne proposât de l'alcool, presque tout le monde me parut soûl ; on se bousculait, on se pressait aux éventaires, on badaudait ; de temps à autre, un bras se levait dans un geste démesuré, quelqu'un commençait de chanter, mais ce n'était chaque fois qu'un faux départ, deux ou trois mesures de chanson aussitôt englouties dans le vacarme ambiant, lui-même dominé par le disque du haut-parleur. Déjà traînaient partout sur le sol de la place (quoique la fête eût à peine commencé) des gobelets à bière en carton et des papiers souillés de moutarde.

Avec son relent d'antialcoolisme, le stand aux produits lactés décourageait le public ; ayant obtenu, presque sans attendre, un gobelet de lait et un croissant, j'avais fait quelques pas à l'écart des coups de coude pour déguster mon lait à petites gorgées. A ce moment une clameur s'éleva à l'autre bout de la place : la Chevauchée des Rois débouchait.

Petits feutres noirs à calotte ronde et plume de coq, amples manches à plis des chemises blanches, courts boléros bleus à pompons de laine rouge, serpentins de papier pendus au harnachement des montures emplissaient la place ; dans le bourdonnement des voix humaines et la chanson du haut-parleur, de nouveaux sons s'intercalèrent : hennissement des chevaux et appels des cavaliers :

> « *Holà, holà ! Oyez tous,*
> *gens du val et de la côte,*
> *ce qu'il advint ce dimanche de Pentecôte.*
> *Nous avons un roi besogneux,*
> *mais d'autant plus vertueux,*

on lui a volé mille chiens
de son château où il n'avait rien... »

Pour l'oreille et les yeux, une image confuse était née, où chaque élément jurait à l'envi : folklore des haut-parleurs contre folklore à cheval ; couleurs des costumes et des chevaux contre le brun et le gris des vêtements mal coupés des spectateurs ; spontanéité laborieuse des cavaliers contre affairement laborieux des hommes avec brassard rouge qui, courant entre les chevaux et le public, s'échinaient à maintenir la pagaille dans les bornes du raisonnable, tâche rien moins qu'aisée, non seulement à cause de l'indiscipline des badauds (par bonheur assez peu nombreux), mais surtout parce qu'on n'avait pas interdit la circulation dans la rue ; postés en tête et en queue du cortège, les hommes au brassard rouge faisaient signe aux autos de ralentir ; ainsi, parmi les chevaux, s'empêtraient voitures de tourisme, poids lourds et motos pétaradantes qui énervaient les montures et déconcertaient les cavaliers.

A vrai dire, dans mon entêtement à bouder cette fête folklorique (celle-ci comme n'importe laquelle), j'avais craint autre chose que ce que je voyais : je m'étais attendu au mauvais goût, au mélange d'art populaire authentique et de poncifs, aux harangues inaugurales d'orateurs stupides, oui, je m'étais attendu au pire, à la pompe et au tape-à-l'œil, mais je ne m'attendais pas à ce qui, depuis le début, marquait cette festivité, à cette triste et émouvante *pauvreté* ; elle était comme collée à tout : à ce maigre ramassis de stands forains, à ce public clairsemé mais parfaitement désordonné et distrait, à ce conflit entre la circulation automobile et la fête anachronique, à ces chevaux qui ruaient pour un rien, à ce haut-parleur tonitruant dont l'inertie mécanique n'en finissait pas de gueuler ses deux couplets, couvrant (avec le raffut des motocyclettes) l'effort des jeunes cavaliers qui, veines du cou gonflées, criaient leurs vers.

Mon lait fini, j'avais jeté le gobelet, et la chevauchée, ayant suffisamment paradé sur la place, entamait sa pérégrination de plusieurs heures à travers le village. Tout cela m'était connu de longue date : la dernière année de la guerre, j'avais moi-même caracolé en qualité d'écuyer (en grand costume de femme et sabre à la main) flanquant Jaroslav qui était le roi. Je n'avais pas envie de me laisser émouvoir par mes souvenirs, pourtant (comme si la pauvreté du spectacle m'avait désarmé) je ne voulais pas non plus me forcer à tourner le dos à ce tableau ; je suivai lentement la troupe à cheval qui tenait maintenant toute la chaussée ; au centre avançait une trinité : le roi qu'encadraient ses deux écuyers, en robe de femme et avec un sabre. Un peu plus à l'écart, les autres cavaliers de l'escorte royale couraient autour d'eux : les soi-disant *ministres*. Le reste s'était partagé en deux files chevauchant le long des deux côtés de la rue ; ici aussi les rôles se trouvaient exactement répartis : il y avait les *porte-bannière* (la hampe de l'étendard était fichée dans la tige de botte, de telle sorte que la frange du tissu rouge flottait à hauteur du flanc de l'animal), il y avait les *hérauts* (récitant en cadence devant chaque maison un texte sur le roi besogneux mais vertueux à qui on avait volé mille chiens de son château où il n'avait rien) et, pour finir, les *quêteurs* (dont tout le rôle consistait à solliciter : « Pour le roi, petite mère, pour le roi ! » en tendant une corbeille d'osier).

4

Je te remercie, Ludvik, seulement huit jours que je te connais et je t'aime comme personne jamais, je t'aime et je te crois, je ne pense à rien et je crois, car quand bien même la raison, le sentiment, l'âme me tromperaient, le corps est sans malice, le corps est plus honnête que l'âme, et mon corps sait qu'il n'avait jamais vécu ce qu'il a vécu hier, luxure, ferveur, cruauté, plaisir, violences, mon corps au grand jamais n'avait rien rêvé de pareil, nos corps hier se sont liés par serment et nos têtes à présent n'ont plus qu'à obéir, huit jours seulement que je te connais, et je te remercie, Ludvik.

Je te remercie aussi parce que tu es venu à la dernière minute, parce que tu m'as sauvée. Le jour était beau ce matin, le ciel bleu, tout plein de bleu en moi, de bonne heure tout marchait à souhait, nous sommes allés enregistrer à la maison des parents la Chevauchée qui vient chercher son Roi, et c'est là qu'il m'a abordée à l'improviste, ça m'a fait un coup, je ne l'attendais pas si tôt de Bratislava et je ne m'attendais pas davantage à tant de cruauté, figure-toi, Ludvik, qu'il a eu la muflerie de s'amener avec elle !

Et moi qui m'imaginais comme une idiote que mon ménage n'était pas définitivement ruiné, qu'il y avait encore moyen de le renflouer, moi idiote qui ai failli te sacrifier à cette union ratée, te refuser cette rencontre ici, moi idiote qui n'étais pas loin de me laisser engluer une fois de plus à sa voix mielleuse quand il m'avait raconté qu'il s'arrêterait pour me prendre à son retour de Bratislava, qu'il avait des masses de choses à me dire en toute sincérité, et au lieu de ça, le voilà qui rapplique accroché à elle, à cette môme, cette souris de vingt-deux ans, treize de moins que moi, quel affront de perdre rien que parce que je suis née plus tôt, de quoi glapir d'impuissance, sauf que ça ne m'était pas permis en l'occurrence, j'ai dû sourire et lui serrer poliment la main, ah Ludvik, merci de m'avoir donné la force.

Tandis qu'elle s'écartait un peu, il a dit qu'on allait pouvoir discuter sincèrement tous les trois, ça serai¹ plus honnête, l'honnêteté, l'honnêteté, je connais son honnêteté, depuis deux ans qu'il me tourne autour avec ce divorce, il sait qu'il ne tirera rien de nos tête-à-tête, alors, ce qu'il escompte, c'est que je perdrai les pédales au nez de cette fille, que je reculerai devant le rôle honteux de l'épouse abusive, que je vais m'effondrer, sangloter, capituler. Je le déteste, avec son coup bas pendant que je suis en reportage, quand j'ai besoin d'être tranquille, il devrait au moins respecter mon travail, un tout petit peu le respecter, mais des années et des années que ça dure comme ça, en rebuffades, en défaites, en humiliations continuelles, mais cette fois-ci je me suis cabrée, je te sentais derrière moi, toi et ton amour, je te sentais encore sur moi et dans moi, et ces beaux cavaliers criants et jubilants comme s'ils criaient qu'il y a toi, qu'il y a la vie, qu'il y a l'avenir, et moi, j'ai senti en moi la fierté que j'ai failli déjà perdre, cette fierté m'a inondée, j'ai réussi un joli rire et je lui ai dit, sans doute n'est-il pas nécessaire pour cela que je vous inflige ma présence jusqu'à Prague, j'ai la voiture de la radio et pour ce qui est de l'arrangement qui te préoccupe, ça peut se régler très vite, il m'est facile de te présenter l'homme avec qui je veux vivre, nous n'aurons aucune peine à nous mettre tous d'accord.

Peut-être que j'ai commis une folie, si c'est le cas, eh bien, tant pis, ça valait certainement cette minute d'orgueil délicieux, du coup son amabilité s'est multipliée par cinq, il était visiblement satisfait, mais il avait peur que je n'aie parlé en l'air, il m'a fait répéter et, à la fin, je lui ai dit ton prénom et ton nom, Ludvik Jahn, Ludvik Jahn, et, à la fin, j'ai dit expressément, n'aie pas peur, tu as ma parole quant à notre divorce, j'ai fini de te mettre des bâtons dans les roues, ne t'inquiète pas, je ne veux plus de toi, même si toi tu me voulais. A cela, il a dit que nous resterions sûrement bons amis, j'ai souri et je lui ai répondu que je n'en doutais pas.

5

Lorsque je jouais encore de la clarinette, au temps ancien où je faisais partie de l'orchestre, nous nous creusions les méninges pour essayer de comprendre la signification de la Chevauchée des Rois. Quand le roi Mathias, vaincu, a fui la Bohême pour regagner sa Hongrie, il aurait été contraint de se cacher devant ses poursuivants tchèques, lui et sa cavalerie, dans ce coin de Moravie où ils n'auraient survécu qu'en mendiant leur pain. La tradition voulait que la Chevauchée conservât le souvenir de ce fait historique, du XVe siè-cle, mais une rapide consultation des anciens docu-ments avait suffi à révéler que cette coutume remontait fort au-delà de la mésaventure du souverain magyar. Quelle en est donc l'origine et que peut-elle vouloir dire ? Daterait-elle du paganisme, réminiscence des cérémonies au cours desquelles les adolescents accé-daient à la condition adulte ? Et pour quelle raison le roi et ses écuyers sont-ils habillés en femmes ? Est-ce le rappel du subterfuge grâce auquel un parti d'hommes d'armes (ceux de Mathias ou d'autres à une époque antérieure) avait fait passer son chef, ainsi déguisé, à travers un territoire ennemi ? Ou bien survivance de l'antique croyance païenne à la vertu protectrice du travesti contre les génies malfaisants ? Et pourquoi le roi est-il, d'un bout à l'autre, astreint au mutisme ? Et pourquoi dit-on Chevauchée des Rois, quoiqu'il n'y ait qu'un roi ? Que signifie tout cela ? On ne sait pas. Les hypothèses ne manquent pas, et aucune n'est attestée. La Chevauchée des Rois est un rite mystérieux ; nul n'en sait le sens ou le message, mais, de même que les hiéroglyphes de l'Égypte ancienne sont plus beaux pour ceux qui ne savent pas les lire (et ne les perçoivent qu'en tant que dessins fantastiques), il se peut que la Chevauchée des Rois soit si belle parce que le contenu de sa communication est perdu depuis longtemps et que ressortent d'autant plus les gestes, les couleurs, les mots, attirant l'attention sur eux-mêmes, sur leur aspect, sur leur forme.

Aussi ma prime défiance devant le départ confus de ce cortège était-elle tombée, à ma surprise, et j'étais brusquement pris par l'image de cette troupe à cheval qui avançait lentement de maison en maison ; au surplus, les haut-parleurs qui, encore à l'instant, diffusaient la voix stridente d'une chanteuse s'étaient tus et on n'entendait plus (à part le grondement des véhicules que, depuis longtemps, j'avais l'habitude de soustraire de mes impressions acoustiques) que l'étrange musique des appels.

J'avais envie de rester là, de fermer les yeux et d'écouter seulement : au cœur de ce village de Moravie, j'avais conscience d'entendre des *vers*, des vers au sens le plus primitif de ce mot, tels que jamais ni radio, ni téléviseur, ni plateau dramatique ne m'en apporteraient, des vers comme solennel appel rythmique aux confins du parler et du chant, des vers qui captivaient l'auditeur par la seule force de leur mètre, comme avaient sans doute captivé leurs auditeurs les vers prononcés aux amphithéâtres antiques. C'était une musique sublime et *polyphonique* : chacun des hérauts récitait sur un ton monocorde, mais à une hauteur différente, en sorte qu'involontairement les voix s'associaient en accord ; en outre, les appels des hérauts n'étaient pas simultanés, chacun lançait ses vers à un autre moment, près d'une autre maison, si bien que les voix, s'égrenant de part et d'autre, composaient un canon à plusieurs voix ; l'une terminait, une deuxième était au milieu, sur laquelle déjà se greffait une troisième à une autre hauteur.

La Chevauchée des Rois suivit longtemps la grand-rue (effarouchée sans cesse par les voitures qui passaient), puis, à un carrefour, elle se divisa : l'aile droite continua son parcours rectiligne, celle de gauche bifurqua dans une ruelle, tout de suite attirée par une maisonnette jaune à clôture basse et jardinet tapissé de fleurs multicolores. Le héraut était en veine d'improvisations facétieuses : la maisonnette pouvait se vanter de sa jolie *fontaine* et la maîtresse de céans avait pour fils un drôle de *croquemitaine* ; de fait, il y avait une pompe devant l'entrée, et la grosse quadragénaire, sans doute flattée du titre décerné à son fils, riait en donnant un billet au cavalier (quêteur) qui quémandait : « Pour le roi, petite mère, pour le roi ! » Le billet n'avait pas plus tôt disparu dans la corbeille pendue à l'arçon qu'un nouveau héraut survenant criait à la quadragénaire qu'elle était *jeune et belle*, mais qu'il goûterait encore plus volontiers de sa vieille *mirabelle* ; la tête renversée, il fit semblant de boire, une paume en conque appliquée aux lèvres. Tous autour riaient et la quadragénaire, embarrassée et ravie, s'en alla ; elle avait sans doute tout prévu, car elle reparut immédiatement avec une bouteille et un verre et elle donna à boire aux cavaliers.

Tandis qu'ils buvaient et plaisantaient, un peu plus loin, encadré de ses écuyers, le roi se tenait raide en selle, immobile, grave, ainsi qu'il sied peut-être aux rois de se draper dans leur gravité, absent et solitaire au milieu du tumulte de leurs armées. Les chevaux des deux écuyers pressaient de chaque côté la monture royale, ce qui faisait que les trois cavaliers se touchaient presque, botte contre botte (leurs bêtes avaient, au poitrail, un vaste cœur en pain d'épice couvert de menus miroirs et nappé d'un sucre coloré, au front des roses de papier, les crinières tressées de faveurs multicolores). Les trois cavaliers muets étaient revêtus de leur vêtement de femme : jupe large, manches bouffantes empesées, sur la tête une coiffe richement ornementée ; seul le roi portait, au lieu de cette coiffe, un diadème d'argent étincelant d'où pendaient trois longs et larges rubans, un rouge au milieu et les deux autres bleus, qui lui couvraient entièrement le visage et lui donnaient un aspect étrange et pathétique.

Je demeurai en extase devant cette trinité figée ; vingt ans en arrière, j'avais été comme eux assis sur un cheval orné, mais voyant alors *du dedans* la Chevauchée des Rois, je n'avais rien vu. Maintenant seulement je la vois vraiment et ne peux en détourner les yeux : le roi est en selle (à quelques mètres de moi) et ressemble à une statue enveloppée dans un drapeau, étroitement gardée ; et qui sait, me dis-je soudain, peut-être n'est-ce pas un roi mais une reine ; peut-être est-ce la reine Lucie venue se manifester sous son véritable aspect, parce que son *véritable* aspect est justement l'aspect *voilé*.

Et à ce moment, je m'avisai que Kostka, qui unissait en lui entêtement de la réflexion et délire, était un original, de sorte que tout ce qu'il avait raconté était possible mais incertain ; certes, il connaissait Lucie et en savait peut-être long sur elle, pourtant l'essentiel lui avait échappé : ce soldat qui voulait la posséder dans une chambre d'emprunt, chez un mineur, Lucie l'aimait vraiment ; comment aurais-je pu prendre au sérieux l'histoire d'une Lucie cueillant des fleurs à cause d'un vague penchant à la piété quand je me rappelais qu'elle les cueillait pour moi ? Et si elle n'avait pas dit un mot de cela à Kostka, pas plus d'ailleurs que de nos six tendres mois d'amour, c'est que, même devant lui, elle s'était réservé un secret inaccessible, et donc lui non plus ne la connaissait pas ; et alors, il n'était pas sûr que ce fût pour lui qu'elle ait choisi d'habiter dans cette ville ; il se pouvait qu'elle ait échoué ici par hasard, mais il était tout aussi possible que ce fût à cause de moi, puisqu'elle savait que c'était ma ville. Je sentais que le viol originel de Lucie était vrai, mais j'avais des doutes sur les circonstances précises : l'histoire se colorait, par endroits, du regard ensanglanté de quelqu'un que le péché excitait, à d'autres moments d'un bleu si bleu que cela ne pouvait venir que d'un homme accoutumé à la contemplation des cieux ; c'était clair : dans le récit de Kostka la vérité s'unissait à la poésie et ce n'était qu'une légende de plus (peut-être plus proche du vrai, peut-être plus belle ou plus profonde) qui recouvrait la légende ancienne.

Je regardais le roi voilé et j'ai vu Lucie traverser (non reconnue et non reconnaissable) majestueusement (et ironiquement) ma vie. Puis (par une bizarre contrainte externe), mon regard glissa de côté, tombant de plein fouet dans celui d'un homme qui devait me dévisager depuis un certain temps et qui souriait. Il dit : « Salut ! » et, hélas, s'avança vers moi. « Salut », dis-je. Il me tendit la main ; je la pris. Sur quoi, il tourna la tête et appela une jeune fille que je n'avais pas remarquée : « Qu'est-ce qui te retient ? Approche, que je te présente ! » La fille (élancée, gracieuse, chevelure et yeux bruns) m'aborda en disant : « Brozova. » Elle me tendit la main et je répondis : « Enchanté. Moi, c'est Jahn. » Lui, jovial, s'exclama : « Mon vieux, ça en fait des années que je ne t'ai pas vu ! » C'était Zemanek.

6

Fatigue, fatigue. Je n'arrivais pas à m'en débarrasser. Maintenant qu'elle avait son roi, la Chevauchée était partie sur la place, et moi je me contentais de traîner derrière. Je respirais à fond pour surmonter la fatigue. Je m'arrêtais devant les maisons des voisins qui avaient mis le nez dehors et bayaient aux corneilles. J'avais eu tout d'un coup la sensation que mon tour était venu, à moi aussi, de me ranger. Que c'était fini, les idées de voyages et d'aventures. Que j'étais irrémédiablement enfermé dans les deux ou trois rues où je passais ma vie.

Lorsque je parvins sur la place, la Chevauchée déjà s'en éloignait lentement le long de la grand-rue. J'avais voulu clopiner à sa suite, mais tout à coup j'ai vu Ludvik. Il était debout dans l'herbe de l'accotement, ses yeux songeurs fixés sur les gars à cheval. Satané Ludvik ! Qu'il aille au diable ! Jusqu'ici, c'était lui qui m'évitait, eh bien aujourd'hui c'est moi qui ne le verrai pas ! Tournant les talons, j'étais allé vers un banc, sous l'un des pommiers de la place. Comme ça, j'écouterai, bien assis, l'écho amorti des appels des cavaliers.

Et j'étais resté sur le banc, écoutant et regardant. La Chevauchée des Rois s'éloignait peu à peu, piteusement à l'étroit sur les bas-côtés de la chaussée où roulaient, incessantes, voitures et motos. Suivie par quelques badauds. Par quatre pelés et un tondu. Il y a de moins en moins de monde pour voir la Chevauchée des Rois. En revanche, il y a Ludvik. Qu'est-ce qu'il est bien venu faire par ici ? Le diable t'emporte, Ludvik. C'est trop tard maintenant. Trop tard maintenant pour tout. Tu es venu comme un mauvais signe. Un signe noir. Et justement, quand c'est mon Vladimir qui est roi !

Je détournai les yeux. Sur la place du village, on ne comptait qu'une douzaine d'attardés, autour des stands, devant l'entrée du bistrot. Presque tous soûls. Les poivrots sont les plus fidèles défenseurs des programmes folkloriques. Leurs ultimes défenseurs. Une fois de temps en temps, ça leur fait une raison distinguée de boire un coup.

Un petit vieillard, le grand-père Pechacek, s'était assis à côté de moi. Il paraît que ce n'était plus comme dans le temps. J'acquiesçai. Ce n'est plus comme c'était. Comme elles devaient être belles ces Chevauchées, il y a des décennies ou des siècles ! Elles étaient certainement moins bigarrées qu'aujourd'hui. Aujourd'hui ça fait un peu chromo, mascarade de foire. Ces cœurs de pain d'épice au poitrail des chevaux ! Ces tonnes de guirlandes en papier achetées dans les grands magasins ! Autrefois les costumes étaient aussi colorés, mais plus simples. Pour tout ornement, les montures n'avaient qu'un grand foulard rouge qu'on leur attachait à l'encolure. Le roi, lui, n'avait pas ce masque en rubans de couleur, juste un simple voile. En outre, il serrait une rose entre les dents. Pour l'empêcher de parler.

Eh oui, grand-père, c'était bien mieux jadis. Personne n'avait besoin de courir après les jeunes pour qu'ils consentent gentiment à participer à la Chevauchée. Pas besoin de toutes ces réunions préliminaires avec des algarades à n'en plus finir pour savoir qui se chargera de l'organisation, à qui reviendra le bénéfice ! La Chevauchée giclait de la vie des campagnes comme une source. Elle galopait de village en village en quêtant pour son roi masqué. Il arrivait parfois qu'elle en rencontrât une autre, d'un autre bourg, et c'était la bataille. Toutes les deux défendaient furieusement leur roi. Souvent, dans l'éclair des couteaux et des sabres, le sang coulait. Quand la Chevauchée faisait prisonnier un roi étranger, elle se soûlait à mort, à l'auberge, aux frais du père de ce roi.

Ma foi, grand-père, vous avez raison. Encore quand moi on m'avait fait roi, sous l'Occupation, ce n'était pas comme c'est devenu aujourd'hui. Et même encore après la guerre, ça valait toujours le coup. On se figurait, nous autres, qu'on allait fabriquer un monde tout neuf. Et que les gens se remettraient à vivre dans les anciennes traditions. Que même la Chevauchée jaillirait de la profondeur de leur vie. Nous voulions encourager ce jaillissement. Nous nous crevions à organiser des fêtes populaires. Seulement, une source, on ne peut pas l'organiser. Ou bien elle gicle, ou bien elle n'est pas. Vous voyez bien, grand-père, où nous en sommes : nos petites chansons, nos chevauchées et tout, c'est de l'essorage. Les dernières gouttes, des gouttelettes, les toutes dernières.

Ouf. Disparue, la Chevauchée. Elle a tourné sans doute dans une ruelle transversale. Mais on entendait toujours son appel. Son appel était splendide. Je fermai les yeux et j'imaginai un moment que je vivais dans un autre temps. Dans un autre siècle. Très ancien.

Ensuite j'ai ouvert les yeux et je me suis dit que c'était bien que Vladimir soit le roi. Il est le roi d'un royaume presque mort mais splendide. D'un royaume auquel je resterai fidèle jusqu'à sa fin.

J'avais quitté le banc. Quelqu'un me salua. C'était le vieux Koutecky. Depuis longtemps je ne l'avais pas vu. Il marchait avec peine, appuyé sur une canne. Je ne l'avais jamais aimé, mais sa vieillesse m'apitoya. « Où allez-vous comme ça ? » lui demandai-je. Il dit que la petite promenade du dimanche, c'était bon pour la santé. « Et cette Chevauchée, elle vous a plu ? » Il fit un geste désabusé : « Je n'ai même pas regardé. — Tiens, pourquoi ? » demandai-je. Nouveau mouvement de la main, plus hargneux ; au même instant, j'avais deviné pourquoi : Ludvik était parmi les spectateurs. Koutecky, pas plus que moi, n'avait tenu à le rencontrer.

« Je vous comprends, lui dis-je. Mon fils est de la Chevauchée et pourtant ça ne me disait rien de leur emboîter le pas. — Votre fils, là-bas ? Vladimir ? — Bien sûr, dis-je, même que c'est lui le roi ! » Koutecky dit : « Ça alors, c'est curieux. — Qu'est-ce qu'il y a de curieux ? rétorquai-je. — C'est même très curieux ! dit Koutecky dont les petits yeux brillaient. — Enfin, qu'est-ce qu'il y a ? insistai-je. — Il y a que Vladimir est avec notre Milos », dit Koutecky. Je ne connaissais pas de Milos. Il m'expliqua que c'était son petit-fils, le garçon de sa fille. « Mais ce n'est pas possible, protestai-je, je l'ai tout de même vu comme il partait de chez nous sur son cheval ! — Moi aussi, je l'ai vu. Milos l'emmenait de chez nous sur sa moto, affirma Koutecky. — Ça n'a ni queue ni tête ! » dis-je, me hâtant toutefois d'ajouter : « Et où est-ce qu'ils allaient ? — Ouais, si vous n'êtes pas au courant, ce n'est pas moi qui vous le dirai ! » dit Koutecky en prenant congé.

7

Je ne comptais pas avec la possibilité de rencontrer Zemanek (Helena m'avait assuré qu'il ne devait venir la prendre que l'après-midi) et il m'était évidemment extrêmement désagréable de le retrouver. Mais je n'y pouvais rien. Il était là et il se ressemblait absolument : ses cheveux jaunes étaient toujours jaunes, même s'il ne les peignait plus en arrière en longues mèches ondulées. Il les portait courts et ramenés sur le front, comme la mode l'exigeait ; il bombait toujours la poitrine, la nuque toujours crispée en arrière ; il était toujours jovial et satisfait, invulnérable, nanti de la faveur des anges et d'une jeune fille dont la beauté m'avait sur-le-champ rappelé l'imperfection pénible du corps avec lequel j'avais passé mon après-midi, hier.

Espérant que notre conversation serait des plus brèves, je m'appliquai à répondre le plus banalement possible aux banalités qu'il m'adressait : il répéta qu'on ne s'était pas vus depuis des lustres, marquant sa surprise de me retrouver justement ici, « dans ce trou perdu au diable » ; je lui dis que j'y étais né ; sur quoi il s'excusa concédant que, dans ce cas, le lieu n'était évidemment pas au diable ; Mlle Brozova s'était mise à rire. Je n'ai pas réagi à la blague, je notai simplement que je ne m'étonnais pas de le rencontrer ici puisque, autant que je m'en souvenais, il avait toujours été amateur de folklore ; Mlle Brozova rit de nouveau en déclarant qu'ils n'étaient pas venus pour la Chevauchée des Rois ; je lui demandai si la Chevauchée lui déplaisait ; elle dit que ça ne l'amusait pas ; je lui demandai pourquoi ; elle haussa les épaules et Zemanek me dit : « Mon cher Ludvik, les temps ont changé. »

Pendant ce temps, la Chevauchée avait progressé d'une maison, et deux cavaliers luttaient avec leurs chevaux qui commençaient à s'agiter. L'un criait après l'autre, l'accusant de mal gouverner sa monture, et les apostrophes « abruti ! » et « idiot ! » se mêlaient assez comiquement au rituel de la festivité. Mlle Brozova soupira : « Ça serait chic s'ils venaient à s'emballer ! » Zemanek pouffa, mais les cavaliers réussirent bientôt à calmer les chevaux et le holà, holà résonnait de nouveau solennellement à travers le village.

Suivant pas à pas cette troupe sonore le long des petits jardins fleuris, je cherchais en vain quelque prétexte assez naturel pour prendre congé de Zemanek ; je devais marcher docilement à côté de sa jolie compagne et continuer à échanger des phrases : j'appris ainsi qu'à Bratislava, où ils étaient encore ce matin de bonne heure, il faisait le même beau temps qu'ici ; qu'ils étaient venus dans la voiture de Zemanek et avaient été obligés de changer les bougies à peine sortis de Bratislava ; et puis aussi qu'elle était une de ses étudiantes. Je savais par Helena qu'il donnait des cours de marxisme-léninisme à l'Université, néanmoins je lui demandai ce qu'il enseignait. Il répondit la *philosophie* (cette dénomination de sa matière m'apparut significative ; quatre ou cinq ans plus tôt, il aurait encore dit le *marxisme*, mais, depuis, la défaveur dont cette discipline pâtissait était telle, surtout chez les jeunes, que Zemanek, pour qui être admiré était toujours le souci principal, cacha pudiquement le marxisme dans un terme plus général). Je feignis la surprise en disant que Zemanek avait fait, je me le rappelais fort bien, des études de biologie ; ma remarque cachait une allusion ironique au fréquent amateurisme des professeurs de marxisme, qui étaient promus spécialistes non pas grâce à leurs connaissances scientifiques mais grâce à leurs qualités de propagandistes. Mlle Brozova intervint alors pour déclarer que les professeurs de marxisme avaient dans le crâne une brochure politique en guise de cerveau, mais que Pavel, lui, était tout différent. Pour Zemanek, ces paroles étaient pain bénit ; il protestait faiblement, montrant par là sa modestie et provoquant ainsi la jeune fille à d'autres louanges. J'appris comme ça que son ami comptait parmi les profs les plus populaires auprès des étudiants pour les raisons mêmes qui le desservaient auprès de la direction : il disait toujours ce qu'il pensait, il avait du cran et prenait fait et cause pour la jeunesse. Zemanek continuait à protester mollement et sa compagne me détaillait les divers conflits auxquels il avait été en butte pendant ces dernières années : on voulut même le chasser de son poste parce que, sans s'inquiéter des programmes poussiéreux, il entendait mettre les jeunes gens au courant de tout ce qui bougeait dans la philosophie moderne (on l'accusait d'importer en contrebande l' « idéologie de l'ennemi ») ; il aurait sauvé un garçon qu'on voulait expulser de la faculté à la suite d'une gaminerie (dispute avec un flic) que le recteur (hostile à Zemanek) présentait comme un délit *politique* ; après cette histoire, les étudiants avaient organisé un vote secret sur le professeur le plus populaire, et c'était lui qui avait gagné. Zemanek ne protesta plus contre ce déluge de louanges et je dis à Mlle Brozova (avec une ironie sous-entendue mais, hélas, à peine intelligible) combien je la comprenais, vu que je me souvenais qu'au temps de mes propres études aussi, son professeur d'aujourd'hui était des mieux considérés. Sur quoi elle renchérit avec empressement : il n'y avait pas lieu de s'en étonner, Pavel, pour le talent de parole, n'avait pas son égal, et, dans une discussion, il n'y en avait pas un comme lui pour envoyer le contradicteur au tapis ! « Oui, c'est vrai », admit Zemanek, en riant, « mais si je les envoie au tapis dans une discussion, ils peuvent m'y envoyer par des moyens autrement plus efficaces ! »

Dans la vanité du propos, je retrouvais Zemanek tel que je l'avais connu ; mais le *contenu* de ces mots m'avait effrayé : Zemanek semblait avoir radicalement abandonné son attitude d'autrefois, et si je vivais actuellement dans son entourage, je me trouverais, bon gré mal gré, de son côté. Et cela était horrible, à cela je n'étais nullement préparé, encore qu'un tel changement d'attitude n'eût, certes, rien de prodigieux, au contraire, nombreux étaient ceux qui le subissaient, la société tout entière le vivait par degrés. Mais justement chez Zemanek je ne l'attendais pas ; dans ma mémoire il était demeuré pétrifié sous la forme où je l'avais vu pour la dernière fois et je lui déniais maintenant avec fureur le droit d'être autre que je ne l'avais connu.

Il est des gens qui proclament leur amour de l'humanité et d'autres leur objectent, à juste titre, qu'on ne peut aimer qu'au singulier, des individus ; je suis d'accord et j'ajoute que ce qui vaut pour l'amour vaut aussi pour la haine. L'homme, cette créature qui aspire à l'équilibre, compense le poids du mal qu'on lui a jeté sur le dos par le poids de sa haine. Mais essayez de concentrer la haine sur la pure abstraction des principes, l'injustice, le fanatisme, la barbarie, ou bien, si vous allez jusqu'à penser que le principe même de l'homme est détestable, essayez de haïr l'humanité ! Des haines comme celles-là sont beaucoup trop surhumaines et c'est ainsi que l'homme, s'il veut soulager sa colère (dont il sait les forces limitées), finit par ne la concentrer que sur un individu.

D'où mon épouvante. A tout moment désormais, Zemanek pourra se réclamer de sa métamorphose (qu'il venait d'ailleurs de me démontrer avec une célérité suspecte) et demander mon pardon. Et c'était cela qui me semblait horrible. Que lui dirai-je ? Que lui répondrai-je ? Comment lui expliquer que je ne peux pas me réconcilier avec lui ? Comment lui expliquer qu'en le faisant je romprais sur le coup mon équilibre intérieur ? Comment lui expliquer que l'une des extrémités du fléau de ma balance intérieure serait alors brusquement projetée en l'air ? Comment lui expliquer que ma haine envers lui contrebalance le poids du mal qui est tombé sur ma jeunesse ? Comment lui expliquer qu'il incarne ce mal ? Comment lui expliquer que j'ai *besoin* de le haïr ?

Les corps des chevaux emplissaient toute la ruelle.
J'ai vu le roi, à quelques mètres de moi. Il était sur son
cheval, à l'écart des autres. A ses côtés, deux autres
chevaux, deux autres garçons : ses écuyers. J'étais
déconcerté. Il voûtait un peu le dos, à la manière de
Vladimir. Il se tenait immobile, presque apathique.
Est-ce lui ? Peut-être. Mais ce pourrait aussi bien être
un autre.

Je me glissai plus près. Impossible que je ne le
reconnaisse pas. Enfin, son maintien, le moindre de ses
gestes habituels, je sais tout ça par cœur ! Je l'aime, et
l'amour a son instinct !

Je me faufilai jusqu'à lui. Je pourrais l'appeler.
Rien ne serait plus simple. Mais ce serait inutile. Le roi
ne doit pas parler.

La Chevauchée avançait d'une maison. Ah, maintenant je vais le reconnaître ! Le pas du cheval va
l'obliger à faire un mouvement qui le trahira. La bête a
levé le genou, le roi a cambré la taille, mais ce geste ne
l'a pas trahi. Les rubans devant son visage restaient
désespérément opaques.

9

La Chevauchée avait encore avancé de quelques maisons, la poignée de curieux (nous compris) en avait fait autant et notre conversation aborda de nouveaux sujets : Mlle Brozova avait passé de Zemanek à sa propre personne, exposant son goût pour l'auto-stop. Elle en parlait avec une telle insistance (un peu affectée) qu'immédiatement je compris que j'entendais là le *manifeste de sa génération*. La soumission à une mentalité de génération (à cet orgueil du troupeau) me répugnait toujours. Quand Mlle Brozova avait développé la réflexion (je l'ai entendue une bonne cinquantaine de fois) que l'espèce humaine se divise en ceux qui prennent les auto-stoppeurs (les gens humains qui aiment l'aventure) et ceux qui ne les prennent pas (les gens inhumains qui ont peur de la vie), je l'avais appelée, en plaisantant, « dogmatique du stop ». Elle m'a répondu sèchement qu'elle n'était ni dogmatique, ni révisionniste, ni sectaire, ni déviationniste, que tout ça c'étaient des mots à nous, que nous avions inventés, qui nous appartenaient et qui, à eux, étaient étrangers.

« Oui, fit Zemanek, ils sont autres. Heureusement ils sont autres ! Et leur vocabulaire aussi, par bonheur. Nos succès ne les intéressent pas, nos fautes pas davantage. Tu ne le croiras pas, mais aux examens d'entrée en faculté, ces jeunes-là ne savent même plus ce que c'était que les procès de Moscou, Staline n'est qu'un nom pour eux. Rends-toi compte que la plupart d'entre eux ne savent même pas qu'il y a dix ans ont eu lieu les procès politiques à Prague.

— C'est justement ça qui me semble abominable, dis-je.

— Le fait est que ça ne prouve guère leur instruction. Mais là-dedans il y a pour eux une libération. Ils se sont fermés à notre monde à nous. Ils l'ont refusé en bloc.

— Une cécité en remplace une autre.

— Je ne dirais pas ça. Je les admire justement parce qu'ils sont différents de nous. Ils aiment leur corps. Nous l'avions négligé. Ils aiment les voyages. Nous nous encroûtions. Ils aiment les aventures. Nous avons perdu notre temps en réunions. Ils aiment le jazz. Nous avons sans succès copié le folklore. Ils s'occupent d'eux-mêmes. Nous voulions sauver le monde. Nous avons failli, avec notre messianisme, le détruire. Peut-être qu'avec leur égoïsme, eux le sauveront. »

Comment cela se peut-il ? Le roi ! Figure à cheval,
dressée, voilée de couleurs. Combien de fois l'ai-je vu,
l'ai-je imaginé ! L'image la plus intime de toutes ! Et
maintenant que la voilà changée en réalité, toute son
intimité a disparu. Ce n'est plus, subitement, qu'une
larve peinturlurée dont je ne sais ce qu'elle cache. Mais
que peut-il donc y avoir d'intime dans ce monde réel,
sinon mon roi ?

Mon fils. L'être le plus proche. Debout devant lui,
j'ignore si, oui ou non, c'est lui. Que sais-je donc, si je
ne sais même pas cela ! De quoi suis-je sûr ici-bas, si je
n'ai même pas cette certitude ?

11

Tandis que Zemanek s'abandonnait à l'éloge de la génération montante, je contemplais Mlle Brozova et je constatais avec tristesse qu'elle était jolie et sympathique ; je sentais du dépit qu'elle ne fût pas à moi. Elle marchait aux côtés de Zemanek, toutes les trois secondes passait son bras sous le sien, se tournait vers lui, et moi je me rendais compte (comme cela m'arrive de plus en plus souvent d'une année sur l'autre) que je n'avais pas eu, depuis l'ère de Lucie, de fille que j'eusse aimée et respectée. La vie se moquait de moi en m'envoyant le rappel de mon échec, précisément sous les traits de la maîtresse de cet homme que j'avais cru vaincre la veille dans une grotesque lutte sexuelle.

Plus Mlle Brozova me plaisait, plus j'enregistrais qu'elle appartenait totalement à ses contemporains, pour qui moi et les gens de ma génération sommes confondus dans une même foule indistincte, marqués du même jargon inintelligible, de la même pensée surpolitisée, des mêmes angoisses, des mêmes expériences bizarres d'une époque noire et révolue.

A ce moment, je commençai à comprendre : la ressemblance entre moi et Zemanek ne se bornait pas au fait qu'ayant changé d'opinions il s'était rapproché de moi ; cette ressemblance était plus profonde et englobait nos destinées *entières* : le regard de Mlle Brozova et de ses contemporains nous fit semblables même là où nous nous affrontions farouchement. Je sentais tout à coup que si j'étais forcé de relater devant elle mon exclusion du Parti, l'événement lui paraîtrait lointain et trop *littéraire* (oui, sujet maintes fois décrit dans tant de mauvais romans) et nous lui serions dans cette histoire tous les deux également antipathiques, mes idées et les siennes, mon attitude et la sienne (toutes les deux pareillement tordues et monstrueuses). Au-dessus de notre querelle qui me paraissait toujours si présente et vivante, je voyais se refermer les eaux consolantes du temps qui, comme chacun sait, efface les différences entre des époques entières, donc combien plus aisément entre deux pauvres individus. Mais je me suis défendu furieusement contre toute offre de réconciliation que proposait le temps ; après tout, je ne vis pas dans l'éternité, je suis ancré dans mes trente-sept ans et ne veux pas scier la chaîne (comme Zemanek qui s'était conformé si vite aux plus jeunes), non, je veux rester dans mon destin, et dans mon âge, même si mes trente-sept ans ne représentent qu'un fragment du temps, infime et fugace, qu'on oublie déjà, qu'on a oublié.

Et si Zemanek vient à se pencher familièrement vers moi, commence à parler du passé, et à demander la paix, je refuserai ; oui, je refuserai cette paix, dussent pour elle s'entremettre Mlle Brozova et tous ses contemporains et le temps lui-même.

Fatigue. D'un coup, j'ai eu la tentation d'envoyer tout promener. De partir et de larguer mes soucis. Je ne veux plus rester dans ce monde de choses matérielles que je ne comprends pas et qui me trompent. Il existe encore un autre monde. Le monde où je suis chez moi, où je me retrouve. Il y a là-bas un chemin, un déserteur, un violoneux vagabond, et maman.

J'ai fini par me secouer quand même. Il faut bien. Il faut bien que je mène jusqu'au bout ma dispute avec le monde des choses matérielles. Il faut bien que je voie jusqu'au fond de toutes les erreurs et leurres.

Devrais-je demander à quelqu'un ? Aux gamins de la Chevauchée ? Et si tous rigolent de moi ? J'ai repensé à ce matin. L'habillage du roi. Et tout d'un coup, je sus où aller.

13

Nous avons un roi besogneux, mais d'autant plus vertueux, scandaient les cavaliers, trois ou quatre maisons plus loin, et nous les suivions toujours, les croupes enrubannées des chevaux, croupes bleues, roses, vertes ou mauves, quand soudain Zemanek, le doigt pointé dans leur direction, me dit : « Tiens, voilà Helena. » Je regardai du côté que son geste avait indiqué, mais je ne voyais toujours que les corps colorés des chevaux. Zemanek montra encore : « Là-bas ! » Je l'aperçus en effet, à moitié cachée par un cheval, et je me sentis rougir : la façon dont Zemanek me l'avait montrée (il n'avait pas dit « ma femme », mais « Helena ») prouvait qu'il savait que je la connaissais.

Debout au bord du trottoir, Helena brandissait un micro ; un fil le reliait au magnétophone qui pendait à l'épaule d'un jeune garçon en blouson de cuir et blue-jeans, le casque d'écoute sur les oreilles. Nous nous sommes arrêtés non loin d'eux. Zemanek dit (brusquement, et mine de rien) qu'Helena était une femme admirable, non seulement elle avait toujours belle allure, mais elle était très capable et ça ne l'étonnait pas du tout que je m'entende bien avec elle.

Je sentais la rougeur de mes joues : il n'y avait pas d'agressivité dans cette remarque, au contraire Zemanek l'avait prononcée sur un ton très aimable et Mlle Brozova me regardait avec un sourire éloquent comme si elle s'acharnait à me faire comprendre qu'elle était au courant et que j'avais sa sympathie, mieux, sa complicité.

Zemanek, détendu, continuait à parler de son épouse, s'efforçant de me montrer (par détours et allusions) qu'il savait tout mais ne trouvait rien à redire, vu son libéralisme à l'égard de la vie privée d'Helena ; pour prêter à ses paroles une insouciante légèreté, il indiqua le jeune porteur de magnétophone et dit que ce garçon (ses écouteurs, remarqua-t-il, le faisaient ressembler à un gros insecte) était dangereusement épris d'Helena depuis deux années déjà et que je devais faire attention. Mlle Brozova se mit à rire et demanda quel âge il avait, deux ans auparavant. Dix-sept ans, précisa Zemanek, assez pour tomber amoureux. Puis il ajouta en plaisantant qu'Helena ne s'intéressait pas aux minets, qu'elle était une femme vertueuse mais qu'un gamin comme ça, moins il a de succès, plus il devient enragé et il a sûrement le poing rapide. Mlle Brozova (sur le ton d'un insignifiant bavardage) ajouta que je ferais peut-être le poids face à ce gosse.

« Je n'en suis pas tellement certain, blagua Zemanek.

— N'oublie pas que j'ai travaillé dans les mines. Ça m'a donné du muscle, répliquai-je sur le même ton léger, sans prendre garde que ce rappel détonnait dans cette conversation futile.

— Vous avez travaillé dans les mines ? s'enquit Mlle Brozova.

— Ces petits gars de vingt ans, poursuivait Zemanek accroché opiniâtrement à son sujet, quand ils sont en bande, il faut vraiment s'en méfier. Ils vous arrangent proprement le type qui ne leur revient pas.

— Longtemps ? insista Mlle Brozova.

— Cinq ans, lui dis-je.

— Et quand c'était ?

— J'y étais encore il y a neuf ans.

— Alors, c'est de l'histoire ancienne, vos muscles se sont atrophiés depuis... » dit-elle afin d'apporter sa petite blague à la bonne humeur générale. Mais moi, sur le moment, je pensais vraiment à mes muscles : je me disais qu'ils n'étaient pas du tout atrophiés, que j'avais toujours une excellente forme et que je pourrai battre, par tous les moyens possibles, le blond avec qui je bavardais — mais que (et c'était le plus important et le plus triste dans tout ça) je n'avais que ces muscles pour lui régler ma vieille dette.

Je me figurai encore une fois que Zemanek se tournait, souriant, vers moi et me demandait d'oublier tout ce qui s'était passé entre nous et je me sentis piégé : sa demande de pardon était soutenue non seulement par son changement d'opinions, non seulement par le temps, non seulement par Mlle Brozova et ses contemporains, mais aussi par Helena (oui, tous sont derrière lui et contre moi !) parce que, en me pardonnant son adultère, Zemanek m'avait acheté mon propre pardon.

Quand je vis (dans mon imagination) son visage de maître chanteur sûr de ses puissants alliés, je fus enflammé d'un tel désir de le frapper que je me voyais vraiment en train de l'assommer. Les cavaliers vociféraient tout autour, Mlle Brozova racontait je ne sais trop quoi, le soleil était splendidement doré, et j'avais devant mes yeux hagards le sang qui ruisselait sur son visage.

Oui, c'était dans mon imagination ; mais que ferais-je en réalité lorsqu'il solliciterait mon pardon ?

Avec horreur, je comprenais que je ne ferais rien.

Nous arrivions à hauteur d'Helena et de son technicien qui venait de retirer ses écouteurs. « Vous avez déjà fait connaissance ? dit Helena surprise de me voir avec Zemanek.

— On se connaît depuis longtemps, dit-il.

— Comment ? » Elle était étonnée.

« Depuis nos années d'étudiants : on était ensemble à la faculté ! » expliqua Zemanek et j'eus alors l'impression que je venais de franchir l'une des dernières passerelles par où il m'entraînait au lieu d'infamie (semblable à l'échafaud) où il allait me demander pardon.

« Mon Dieu, il y a de ces hasards…, dit Helena.

— De ces choses qui arrivent, dit le technicien, de peur qu'on n'oubliât qu'il existait lui aussi.

— C'est vrai, vous deux, je ne vous ai pas présentés », s'avisa-t-elle, avant de me dire : « Voici Jindra. »

Je tendis la main à Jindra et Zemanek s'adressa à Helena : « Alors, avec Mlle Brozova, on avait pensé te ramener, mais maintenant je comprends que ça ne t'arrangerait pas, tu préfères retourner avec Ludvik… »

« Vous partez avec nous ? » me jeta le garçon en blue-jeans sur un ton qui, vraiment, n'était pas amical.

« Tu es venu en voiture ? me demanda Zemanek.

— Je n'ai pas de voiture, répondis-je.

407

— Alors tu pars avec eux, dit-il.

— Mais moi, je roule à cent trente ! Si ça vous effraye..., avertit le garçon en blue-jeans.

— Jindra ! le gourmanda Helena.

— Tu pourrais faire la route avec nous, dit Zemanek, seulement je crois que tu préféreras la nouvelle amie à l'ami ancien. » Comme en passant, il m'avait appelé *ami* et j'étais sûr que la réconciliation humiliante n'était plus qu'à deux pas ; Zemanek, au reste, s'était tu un instant, comme s'il hésitait, comme s'il voulait incessamment me prendre à part et me parler seul à seul (j'avais courbé la tête comme offrant ma nuque à la hache) mais je me trompais : il jeta un coup d'œil sur sa montre et dit : « Au fait, nous n'avons plus tellement de temps pour être à Prague avant cinq heures. Allez, il faut se dire au revoir ! Ciao, Helena ! », il serra la main d'Helena, puis dit encore ciao à moi et au technicien et nous donna une poignée de main. La demoiselle Brozova serra de même la main à tout le monde et, bras dessus, bras dessous, ils s'en allaient.

Ils s'en allaient. Je ne pouvais pas les lâcher du regard : Zemanek marchait raide, la tête blonde relevée fièrement (victorieusement), et la fille brune à son côté ; même de dos elle était belle, elle avait l'allure légère, elle me plaisait ; elle me plaisait presque douloureusement, car sa beauté qui s'éloignait me manifestait son indifférence glaciale, la même que me manifestait tout mon passé dont je voulais me venger mais qui venait de me croiser ici sans me regarder, comme s'il ne me connaissait pas.

J'étouffais sous l'humiliation et la honte. Je ne

voulais plus que disparaître, rester seul, effacer toute cette aventure, cette mauvaise blague, effacer Helena et Zemanek, effacer l'avant-hier, l'hier et l'aujourd'hui, effacer tout cela, l'effacer jusqu'à l'ultime trace. « Vous ne m'en voudrez pas si j'ai deux mots à dire en particulier à la camarade journaliste ? » demandai-je au technicien.

J'entraînai Helena un peu à l'écart ; elle voulut m'expliquer, marmottant quelque chose au sujet de Zemanek et de son amie, elle s'excusait confusément de ce qu'elle avait dû tout lui dire ; mais rien ne m'intéressait plus désormais ; un désir unique me tenait : me voir loin d'ici, loin d'ici et de cette histoire ; tirer un trait sur tout cela. Je ne me reconnaissais pas le droit de tromper Helena plus longtemps ; elle était innocente à mon égard et j'avais agi bassement, l'ayant convertie en une simple chose, une pierre, que j'avais voulu (mais pas su) jeter sur un autre. Je suffoquais de l'échec dérisoire de ma vengeance et j'étais décidé à en finir au moins maintenant, certes trop tard, mais pourtant avant qu'il ne soit encore plus que trop tard. Mais je ne pouvais rien lui expliquer : non seulement parce que la vérité l'aurait blessée, mais parce qu'elle ne l'aurait pas comprise. Il ne me restait donc qu'à lui répéter plusieurs fois : nous avions été ensemble pour la dernière fois, je ne la reverrais plus, je ne l'aimais pas et il fallait qu'elle le comprenne.

Ce fut bien pis que ce que je pressentais : Helena devint livide, se mit à trembler ; elle refusait de me croire, de me lâcher ; je connus un moment de supplice avant de pouvoir me dégager et disparaître.

14

Partout des chevaux et des rubans et j'étais restée là
au milieu et j'y suis restée longtemps, puis Jindra s'est
approché de moi, il m'a pris la main, l'a serrée, et m'a
demandé ce que j'avais et j'ai laissé cette main dans la
sienne et je lui ai dit, rien, Jindra, je n'ai rien, qu'est-ce
que tu veux que j'aie, et j'avais une voix qui n'était pas
la mienne, une voix aiguë, et j'ai enchaîné avec une
drôle de précipitation, ce qu'il nous reste à mettre sur
bandes, les appels des hérauts, on les a, on a deux
interviews, j'ai encore le commentaire à enregistrer, et
je continuais comme ça à dévider des choses auxquelles
j'étais absolument incapable de penser, et lui demeurait debout, muet à côté de moi et pétrissait mes doigts.

Il ne m'avait, jusqu'alors, jamais touchée, il était
trop timide, tout le monde, quand même, savait qu'il
était fou de moi, et le voici à me pétrir la main pendant
que je bafouillais sur le programme en chantier, mais je
ne pensais qu'a Ludvik, et puis aussi, marrant, je me
disais, de quoi ai-je l'air devant Jindra, chavirée
comme ça, je dois être laide, mais non, j'espère que
non, je n'ai pas chialé, je suis juste énervée, pas plus...

Écoute, Jindra, maintenant laisse-moi un peu, je
m'en vais écrire mon texte, on le prendra tout de suite
après au magnétophone, il m'a tenue la main quelques
minutes encore, m'a demandé tendrement, qu'avez-
vous, Helena, que se passe-t-il, mais je lui ai échappé,
j'ai filé au Comité national où on avait mis un local à

410

notre disposition, j'y suis parvenue, enfin j'étais seule dans le vide de cette pièce, effondrée sur une chaise, le front sur la table, et je suis restée ainsi un moment. J'avais un affreux mal de tête. J'ai ouvert mon sac pour prendre un comprimé, mais pourquoi l'ai-je ouvert, je savais bien que je n'avais pas emporté de comprimés, après je me suis rappelé que Jindra a toujours sur lui une vraie pharmacie, son imperméable était accroché à un portemanteau, j'ai exploré les poches, de fait j'ai déniché un tube, voyons, pour les maux de tête, les rages de dents, la sciatique, la névralgie faciale, pour les souffrances de l'âme il n'y a pas de remède, mais du moins ça me soulagera la tête.

Je suis allée au robinet, dans un coin de la pièce à côté, j'ai fait couler de l'eau dans un verre à moutarde et avalé deux comprimés. Deux, c'est bien suffisant, ça va peut-être faire de l'effet, mais pour ce qui est du mal à l'âme il n'y a pas de remède, à moins d'avaler tous les comprimés de ce tube d'Algéna, parce que, à dose massive, c'est toxique et le tube de Jindra est presque plein, ça pourrait suffire.

A peine si l'idée m'a effleurée, simple idée d'une seconde, mais cette idée revenait sans cesse et me forçait à me demander pourquoi est-ce que je vivais, à quoi bon persévérer, mais en fait ce n'est pas vrai, je ne pensais à rien de tel, je ne pensais pas du tout, à ce moment-là, je me représentais seulement que je ne vivrais pas et c'était subitement très doux, si étrangement doux que j'ai eu envie de rire et peut-être ai-je vraiment commencé à rire.

J'ai posé deux autres comprimés sur ma langue, je n'étais pas décidée du tout à m'empoisonner, je me contentais de serrer le tube dans ma paume en me disant *je tiens ma mort dans ma main* et j'étais aux anges de tant de facilité, comme si, un tout petit pas après l'autre, je me rapprochais d'un gouffre sans fond, pas pour m'y lancer, mais seulement pour y regarder. Je suis allée reprendre de l'eau dans le verre, j'ai absorbé les comprimés et je suis retournée dans notre pièce, la fenêtre était ouverte, au loin sans cesse on entendait holà, holà, avec le vacarme des voitures, les sales camions, les sales motos, les motos qui broient tout ce qui est beau, tout ce que j'ai cru et pour quoi j'ai vécu, ce vacarme était insupportable, et insupportable était même cette faiblesse impuissante des voix qui appelaient, aussi j'ai fermé la fenêtre et de nouveau je sentais cette douleur longue et opiniâtre dans mon âme.

De toute ma vie, jamais Pavel ne m'a fait autant de mal que toi, Ludvik, dans une seule minute, je pardonne à Pavel, je le comprends tel qu'il est, sa flamme brûle vite, il lui faut chercher un nouvel aliment, des spectateurs et un public nouveaux, il m'a souvent blessée, mais maintenant, à travers ma douleur, c'est sans colère, maternellement, que je le vois, ce matamore, ce cabotin, je souris de son effort au long de toutes ces années pour s'évader de mes bras, ah ! va-t'en, Pavel, va-t'en, je te comprends, mais toi, Ludvik, je ne te comprends pas, tu es venu masqué, tu es venu me ressusciter pour ensuite, ressuscitée, me détruire, toi, et toi seul, je te maudis et en même temps je te supplie de revenir, de revenir et de t'apitoyer.

Mon Dieu, c'est peut-être seulement un effroyable malentendu, il se peut que Pavel t'ait dit quelque chose quand vous étiez seuls, est-ce que je sais, moi, je t'ai questionné là-dessus, je t'ai conjuré de m'expliquer pourquoi tu ne m'aimes plus, je ne voulais pas te lâcher, quatre fois je t'ai retenu, mais tu ne voulais rien entendre, tu répétais seulement, c'est fini, fini, définitivement fini, fini sans appel, eh bien, d'accord, fini, j'ai acquiescé à la fin et j'avais une voix de soprano comme si c'était quelqu'un d'autre, une fillette avant la puberté, je t'ai dit de cette voix aiguë *alors, je te souhaite bon voyage*, c'est marrant, je ne sais absolument pas pourquoi je te souhaitais bon voyage, mais ça me revenait sans arrêt sur les lèvres, je te souhaite bon voyage, alors je te souhaite bon voyage...

Sans doute ne sais-tu pas comme je t'aime, certainement tu ne sais pas comment je t'aime, tu dois te figurer que je ne suis qu'une petite femme qui cherche une aventure, et tu ne t'imagines pas que tu es mon destin, ma vie, tout... Peut-être me trouveras-tu ici, couchée sous un drap blanc, alors tu comprendras que tu as tué ce que tu avais de plus précieux dans ta vie... ou bien tu arriveras, mon Dieu, quand je serai encore vivante et tu pourras encore me sauver et tu t'agenouilleras près de moi et tu fondras en larmes et moi, je te caresserai les mains, les cheveux, et je te pardonnerai, je pardonnerai tout...

15

Il n'y avait vraiment pas eu d'autre issue, il m'avait fallu balayer cette histoire piteuse, cette plaisanterie mauvaise qui ne se contentait pas d'elle-même mais se multipliait monstrueusement en d'autres et d'autres mauvaises plaisanteries, je voulais annuler toute cette journée surgie par inadvertance, pour la seule raison que je m'étais réveillé trop tard et que j'avais manqué mon train, mais je voulais aussi annuler tout ce qui avait conduit à cette journée, toute ma stupide conquête érotique, qui, elle aussi, ne reposait que sur une erreur.

Je me suis dépêché comme si j'avais entendu derrière moi les pas d'Helena qui me pourchassait et je me suis dit : même s'il m'était possible de gommer de ma vie ces quelques journées inutiles, à quoi cela m'avancerait-il, puisque *toute* l'histoire de ma vie a été conçue dans l'erreur, avec la plaisanterie de la carte postale ? Je sentis avec épouvante que les choses conçues par erreur sont aussi réelles que les choses conçues par raison et nécessité.

Comme j'aimerais révoquer toute l'histoire de ma vie ! Seulement, de quel droit pourrais-je la révoquer, si les erreurs dont elle est née ne furent pas les *miennes* ? En fait, *qui* s'était trompé, quand la plaisanterie de ma carte avait été prise au sérieux ? Qui s'était trompé quand le père d'Alexej (aujourd'hui réhabilité mais pas moins mort pour autant) avait été emprisonné ? De telles erreurs étaient si courantes et si communes qu'elles ne représentaient pas des exceptions ou des « fautes » dans l'ordre des choses, mais constituaient au contraire cet ordre. Alors qui est-ce qui s'était trompé ? L'Histoire elle-même ? La divine, la rationnelle ? Mais pourquoi faudrait-il lui imputer des *erreurs* ? Cela n'apparaît ainsi qu'à ma raison d'homme, mais si l'Histoire possède vraiment sa propre raison, pourquoi cette raison devrait-elle se soucier de la compréhension des hommes et être sérieuse comme une institutrice ? Et si l'Histoire plaisantait ? A cet instant, j'ai compris qu'il m'était impossible d'annuler ma propre plaisanterie, quand je suis moi-même et toute ma vie inclus dans une plaisanterie beaucoup plus vaste (qui me dépasse) et totalement irrévocable.

Appuyé contre un mur de la place (redevenue silencieuse puisque la Chevauchée des Rois contournait l'autre bout du village), un grand panneau annonçait en lettres rouges qu'aujourd'hui, à quatre heures de l'après-midi, l'orchestre avec cymbalum allait donner concert dans le jardin du café-restaurant. A côté du panneau, il y avait la porte de ce restaurant ; comme il me restait près de deux heures jusqu'au départ du car et qu'il était temps de se mettre à table, j'y entrai.

16

C'était formidable, cette envie de m'approcher encore un tout petit peu du gouffre, je voulais me pencher sur le garde-fou pour regarder, comme si cette vue devait me consoler et m'apaiser, comme si là-bas, tout au fond de ce gouffre, puisque ailleurs ça n'avait pas été possible, nous allions pouvoir nous trouver, être ensemble, sans malentendu, à l'abri des vilenies humaines, du vieillissement, des peines, et pour toujours... Je suis retournée dans la pièce à côté, je n'avais toujours dans le corps que quatre comprimés, autant dire rien, j'étais encore trop loin du gouffre, pas même à portée du garde-fou. J'ai vidé le reste des comprimés dans le creux de ma main. Au même moment j'ai entendu ouvrir la porte du couloir, j'ai sursauté, j'ai jeté les comprimés dans ma bouche et je me suis dépêchée de les avaler d'un seul coup, il y en avait trop à la fois, j'avais beau boire à pleines gorgées, mon gosier distendu me cuisait.

C'était Jindra, il m'a demandé comment allait mon travail et j'ai été d'un coup tout à fait différente, plus trace de désarroi, j'avais perdu cette étrange voix de soprano, j'étais consciente et résolue. Dis donc, Jindra, tu as bien fait de t'amener, j'aurais quelque chose à te demander. Il a rougi, il a dit que, pour moi, en toutes circonstances, il ferait n'importe quoi, et qu'il était bien content de me trouver remise. Oui, je me sens bien maintenant, attends seulement une minute, je veux écrire quelque chose, je me suis installée et j'ai pris une feuille et mon stylo. Mon Ludvik adoré, je t'ai aimé de toute mon âme et de tout mon corps, et mon corps et mon âme n'ont plus de raison de vivre. Je te dis adieu, je t'aime, Helena. Je n'ai pas même relu ce que j'ai écrit, Jindra était assis en face de moi, il m'a regardée, il ne savait pas ce que j'écrivais, j'ai plié le papier, j'ai voulu le mettre sous enveloppe, mais pas moyen d'en trouver une, Jindra, tu n'aurais pas une enveloppe, s'il te plaît ?

Tranquillement, Jindra s'est approché d'une armoire près de la table, l'a ouverte et s'est mis à fourgonner dedans, normalement je lui aurais fait remarquer qu'on ne fouille pas dans les affaires des gens, mais pour l'heure il me fallait vite, vite, cette enveloppe, il m'en a apporté une, à en-tête du Comité national de la localité, j'y ai glissé ma lettre, je l'ai cachetée et j'ai écrit Ludvik Jahn, tu te rappelles, Jindra, cet homme qui était là avec nous, tout à l'heure, il y avait aussi mon mari et cette jeune fille, oui, le grand brun, je ne peux pas bouger d'ici pour l'instant et j'aurais besoin que tu le trouves et que tu lui remettes ça.

Il m'a repris la main, le pauvre petit, que pouvait-il bien imaginer, comment s'expliquait-il mon agitation, à mille lieues de soupçonner de quoi il retournait, tout ce qu'il devinait, c'est que j'avais des ennuis, il me tenait la main, je me suis sentie subitement terriblement pitoyable, et il s'est courbé vers moi et m'a enlacée et m'a appuyé un baiser sur la bouche, j'ai voulu me défendre, mais il me serrait avec force et l'idée m'a traversée que c'était le dernier homme que

417

j'embrassais de ma vie, que c'était mon dernier baiser, et, éperdue soudain, à mon tour je l'ai embrassé, l'ai serré contre moi, et ai entrouvert mes lèvres et j'ai senti sa langue sur ma langue et ses doigts sur mon corps et j'ai éprouvé comme un vertige, que j'étais, maintenant, complètement libre et que rien n'avait d'importance, puisqu'ils m'avaient tous abandonnée et que mon univers s'était écroulé, donc j'étais vraiment tout à fait libre et je pouvais faire ce qui me chantait, libre comme cette technicienne que nous avions fichue dehors, rien ne me séparait plus d'elle, jamais je ne recollerais mon vieux monde en miettes, rester fidèle, pourquoi, et à qui, désormais j'étais parfaitement libre, tout juste comme la technicienne de chez nous, cette petite putain qui changeait de lit chaque soir, si je continuais à vivre, moi aussi je changerais de lit chaque soir, je goûtais la langue de Jindra dans ma bouche, j'étais libre, je savais que je pouvais faire l'amour avec lui, j'en avais envie, n'importe où, sur la table, ou sur le plancher, tout de suite et sans attendre, vite, faire l'amour une dernière fois, le faire avant la fin, mais déjà Jindra s'est redressé et, souriant d'orgueil, il a dit qu'il partait et qu'il serait bientôt de retour.

17

Entre les cinq ou six tables de la petite salle noyée dans la fumée et la cohue, un serveur courait, portant à bras tendu un gigantesque plateau chargé d'une pyramide d'assiettes où je reconnus au vol des escalopes viennoises garnies de salade de pommes de terre (apparemment l'unique plat dominical) puis, se frayant sans ménagement un passage, il fila dans un couloir. Je le suivis et découvris que ce couloir se terminait par une porte ouverte sur le jardin où l'on mangeait aussi. Tout au fond, sous un tilleul, il y avait une table inoccupée ; je m'y installai.

Par-dessus les toits du village, des appels émouvants, des holà, holà, parvenaient de si loin, qu'ici, dans le jardin cerné des murs des maisons voisines, ils avaient l'air presque irréels. Et cette irréalité apparente me fit penser que tout ce qui m'entourait était non pas le présent mais le passé, un passé vieux de quinze ou vingt ans, que les holà, holà ! étaient le passé, Lucie était le passé, Zemanek était le passé et Helena était la pierre que, sur ce passé, j'avais voulu jeter ; ces trois jours n'étaient qu'un théâtre d'ombres.

Quoi ? Ces trois journées seulement ? Ma vie entière a toujours été surpeuplée d'ombres, et le présent y tenait une place probablement assez peu digne. Je me représente un trottoir roulant (c'est le temps) avec un homme (c'est moi) qui court dessus en sens inverse ; mais le trottoir se meut plus vite que moi, ce qui fait qu'il m'emporte lentement à l'opposé du but vers lequel je me dirige ; ce but (étrange but situé *en arrière* !) c'est le passé des procès politiques, le passé des salles où des mains se lèvent, le passé des soldats noirs et de Lucie, passé dont je demeure ensorcelé, que je m'évertue à déchiffrer, débrouiller, dénouer, et qui m'empêche de vivre comme l'homme doit vivre, face à l'avant.

Et le lien avec lequel je voudrais m'attacher au passé qui m'hypnotise est la vengeance, mais la vengeance, comme je m'en suis convaincu ces jours-ci, est aussi vaine que ma course sur le trottoir roulant. Oui, c'est alors, dans la grande salle de la faculté, pendant que Zemanek déclamait *Reportage écrit sous la potence,* oui, c'est alors et alors seulement que j'aurais dû m'avancer vers lui, et le gifler ! Ajournée, la vengeance se transforme en leurre, en religion personnelle, en mythe chaque jour davantage détaché de ses propres acteurs qui, dans le mythe de la vengeance, restent inchangés bien qu'en fait (le trottoir ne cesse de rouler) ils ne soient plus ce qu'ils étaient : un autre Jahn a devant lui un autre Zemanek et la gifle que je lui dois ne peut être ressuscitée, ni reconstituée, est perdue à jamais.

Je coupais dans mon assiette ma grosse escalope panée, et écoutais le holà, holà ! flottant au-dessus des toits du village, mélancolique et presque imperceptible ; à mon esprit réapparut le roi masqué avec sa Chevauchée et je fus ému par l'inintelligibilité des gestes humains :

Depuis des siècles, comme aujourd'hui, dans les villages de Moravie, des garçons sautent en selle pour partir avec un étrange message dont ils épellent, avec une émouvante fidélité, les mots qu'ils ne comprennent pas, écrits dans un idiome inconnu. Des hommes très anciens ont certainement voulu dire quelque chose de très important et ils renaissent aujourd'hui en leurs descendants, semblables aux orateurs sourds-muets qui haranguent le public avec des gestes splendides et incompréhensibles. Jamais on ne décryptera leur message, non seulement faute de clé, mais aussi parce que les gens n'ont pas la patience de l'écouter, en un temps qui voit une telle quantité de messages antiques ou neufs que leurs teneurs, qui se recouvrent l'une l'autre, ne peuvent être perçues. Aujourd'hui déjà, l'Histoire n'est plus que le grêle filin du souvenu au-dessus de l'océan de l'oublié, mais le temps avance et viendra l'époque des millénaires avancés que la mémoire inextensible des individus ne pourra plus embrasser ; aussi des siècles et des millénaires tomberont par pans entiers, des siècles de tableaux et de musique, des siècles de découvertes, de batailles, de livres, et ce sera mauvais, parce que l'homme perdra la notion de soi-même, et son histoire, insaisissable, inembrassable se rétrécira à quelques signes schématiques dépourvus de sens. Des milliers de Chevauchées des Rois sourdes-muettes partiront à la rencontre de ces gens lointains avec leurs messages plaintifs et inintelligibles, et personne ne trouvera le temps de les écouter.

J'étais assis dans un coin de ce jardin de restaurant, devant mon assiette vide, sans m'en rendre compte j'avais mangé ma tranche de veau, et je me sentais faire partie (dès à présent, déjà !) de cet inévitable et énorme oubli. Le serveur avait fait une apparition, s'était saisi de l'assiette, d'un revers de serviette avait épousseté les miettes de ma nappe et passé lestement à une autre table. Un regret m'envahit de cette journée non seulement à cause de sa vanité, mais à l'idée que cette vanité elle-même sera oubliée, même avec cette mouche qui me chantonnait à la tempe, avec cette poussière d'or dont le tilleul en fleur parsemait la nappe, voire avec ce lent et médiocre service si révélateur d'un état de la société où je vis, laquelle sera pareillement oubliée, même avec toutes ses fautes et tous ses torts qui m'obsédaient, me consumaient, que je m'épuisais à corriger, à sanctionner, à redresser, vainement, puisque ce qui est fait est fait, irréparablement.

Oui, j'y voyais clair soudain : la plupart des gens s'adonnent au mirage d'une double croyance : ils croient à la *pérennité de la mémoire* (des hommes, des choses, des actes, des nations) et à la *possibilité de réparer* (des actes, des erreurs, des péchés, des torts). L'une est aussi fausse que l'autre. La vérité se situe juste à l'opposé : tout sera oublié et rien ne sera réparé. Le rôle de la réparation (et par la vengeance et par le pardon) sera tenu par l'oubli. Personne ne réparera les torts commis, mais tous les torts seront oubliés.

Une nouvelle fois je posai un regard attentif sur ce monde oublié d'avance, sur le tilleul, sur les gens à table, sur le serveur (épuisé après le service de midi), sur cette auberge qui (rébarbative, vue de la rue), d'ici, du jardin, grâce à la tenture d'une treille, était tout à fait avenante. Je regardais la porte du couloir ouverte par où le serveur (cœur fatigué de ce recoin déjà déserté et rendu au silence) venait de disparaître et d'où un garçon, en blouson de cuir et blue-jeans, surgit ; il s'engagea dans le jardin et regarda autour de lui ; m'ayant vu, il marcha vers moi ; il me fallut plusieurs secondes pour le remettre : le technicien d'Helena.

J'éprouve toujours une angoisse lorsqu'une femme aimante et non aimée agite la menace de ses retours ; quand le garçon m'eut tendu son enveloppe (« C'est de la part de Mme Zemanek »), mon premier mouvement fut donc de retarder d'une manière ou d'une autre la lecture de la lettre. Je l'invitai à prendre place ; il s'exécuta (un coude sur la table, le front plissé, l'air content, il contemplait le feuillage du tilleul embrasé de soleil), je déposai l'enveloppe devant moi et demandai : « On ne prend pas quelque chose ? »

Il haussa les épaules ; je proposai de la vodka ; il refusa en faisant remarquer qu'il conduisait et que la loi interdit toute consommation d'alcool aux chauffeurs ; il ajouta que, toutefois, il me regarderait boire avec plaisir. Je n'avais aucun désir d'alcool, mais comme j'avais sous les yeux cette enveloppe que je ne tenais guère à ouvrir, n'importe quoi me convenait. Je priai le serveur, qui passait à proximité, de m'apporter une vodka.

« Qu'est-ce qu'elle me veut, Helena, vous ne savez pas ? dis-je.

— Comment est-ce que je pourrais le savoir ? Lisez sa lettre ! fut la réponse.

— C'est urgent ? demandai-je.

— Qu'est-ce que vous croyez ? Qu'on m'a fait apprendre ça par cœur au cas où on m'aurait attaqué en chemin ? » dit-il.

Du bout des doigts, je pris l'enveloppe (officielle,

avec l'en-tête imprimé : Comité national local), puis je la reposai sur la nappe, devant moi, et, ne sachant quoi dire, je dis : « Dommage que vous ne buviez pas !

— Après tout, c'est pour la *vôtre* aussi, de sécurité... » dit-il. J'avais saisi l'allusion, qui n'était d'ailleurs pas gratuite : le petit profitait de ce qu'il se trouvait attablé avec moi pour tirer au clair les conditions du voyage de retour et ses chances de le faire seul avec Helena. Il était tout à fait gentil ; sur son visage (petit, blafard, tacheté de rousseur, avec le nez court et retroussé) se lisait tout ce qui se passait en lui ; c'était un visage transparent parce que incorrigiblement enfantin (je dis incorrigiblement, à cause de ces traits anormalement fins qui, avec l'âge, ne deviennent pas plus virils et font même d'un visage de vieux un visage vieilli d'enfant). Pareil aspect enfantin ne peut guère réjouir un garçon de vingt ans, de sorte qu'il ne lui reste plus qu'à le masquer par tous les moyens possibles (comme le masquait jadis — ah ! l'éternel théâtre des ombres ! — le môme de commandant) : par la façon de s'habiller (le blouson de cuir carré aux épaules, seyant, de bonne coupe) et par le comportement (pas mal d'aplomb, un rien de vulgarité avec, par moments, une affectation d'indifférence désinvolte). Ce camouflage étudié craquait à chaque instant : le garçon rougissait, posait mal sa voix qui sautillait au moindre trouble (je m'en étais aperçu dès le premier contact), et il n'était maître ni de ses yeux ni de sa gesticulation (sans doute avait-il essayé de me signifier son indifférence de savoir si je ferais ou non la route de Prague avec eux, mais comme je venais de lui assurer que je resterais ici, son regard s'était épanoui trop visiblement).

Lorsque le serveur distrait eut apporté à notre table deux verres de vodka au lieu d'un, le technicien fit un geste et dit que ça n'avait pas d'importance, qu'il me tiendrait compagnie : « Je ne vais tout de même pas vous laisser boire tout seul ! » Et il leva son verre : « Alors, à votre santé !

— A la vôtre ! » répliquai-je et nous trinquâmes. Nous entamâmes la conversation et j'appris qu'il prévoyait le départ dans deux heures, vu qu'Helena avait l'intention de mettre au point, ici, tout ce qui était déjà sur bandes et, le cas échéant, d'enregistrer son papier personnel, afin que le tout puisse être diffusé dès demain. Je lui demandai si ça marchait, son travail avec Helena. S'empourprant une fois de plus, il répondit qu'elle se défendait bien, Helena, seulement qu'elle était un peu trop vache avec les gens de son équipe, parce qu'elle était toujours disposée à dépasser le temps de travail et qu'elle ne s'occupait pas de savoir si les autres pouvaient être pressés de rentrer chez eux. Je lui demandai s'il était, lui aussi, pressé de rentrer chez lui. Il dit que non, que le travail l'amusait. Puis, profitant de mes questions sur Helena, il s'enquit, mine de rien, comme en passant : « Au fait, Helena, comment l'avez-vous connue ? » Je le lui dis et il tenta d'en savoir plus : « Elle est chouette, hein, Helena ? »

Surtout quand il était question d'Helena, il arborait une mine contente, que j'imputais encore à son souci de la dissimulation, car tout le monde devait être informé de son adoration désespérée pour Helena et, lui, devait se démener pour ne pas porter la couronne de mal aimé, cette couronne réputée infamante. Même si je ne prenais pas trop au sérieux la sérénité du garçon, pourtant elle allégeait un peu le poids de la lettre qui était devant moi, de sorte que je finis par la prendre et déchirai l'enveloppe : « Mon corps et mon âme... n'ont plus de raison de vivre... Je te dis adieu... »

Avisant le serveur à l'autre bout du jardin, je criai : « L'addition ! » Il me fit oui de la tête, mais, fidèle à son orbite, disparut aussitôt dans le couloir.

« Venez, pas de temps à perdre ! » dis-je au petit. Je m'étais levé et traversais le jardin ; il me suivait. Nous avions passé le couloir et atteint la sortie du restaurant, de sorte que le serveur devait, bon gré, mal gré, courir après nous.

« Une escalope, un potage, deux vodkas, lui dictai-je.

— Qu'est-ce qui se passe ? » s'inquiéta le petit timidement.

L'addition réglée, je le priai de me conduire vite auprès d'Helena. Nous prîmes un pas rapide.

« Mais qu'est-ce qui est arrivé ? me demanda-t-il.

— C'est loin ? » demandai-je à mon tour.

Il montra droit devant lui, et je pris le pas de course. Le Comité national était un simple rez-de-chaussée, blanchi à la chaux, avec une porte et deux fenêtres. Nous entrâmes ; nous nous trouvâmes dans un maussade local administratif : sous la fenêtre, deux bureaux accolés ; posés sur l'un d'eux, le magnéto-phone, un bloc-notes et un sac à main (oui, celui d'Helena) ; devant les deux bureaux, il y avait deux chaises et, dans un coin, un portemanteau métallique. Deux imperméables y pendaient : un de femme et un d'homme.

« C'est ici, dit le garçon.

— C'est ici qu'elle vous a donné la lettre ?

— Oui. »

Seulement, maintenant, la pièce était désespérément vide ; j'appelai : « Helena ! » et je m'effrayai du son incertain et angoissé de ma voix. Pas de réponse. J'appelai de nouveau : « Helena ! » et le garçon me demanda :

« Elle s'est... ?

— Ça en a tout l'air, fis-je.

— Elle parlait de ça dans cette lettre ?

— Justement, dis-je. On ne vous avait pas prêté d'autres pièces que celle-ci ?

— Non, dit-il.

— Et à l'hôtel ?

— Nous avons rendu les chambres ce matin.

— Alors, elle est sûrement ici », déclarai-je, et j'entendis la voix fêlée du garçon qui s'étranglait : « Helena ! »

Je poussai une porte qui donnait dans la pièce d'à côté ; c'était encore un bureau : table, corbeille à papier, trois chaises, une armoire et un portemanteau (pareil à celui de la première pièce : le fût en métal, planté sur trois pieds, se divisait au sommet en trois branches ; aucun vêtement n'y était accroché ; il semblait orphelin dans sa silhouette vaguement humaine ; sa nudité métallique et ses bras ridiculement levés me remplissaient d'angoisse) ; sauf la fenêtre au-dessus de la table, il n'y avait que des murs ; aucune porte ; les deux bureaux formaient, à l'évidence, les deux seules pièces de cette maisonnette.

Nous étions revenus dans la première pièce ; je

m'emparai du bloc et commençai à le feuilleter ; c'étaient des notes difficilement lisibles, pour (si je devais en juger par les quelques mots que j'avais pu déchiffrer) une description de la Chevauchée des Rois ; pas de message, pas d'autre mot d'adieu. J'ouvris le sac : il y avait un mouchoir, un porte-monnaie, un rouge à lèvres, un poudrier, deux cigarettes en vrac, un briquet ; nulle trace de tube de comprimés ni de fiole de poison absorbé. Je réfléchissais fébrilement à ce qu'Helena avait bien pu choisir et, entre toutes les suppositions, le poison s'imposait le plus ; mais il aurait dû rester un petit flacon ou un tube. J'allai au portemanteau fouiller les poches de l'imperméable d'Helena : elles étaient vides.

« Elle n'est pas au grenier ? » dit soudain le garçon avec impatience, estimant sans doute que mes recherches dans la pièce, bien qu'elles n'aient duré que quelques secondes, ne pouvaient guère nous avancer. Nous courûmes dans le couloir où il y avait deux portes : par l'une d'elles, dont le tiers supérieur était vitré, on devinait plus qu'on ne voyait une cour ; nous ouvrîmes la seconde, plus rapprochée, un escalier nous apparut, sombre, avec des marches de pierre couvertes d'une couche de poussière et de suie. Nous grimpâmes ; l'unique lucarne du toit (avec sa vitre sale) ne donnait qu'une lueur mate, livide. Un bric-à-brac se dessinait de toutes parts (caisses, outils de jardinage, binettes, bêches, râteaux, outre d'énormes liasses de dossiers et une vieille chaise démantibulée) ; nous trébuchions.

J'aurais voulu appeler : « Helena ! » mais la peur m'en avait empêché ; j'avais horreur du silence qui aurait suivi. Le garçon, lui non plus, n'appelait pas. Nous retournions le bric-à-brac et palpions, silencieusement, les coins obscurs ; je sentais combien nous étions agités l'un et l'autre. Et la plus grande terreur était notre mutisme qui équivalait à reconnaître que nous n'attendions plus de réponse de la bouche d'Helena, que nous ne cherchions plus que son corps, pendu ou gisant.

N'ayant rien trouvé, nous redescendîmes dans le bureau. Encore une fois, je promenai mon regard sur le mobilier, les tables, les chaises, le portemanteau qui brandissait deux imperméables, et puis, dans la pièce voisine : table, chaises et l'autre portemanteau avec ses bras nus désespérément levés. Le garçon appela (inutilement) Helena ! et moi (inutilement), j'ouvris l'armoire qui montra ses rayons chargés de paperasses, de fournitures de bureau, papier collant et règles.

« Bon Dieu, il doit y avoir encore quelque chose ! Des cabinets ! Une cave ! » dis-je et nous gagnâmes le couloir une fois de plus ; le garçon ouvrit la porte de la cour. Celle-ci était minuscule, une cage à lapins s'y tassait dans une encoignure ; au-delà s'étendait un jardin tout envahi d'herbes folles, planté d'arbres fruitiers (dans un coin lointain de ma pensée j'eus le temps d'inscrire la beauté de ce lieu : les pans de ciel bleu accrochés entre les frondaisons, les troncs rugueux et biscornus et, entre eux, la lumière de quelques tournesols) ; à l'extrémité du jardin, j'aperçus, dans l'ombre idyllique d'un pommier, un chalet de nécessité. Je me précipitai par là.

Le loquet pivotant sur un gros clou enfoncé dans l'étroit montant de l'huisserie (afin de pouvoir fermer du dehors en le plaçant à l'horizontale) était tourné vers le haut. Introduisant les doigts dans l'interstice de la porte et du chambranle, il me suffit d'une légère traction pour constater que les cabinets étaient clos de l'intérieur ; ce qui ne pouvait signifier qu'une chose : Helena était là. Je dis à voix basse : « Helena, Helena ! » Rien ne répondit ; seules bruissaient contre la paroi des cabinets les branches du pommier qu'un souffle d'air avait fait bouger.

Je savais que ce silence là-dedans présageait le pire, mais aussi qu'il ne restait plus qu'à arracher la porte et que c'était moi qui devais le faire. Je glissai à nouveau mes doigts dans l'interstice de la porte et du chambranle et tirai de toutes mes forces. La porte (fixée, non par un crochet mais, comme souvent à la campagne, à l'aide d'un simple bout de ficelle) céda facilement et s'ouvrit toute grande. Devant moi, Helena était assise sur le siège de bois, dans la puanteur. Elle était blême mais vivante. Elle me regardait, épouvantée, en rabattant sa jupe qui, malgré ses efforts, lui descendait à peine à mi-cuisses ; elle en maintenait l'ourlet à deux mains et serrait ses jambes l'une contre l'autre. « Mon dieu, allez-vous-en ! s'exclama-t-elle avec angoisse.

— Qu'est-ce qu'il y a ? lui criai-je. Qu'avez-vous avalé ?

— Allez-vous-en ! Laissez-moi ! »

Dans mon dos, le garçon apparut et Helena cria : « Va-t'en, Jindra, va-t'en, file ! » Elle se leva à moitié, la main tendue vers la porte, mais je m'interposai entre elle et le battant, de sorte qu'elle dut, chancelante, se rasseoir sur la lunette.

A la même seconde, elle se dressa de nouveau et se jeta sur moi avec une force désespérée (vraiment *désespérée,* car il ne lui en restait qu'un tout petit peu après son grand épuisement). Suspendue aux revers de ma veste, elle me poussait dehors ; nous étions tous deux devant le seuil des cabinets. « Sale brute, sale brute, sale brute ! » hurlait-elle (si on peut appeler hurlement cet effort furieux pour forcer une voix affaiblie) et elle me secoua ; ensuite elle me lâcha brusquement et se mit à fuir sur l'herbe vers la courette. Elle voulait s'échapper, mais se trouva trahie : elle avait quitté les cabinets dans une confusion qui l'avait empêchée de remettre de l'ordre dans sa toilette, en sorte que son slip (celui-là même que j'avais vu hier, en lastex, qui sert en même temps de porte-jarretelles) était resté roulé aux genoux, gênant sa marche (sa jupe était, il est vrai, retombée, mais ses bas accordéonaient sur ses mollets, et on voyait leur bordure supérieure plus foncée, avec les jarretelles) ; elle fit quelques pas menus, ou plutôt quelques sauts très courts (elle avait des escarpins à hauts talons), elle fit à peine quelques mètres, et elle tomba (elle tomba dans l'herbe ensoleillée, sous les branches d'un arbre, au pied d'un grand tournesol criard) ; je lui pris la main afin de l'aider à se remettre debout ; elle se détacha d'une secousse et, comme de nouveau je me penchais sur elle, elle commença à battre l'air furieusement autour d'elle, m'atteignant plusieurs fois ; je dus la saisir de toutes mes forces, la soulever et la serrer dans mes bras comme dans une camisole. « Sale brute, sale brute, sale brute ! » sifflait-elle sans relâche, tandis qu'elle me martelait le dos de sa main libre ; quand je lui eus dit (aussi doucement que je pus) : « Helena, du calme », elle me cracha au visage.

Sans desserrer l'étreinte, je lui disais : « Je ne vous lâcherai pas tant que vous ne m'aurez pas dit ce que vous avez avalé.

— Allez-vous-en ! Allez-vous-en ! » répétait-elle avec rage, mais soudain, elle se tut, cessa toute résistance et me dit : « Lâchez-moi », d'une voix si profondément changée (faible et fatiguée) que je détendis l'étreinte et la regardai ; terrorisé, je voyais son visage crispé par un effort abominable, mâchoires contractées, yeux perdus, et son corps qui se ratatinait et se pliait en avant.

« Qu'est-ce que c'est ? » dis-je, et elle, sans un mot, se retourna et se dirigea vers les cabinets ; jamais je n'oublierai sa démarche : la lenteur de ses tout petits pas irréguliers, de ses jambes entravées ; elle avait peut-être quatre mètres à faire, pourtant il lui fallut s'arrêter plusieurs fois, et chaque station révélait (aux contorsions de tout son corps) le cruel combat qu'elle soutenait contre ses entrailles en folie ; enfin elle arriva aux cabinets, prit le bord de la porte (demeurée béante) et la rabattit sur elle.

J'étais resté à l'endroit où je l'avais relevée ; et maintenant que des cabinets s'élevait avec force une respiration, un râle de souffrance, je reculai plus loin. Ce n'est qu'alors que je m'avisai de la présence du garçon planté à côté de moi. « Restez là, lui ordonnai-je. Il faut que je trouve un médecin. »

Je pénétrai dans le bureau ; dès le pas de la porte, j'avais repéré le téléphone sur une des tables. Mais l'annuaire n'était nulle part ; j'attrapai la poignée du tiroir du milieu, il était fermé à clé, de même que les tiroirs latéraux ; la table en face était fermée aussi. Je passai dans l'autre pièce ; ici, le bureau ne comportait qu'un tiroir, ouvert, certes, mais contenant seulement quelques photos et un coupe-papier. Je ne savais que faire ; et j'éprouvai (sachant Helena vivante et sans doute pas en danger) une subite lassitude ; je demeurai un instant sans bouger et, abruti, je fixais le portemanteau (portemanteau métallique maigre qui levait les bras comme un soldat qui se rend) ; ensuite (ne sachant que faire) j'ouvris l'armoire ; sur une pile de dossiers, je reconnus la couverture bleu-vert de l'annuaire ; je l'emportai vers l'appareil et je trouvai l'hôpital. Ayant formé le numéro, j'entendais mon appel dans l'écouteur, lorsque le garçon entra en coup de vent.

« N'appelez personne ! C'est inutile ! » s'écria-t-il.

Je ne comprenais pas.

Il m'arracha le combiné et le reposa sur la fourchette. « Je vous dis que ce n'est pas la peine... »

Je voulais qu'il m'explique ce qui se passait.

« C'est pas un empoisonnement ! » dit-il en s'approchant du portemanteau ; il fouilla dans une poche de son imperméable et en sortit un tube ; il le déboucha et le retourna ; il était vide.

« C'est ça qu'elle a pris ? » m'informai-je.

Il acquiesça silencieusement.

« Comment le savez-vous ?

— Elle me l'a dit.

— Ce tube est à vous ? »

Il acquiesça. Je le lui pris des mains ; il portait l'inscription Algéna.

433

« Alors vous croyez que des analgésiques, en quantité pareille, c'est inoffensif ? éclatai-je.

— C'était pas des analgésiques, dit-il.

— Alors quoi, qu'est-ce qu'il y avait là-dedans ? m'écriai-je.

— Des tablettes laxatives », lâcha-t-il.

Je criai : qu'il n'avait pas à se payer ma tête, il fallait que je sache ce qu'il en était, et ses impertinences ne m'amusaient pas. Je lui intimai l'ordre de me répondre immédiatement.

M'entendant crier, il s'écria aussi : « Enfin, quand je vous dis que c'est du laxatif ! Faudrait-il que tout le monde le sache, que j'ai les intestins paresseux ? » Ainsi, ce que j'avais pris pour une boutade stupide, c'était la vérité.

Je le regardais, avec son petit visage rougi, son nez retroussé (petit et assez grand tout de même pour loger une quantité de taches de rousseur), et tout s'éclairait : la marque du tube était là pour cacher le ridicule de ses problèmes intestinaux, comme son blue-jeans et son blouson de casseur le ridicule de son personnage enfantin ; il avait honte de lui et il traînait comme une tare son adolescence tenace ; sur le moment, je l'aimai ; sa pudeur (cette noblesse de l'adolescence) avait sauvé la vie d'Helena et mes nuits de sommeil au cours des prochaines années. Avec une reconnaissance hébétée, je regardais ses oreilles décollées. Oui, il avait sauvé la vie d'Helena ; mais au prix d'une immense humiliation ; je le savais, et je savais aussi que ç'avait été une humiliation inutile, sans aucun sens et sans ombre d'équité : un nouvel irréparable dans la chaîne des irréparables ; je me sentais coupable, et un impérieux (encore qu'imprécis) besoin me poussa à courir la rejoindre, la dégager de son outrage, m'abaisser devant elle, m'attribuer toute la faute et toute la responsabilité de cette histoire absurdement féroce.

« Vous ne m'avez pas assez regardé, non ? » m'envoya le garçon à brûle-pourpoint. Je ne répondis pas et passai à côté de lui pour gagner le couloir ; je marchai vers la porte de la cour.

« Qu'est-ce que vous allez faire là-bas ? » Par-derrière, il avait agrippé l'épaule de mon vêtement et tentait de me retenir contre lui ; nos regards se heurtèrent une seconde ; lui serrant le poignet, j'éloignai sa main de mon épaule. Me contournant, il me barra le passage. J'avançai jusqu'à lui et fis mine de l'écarter. Alors, balançant le bras, il me lança son poing dans la poitrine.

Le coup avait été bien faible, mais il fit un saut en arrière pour se carrer de nouveau face à moi dans une garde de boxe naïve ; dans son visage, la peur se mêlait à l'audace irréfléchie.

« Vous n'avez rien à faire près d'elle ! » me cria-t-il. Je restais sans bouger. Le garçon, probablement, disait vrai : je ne serai sans doute pas à même de réparer l'irréparable. Voyant que je restais là sans riposte, il vociféra : « Elle vous trouve infect ! Vous la faites chier ! Elle me l'a dit ! Oui, vous la faites chier ! »

Dans une tension des nerfs, on se trouve docile aux pleurs, mais aussi bien au rire ; le sens non figuré de ses derniers mots m'avait fait trembler le coin de la bouche. Cela le rendit furieux ; cette fois il m'atteignit à la lèvre et j'esquivai à peine un autre coup. Puis il recula encore, comme sur un ring, les poings devant le visage dont on ne voyait plus que les grandes oreilles trop roses.

Je lui dis : « Allons, ça va ! Je m'en vais. »

Il cria encore dans mon dos : « Foireux ! Foireux ! Je le savais que t'avais trempé là-dedans ! T'inquiète pas, je te retrouverai ! Sale con ! Sale con ! »

J'étais sorti dans la rue. Elle était vide comme les rues sont vides après la fête ; seul le vent soulevait doucement la poussière et la chassait devant lui sur le sol plat, aussi désert que ma tête, ma tête creuse et émoussée, où pendant longtemps aucune idée n'apparut.

Plus tard seulement, je m'avisai tout à coup que je tenais dans ma main le tube vide marqué « Algéna » ; je l'examinai : il était tout patiné d'usure et de saleté : il devait servir depuis longtemps à déguiser les laxatifs du garçon.

Après un autre long moment encore, le tube me rappela d'autres tubes, les deux tubes de barbituriques d'Alexej ; et j'ai compris que le garçon n'avait pas du tout sauvé la vie d'Helena : après tout, même si le tube avait contenu de l'Algéna, ça n'aurait pu lui causer qu'un dérangement d'estomac ; de plus, le garçon et moi n'étions pas loin ; la désespérance d'Helena avait réglé ses comptes avec la vie à une distance suffisante du seuil de la mort.

18

Elle était dans la cuisine. Au-dessus du fourneau. De dos. Comme si de rien n'était. « Vladimir ? » m'avait-elle rétorqué sans se retourner. « Enfin, tu l'as vu de tes yeux ! Qu'est-ce que tu as à me questionner ? — Tu mens, lui dis-je, Vladimir est parti ce matin, en tandem sur la moto du petit-fils de Koutecky. Je suis venu te dire que je le sais. Je sais pourquoi ça vous a arrangés, cette bonne femme de la radio. Je sais pourquoi il ne fallait pas que je sois là pendant l'habillage du roi. Je sais pourquoi il observait la règle du silence avant même d'aller prendre sa place dans la Chevauchée. Vous avez tout très bien combiné. »

Mon assurance l'avait déconcertée. Mais très vite elle a retrouvé ses esprits et a voulu se sauver en attaquant. C'était une curieuse attaque. Curieuse, ne serait-ce que parce que les adversaires n'étaient pas face à face. Elle avait le dos tourné, penchée sur la soupe aux nouilles qui bouillonnait. Sa voix était calme. Presque indolente. Comme si seule mon incompréhension la contraignait maintenant à formuler à haute voix une vieille et banale évidence. Si je veux l'entendre soit. Depuis le commencement, Vladimir avait rechigné à faire le roi. Et Vlasta ne s'en étonnait pas. Dans le temps, les garçons n'avaient besoin de personne pour faire la Chevauchée. A présent, trente-six organisations s'en occupent, jusqu'au Comité de District du Parti. Aujourd'hui, les gens ne peuvent plus rien faire tout seuls, quand ils en ont envie. Faut que tout soit dirigé d'en haut. Avant, c'étaient les gars qui désignaient le roi. Ce coup-ci, d'en haut, on leur avait recommandé Vladimir, pour faire plaisir à son père, et tous avaient dû obéir. Vladimir, lui, ça lui faisait honte d'être l'enfant du piston. Les enfants du piston, personne ne les aime.

« Tu veux dire que Vladimir a honte de moi ? — Il ne veut pas être un enfant du piston, répétait Vlasta. — C'est pour ça qu'il est comme cul et chemise avec les Koutecky ? Avec ces idiots ? Ces bourgeois bornés ? demandai-je. — Oui, c'est pour ça ! répondit Vlasta. A cause de son grand-père, Milos n'a pas le droit de faire des études. Rien que parce que le vieux était propriétaire d'une entreprise. Pendant que notre Vladimir a toutes les portes ouvertes. Pour la seule raison que tu es son père. C'est gênant pour le gosse. Est-ce que tu le comprends, au moins ? »

Pour la première fois de ma vie, j'éprouvai de la colère contre elle. Ils m'avaient trompé. Froidement, jour après jour, tous les deux m'avaient observé attendant la Chevauchée. Ils avaient observé mon impatience, mon exaltation. Tranquillement, ils m'avaient observé, tranquillement, ils m'avaient trompé. « Vous aviez besoin de me tromper comme ça ? »

Vlasta salait les nouilles et disait qu'avec moi ce n'était pas facile. Je vivais dans mon univers. J'étais un rêveur. Eux n'en voulaient pas à mes idéaux, mais Vladimir est différent. Mes chansonnettes, pour lui, c'est de l'hébreu. Ça ne l'amuse pas. Il trouve ça barbant. Il faut que j'en prenne mon parti. Vladimir est un homme moderne. Il tient ça de son père à elle. Lui avait le sens du progrès. Dans leur commune, il avait été le premier à s'acheter un tracteur, déjà avant-guerre. On leur avait tout confisqué par la suite. De toute manière, depuis que leurs champs appartiennent à la coopérative ils ne rapportent plus autant.

« Je m'en fous de vos champs ! Je veux savoir où il est allé, Vladimir. Il est allé aux courses de motocyclettes de Brno. Avoue ! »

Elle gardait le dos tourné, salait les nouilles et y allait de son antienne. Vladimir est comme grand-papa. Il a son menton et ses yeux. Et la Chevauchée des Rois, c'est de l'hébreu pour lui. Oui, puisque je voulais le savoir, il était parti aux courses. Pourquoi pas. Les motos l'intéressaient davantage que les juments enrubannées. Pourquoi pas. Vladimir est un homme moderne.

Des motos, des guitares, des motos, des guitares. Le monde stupide et étranger. Je lui demandai : « Qu'est-ce que c'est, je te prie, un homme moderne ? »

Elle gardait le dos tourné, salait les nouilles et elle répliqua que, pour un peu, elle n'aurait pas pu arranger notre intérieur en moderne. Combien j'en avais dévidé des litanies, à cause du lampadaire moderne. Et ce lustre moderne, il ne me revenait pas non plus ! Comme si tout le monde ne savait pas comme il est beau, ce lampadaire moderne ! Partout les gens s'achètent ces lampadaires.

« Arrête », lui dis-je. Mais il était impossible de l'arrêter. Elle était lancée. Son dos tourné. Son dos menu, méchant, maigre. C'était peut-être bien ça qui m'exaspérait le plus. Ce dos. Ce dos qui n'a pas d'yeux. Ce dos stupidement sûr de lui. Ce dos avec lequel on ne s'entend pas. Je résolus de la faire taire. De la retourner face à moi. Seulement, elle me répugnait trop. Je ne voulais pas la toucher. J'y arriverai autrement. J'ouvris le buffet et je me saisis d'une assiette. Je la laissai tomber. Elle se tut net. Mais elle ne se retourna pas. Une autre assiette, et encore d'autres. Elle gardait toujours le dos tourné. Tapie en elle-même. Sur ce dos, je lisais sa peur. Oui, elle avait peur, mais elle était coriace et refusait de se rendre. Elle cessa de tourner son potage et elle serrait, sans bouger, le manche de sa cuiller en bois. Comme s'il devait la sauver. Je la haïssais et elle me haïssait. Elle ne bougeait pas et je ne la quittais pas des yeux tandis que je continuais à faire tomber d'autres et d'autres pièces de vaisselle du rayonnage sur le sol. Je la haïssais et, avec elle, toute sa cuisine. Sa cuisine standard moderne, avec son mobilier moderne, avec ses assiettes modernes, avec ses verres modernes.

Je ne me sentais pas excité. Je regardais placidement, avec tristesse et fatigue, le carrelage jonché de débris, de marmites et de casseroles éparses. Je jetais par terre mon chez-moi. Mon chez-moi aimé, mon refuge. Le chez-moi placé sous la tendre houlette de ma pauvre servante. Le chez-moi que je m'étais peuplé de contes, de chansons de lutins braves. Tiens, voilà les trois chaises que nous prenions pour nos repas de midi. Ah, ces pacifiques déjeuners de famille qui avaient vu cajoler, tromper, un père nourricier crédule. L'une après l'autre, j'attrapai les chaises et j'en brisai les pieds, puis les posai à côté des casseroles et des verres cassés. Je renversai la table par là-dessus. Vlasta restait immobile devant sa cuisinière, gardant le dos tourné.

Je sortis de la cuisine pour aller dans ma chambre. Il y avait le globe rose pendu en l'air, le lampadaire et le divan moderne hideux. Sur l'harmonium, mon violon dans son étui noir. Je le pris. A quatre heures, nous avons notre séance dans le jardin du restaurant. Mais il n'est qu'une heure. Où irai-je ?

J'entendais sangloter du côté de la cuisine. Vlasta pleurait. Ses sanglots étaient déchirants et, au fond de moi, j'avais mal de pitié. Elle n'aurait pas pu pleurer dix minutes avant ? J'aurais pu céder à ma vieille illusion et retrouver ma pauvre servante. Mais il était déjà trop tard.

Je sortis de la maison. L'appel de la Chevauchée tremblotait sur les toits. Nous avons un roi besogneux mais d'autant plus vertueux. Où aller ? Les rues étaient à la Chevauchée, la maison à Vlasta, les auberges aux ivrognes. Et ma place à moi, où est-ce qu'elle est ? Je suis le vieux roi, abandonné et banni. Roi vertueux et mendiant. Roi sans successeur. Le dernier roi.

Encore une chance, au-delà du village il y a les champs. Le chemin. Et dix minutes plus loin, l'eau de la Morava. Je me suis couché sur la berge. La boîte à violon sous la nuque. Je suis resté longtemps comme ça. Une heure, peut-être deux. Avec l'idée d'avoir atteint la fin. Si subitement, si inopinément. Voilà, ça y était. Je ne voyais pas de continuation. J'ai toujours vécu dans deux mondes à la fois. Je croyais à leur harmonie. C'était un leurre. De l'un de ces mondes, je suis maintenant banni. Du monde réel. Il ne me restait que l'autre, l'imaginaire. Mais ça ne me suffit pas pour vivre, le monde imaginaire. Même si l'on m'y attend. Même si le déserteur m'appelle, même s'il garde toujours pour moi un cheval et un voile rouge. Oh, comme cette fois je le comprenais ! Maintenant je savais pourquoi il m'avait défendu d'ôter mon voile, préférant me raconter tout lui-même ! Maintenant seulement, je m'expliquais pourquoi le roi devait être masqué ! Non pour qu'on ne le voie pas, mais pour que lui ne voie rien !

Il m'était impensable de me remettre debout pour marcher. Impensable de faire un pas. A quatre heures, ils vont s'inquiéter. Mais je n'aurai pas la force de me lever, d'aller jusque-là. Je ne me sens bien qu'ici. Ici, près de la rivière. Ici, l'eau coule lentement, depuis des millénaires. Lentement elle coule et moi, lentement et longuement, je resterai étendu ici.

Après, quelqu'un m'a parlé. C'était Ludvik. Je m'attendais à un nouveau coup. Mais je n'avais plus peur. Plus rien ne pouvait me surprendre.

Il s'assit dans l'herbe à côté de moi et me demanda si je n'allais pas bientôt au concert de cet après-midi. « Voudrais-tu y aller, par hasard ? demandai-je. — Oui, me dit-il. — C'est pour ça que tu es venu de Prague ? — Non, dit-il, pas pour ça. Mais les choses finissent autrement que prévu. — Oui, dis-je, tout à fait autrement ! — Une heure que je traînaille par les champs. Je ne me figurais guère te trouver ici. — Moi non plus. — J'ai une prière à te faire », dit-il ensuite, sans me regarder dans les yeux. Exactement comme Vlasta. Il ne me regardait pas dans les yeux. Mais, de lui, ça ne me dérangeait pas. Ça m'était plutôt agréable. J'y devinais de la pudeur. Et cette pudeur me soulageait et guérissait. « J'ai une prière à te faire, avait-il dit. Tu ne voudrais pas me laisser jouer avec vous tout à l'heure ? »

19

Il restait encore quelques heures avant le départ du car et donc, poussé par mon trouble, j'ai quitté le village en essayant, dans les champs, de chasser de ma tête tous les souvenirs de la journée. Ce n'était pas facile : ma lèvre fendue par le petit poing du garçon me brûlait et, resurgie, la silhouette de Lucie me rappelait que partout où j'avais essayé de régler des comptes avec l'injustice, c'était moi-même qu'à la fin j'avais débusqué comme fauteur de tort. Je chassai toutes ces idées, puisque tout ce qu'elles répétaient sans cesse, je le savais bien maintenant ; je me suis évertué à garder la tête vide et à y laisser entrer seulement les appels lointains (à peine audibles déjà) des cavaliers, musique qui m'emportait au-dehors de moi et ainsi me consolait.

En large cercle, par les sentiers, j'avais contourné le village et, parvenu au bord de la Morava, je la longeai en aval ; sur l'autre rive, il y avait quelques oies, un bois à l'horizon et, en dehors de cela, rien que des champs. Et puis, encore à distance devant moi, je remarquai un homme couché dans l'herbe sur la berge. Quand je fus plus près, je le reconnus : à plat dos, visage au ciel, il avait sous la tête son étui à violon (autour, les champs étaient infinis et plats, les mêmes que durant des siècles, seulement égratignés ici de pylônes d'acier soutenant les lourds câbles d'une ligne à haute tension). Il aurait été facile de l'éviter : il fixait le ciel et ne me voyait pas. Mais cette fois-ci, ce n'était pas lui que je voulais fuir. Je m'approchai et lui adressai la parole. Il leva les yeux sur moi (yeux qui me semblaient timides et apeurés) et je notai (je le revoyais de tout près pour la première fois depuis de nombreuses années) que, de l'épaisse crinière qui naguère ajoutait quelques centimètres à sa grande stature, ne subsistait plus qu'une touffe très clairsemée, avec trois ou quatre longues et tristes mèches qui, vainement, essayaient de couvrir le crâne ; ces cheveux enfuis m'évoquèrent les années de notre séparation et, subitement, je regrettai ce temps, ce long temps où je ne l'avais pas vu, où je l'avais évité (à peine audibles, les appels des cavaliers parvenaient du lointain) et je ressentis pour lui un brusque élan d'amour coupable. Étendu à mes pieds, il s'était soulevé sur un coude ; il était grand et gauche, et la boîte de son instrument était noire et petite comme un cercueil de nourrisson. Je me souvins que son orchestre (qui avait été aussi *le mien* autrefois) devait donner un concert avant la fin de l'après-midi et je lui demandai de pouvoir jouer avec eux.

Je formulai cette demande avant même de l'avoir pesée vraiment (comme si les mots étaient venus plus vite que l'idée), je la formulai donc à l'étourdie, mais pourtant à l'unisson de mon cœur ; en fait j'étais plein d'amour pour ce monde que j'avais autrefois déserté, ce monde lointain et ancien où des cavaliers et leur roi masqué contournent le village, où on porte de blanches chemises plissées et chante des chansons, ce monde qui se confond pour moi avec l'image de ma ville natale, de ma mère (ma mère confisquée) et de ma jeunesse ; tout le jour, en silence, cet amour en moi avait grandi pour éclore à présent presque au bord des pleurs ; je l'aimais, ce vieux monde, et le priais de m'accorder refuge.

Mais comment cela et de quel droit ? Est-ce qu'avant-hier encore je n'avais pas évité Jaroslav uniquement parce que son personnage incarnait pour moi l'irritante musique du folklore ? Et ce matin même, ne m'étais-je pas approché de la fête folklorique avec malaise ? D'où venait ce soudain effacement des barrières qui m'avaient interdit pendant quinze ans l'évocation heureuse de ma jeunesse passée à l'orchestre avec cymbalum, les retours réguliers et émus dans ma ville natale ? Était-ce d'avoir, quelques heures plus tôt, entendu Zemanek se gausser de la Chevauchée des Rois ? Se pouvait-il que *lui* m'eût inspiré le dégoût de la chanson populaire et que *lui* encore me l'eût maintenant rendue pure ? Serais-je seulement le talon d'une aiguille de boussole dont lui serait la pointe ? Lui serais-je si ignominieusement lié ? Non, ce n'était pas seulement grâce au ricanement de Zemanek que je pouvais brusquement de nouveau aimer ce monde ; je pouvais l'aimer parce que, ce matin, je l'avais retrouvé (inopinément) dans sa pauvreté ; dans sa pauvreté et surtout dans sa *solitude* ; il était abandonné par la pompe et la publicité, abandonné par la propagande politique, par les utopies sociales, par les troupes de fonctionnaires de la culture, il était abandonné par l'adhésion affectée des gens de ma génération, abandonné (aussi) par Zemanek ; cette solitude le purifiait ; pleine de reproches à mon égard, elle le purifiait comme quelqu'un qui n'en a plus pour longtemps ; elle l'illuminait d'une irrésistible *dernière beauté* ; cette solitude me le rendait.

Le concert devait avoir lieu dans le jardin du restaurant où, peu avant, j'avais déjeuné et lu la lettre d'Helena ; quand Jaroslav et moi y arrivâmes, nous trouvâmes déjà installées quelques personnes âgées (attendant patiemment l'après-midi musical) et à peu près autant d'ivrognes chancelant d'une table à l'autre ; dans le fond, on avait disposé quelques chaises autour d'un tilleul et, contre le tronc, appuyé une contrebasse encore dans son linceul gris ; à deux pas, le cymbalum était ouvert, un homme à blanche chemise plissée, assis, promenait en sourdine ses légers maillets sur les cordes ; les autres membres de l'orchestre étaient debout, un peu à l'écart, et Jaroslav fit les présentations : le second violon est un médecin de l'hôpital local ; le contrebassiste est l'inspecteur des affaires culturelles du Comité national du district ; le clarinettiste (qui aura la bonté de me prêter son instrument, nous nous relaierons), instituteur ; le joueur de cymbalum, planificateur à l'usine ; sauf ce dernier dont je me souvenais, une équipe entièrement renouvelée. Après que Jaroslav, solennellement, m'eut à mon tour présenté comme un vétéran de l'orchestre, un de ses fondateurs, donc clarinettiste d'honneur, nous prîmes place sur les chaises autour du tilleul et commençâmes à jouer.

Depuis très longtemps je n'avais pas tenu de clarinette entre les mains, mais comme je connaissais bien l'air avec lequel nous attaquâmes je vainquis vite mon trac, si bien que, les instruments reposés, les musiciens se récrièrent en compliments, refusant de croire que je n'avais plus joué depuis belle lurette ; le serveur (celui-là même à qui j'avais dans l'affolement réglé la note de mon repas de midi) vint alors nous dresser sous les branches un guéridon sur lequel il disposa six verres à vin et une dame-jeanne clissée ; doucement, nous commençâmes à boire. Après quatre, cinq airs, je fis signe à l'instituteur ; me reprenant sa clarinette, il répéta que je m'en sortais brillamment ; content de cet éloge, j'allai m'adosser au tronc du tilleul ; le sentiment d'une chaleureuse camaraderie me remplissait et je le remerciai de m'être venu en aide à la fin de cette âcre journée. Et voilà que de nouveau Lucie resurgit devant mes yeux et je pensai enfin comprendre pourquoi elle m'était apparue dans le salon de coiffure et puis le lendemain, chez Kostka, dans le récit qui était légende et vérité à la fois : peut-être avait-elle voulu me dire que son destin (destin de petite fille souillée) était proche du mien ; que, nous deux, nous étions sans doute manqués, faute d'avoir pu nous comprendre, mais que les histoires de nos deux vies étaient fraternelles et conjointes, étant toutes les deux *histoires de dévastation* ; ainsi qu'on avait en Lucie dévasté l'amour charnel et privé son existence d'une valeur élémentaire, ma vie aussi fut spoliée des valeurs sur lesquelles elle voulait s'appuyer et qui, par leur origine, étaient innocentes ; oui, innocentes : l'amour physique, quoique dévasté dans la vie de Lucie, est innocent, de même que les chants de mon pays et l'orchestre avec cymbalum et ma ville natale que je détestais sont innocents, et Fucik, dont le portrait m'avait fait lever le cœur, est, lui aussi, innocent à l'égard de moi, et le mot camarade, qui m'avait sonné comme une menace, de même que le mot « tu » et le mot avenir et beaucoup d'autres mots. La faute était ailleurs et elle était si grande que son ombre couvrait bien loin à la ronde l'univers entier des choses (et des mots) innocentes et les dévastait. Nous vivions, Lucie et moi, dans un monde dévasté ; et faute d'avoir su le prendre en pitié, nous nous en étions détournés, aggravant ainsi et son malheur et le nôtre. Lucie, si fort aimée, si mal aimée, c'est cela que tu es venue me dire au bout des ans ? Plaider la compassion pour un monde dévasté ?

La chanson finie, l'instituteur me repassait la clarinette, déclarant qu'il n'y toucherait plus aujourd'hui, que je jouais mieux que lui et que je méritais de la garder, vu qu'on ne savait pas quand je reviendrais ici. Saisissant au vol le regard de Jaroslav, je dis que je ne demanderais pas mieux que de revenir le plus tôt possible. Jaroslav me demanda si je disais cela sérieusement. J'acquiesçai et nous attaquâmes l'air suivant. Il y avait un bon moment que Jaroslav avait quitté sa chaise ; la tête penchée en arrière, il appuyait son violon, au mépris de tous les principes, très bas contre sa poitrine et, tout en jouant, il allait et venait continuellement ; le second violon et moi nous levions aussi à tout moment, en particulier chaque fois que nous voulions donner le plus d'élan possible à l'improvisation. Dans ces instants-là qui requièrent de la fantaisie, de la précision et une profonde complicité, Jaroslav devenait notre âme à tous et j'admirais le musicien éblouissant caché dans cette espèce de géant qui également (et avant tous les autres) comptait parmi les valeurs dévastées de ma vie ; il m'avait été volé et

449

moi (à mon grand dam et à ma honte) je me l'étais
laissé ravir, quoiqu'il fût peut-être mon plus fidèle,
mon plus ingénu, mon plus innocent compagnon.

Entre-temps le public s'était peu à peu métamorphosé : aux tablées, pas très denses du reste, qui,
depuis le début, nous suivaient avec une attention tout
à fait chaleureuse, s'était ajouté un groupe de garçons
et de filles qui, installés aux tables libres, avaient
commandé (à grands coups de gueule) soit des chopes,
soit du vin, et (à mesure que montait le niveau des
vagues de l'alcool) s'étaient appliqués à manifester leur
sauvage besoin d'être vus, entendus, reconnus.
L'atmosphère, alors, n'avait pas tardé à changer, elle
devenait plus bruyante et plus agitée (des garçons
vacillaient entre les tables, s'appelaient l'un l'autre ou
hélaient leurs copines), au point que je me surpris,
distrait de notre jeu, à regarder par trop souvent vers le
jardin et à observer avec une franche hostilité les
visages des blancs-becs. Devant ces têtes à cheveux
longs, qui crachaient avec ostentation, à droite comme
à gauche, les jets de salive et les mots, je sentais une
résurgence de mon ancienne haine pour l'âge de
l'immaturité et j'avais l'impression de ne voir que des
acteurs à qui l'on aurait collé des masques censés
figurer une virilité stupide, une grossièreté suffisante ;
et je ne tenais pas pour circonstance atténuante la
possible présence sous le masque d'un autre visage
(plus humain), l'horrible étant, justement, que les
visages masqués étaient furieusement dévoués à la
barbarie et à la vulgarité des masques.

Il faut croire que Jaroslav partageait mes sentiments, car il avait subitement abaissé son violon, nous

confiant qu'il n'avait nul plaisir à jouer devant un auditoire pareil. Il suggéra de partir, de prendre à travers champs, par le petit chemin, comme autrefois ; il fait beau, le crépuscule va tomber d'un moment à l'autre, le soir sera chaud, il y aura des étoiles, il n'y aura qu'à faire halte près d'un églantier, et on jouera pour nous tout seuls, pour notre plaisir, comme on faisait dans le temps ; maintenant on a pris l'habitude (une sotte habitude) de ne jouer que pour les séances organisées, et ça, il commençait à en avoir marre.

D'abord, tous avaient approuvé, presque avec enthousiasme, vu qu'eux-mêmes sentaient que leur passion pour la musique exigeait une ambiance plus intime, mais le contrebassiste (l'inspecteur des affaires culturelles) avait ensuite objecté que, d'après ce qui était convenu, nous étions tenus de jouer jusqu'à neuf heures, les camarades du district et aussi le gérant du café comptaient là-dessus, ç'avait été planifié comme ça, nous devions par conséquent remplir la tâche comme nous en avions pris l'engagement, faute de quoi le déroulement des festivités serait perturbé ; nous pourrions jouer dans la nature une autre fois.

A ce moment s'allumèrent des lampes suspendues à de longs fils tendus d'arbre en arbre ; comme il ne faisait pas encore noir, le jour commençant à peine à baisser, loin de répandre une lumière vive, elles étaient dans l'espace grisâtre comme de grandes larmes immobiles, larmes blanches qu'on ne pouvait essuyer et qui ne pouvaient pas couler ; une sorte d'alanguissement soudain, inexplicable, s'était ainsi abattu, et personne n'était en mesure d'y résister. Jaroslav dit encore (cette fois quasi implorant) qu'il n'en pouvait plus, qu'il voulait s'en aller dans les champs, près de l'églantier, jouer pour sa joie, puis il eut un geste découragé, appuya le violon contre sa poitrine et continua.

Sans plus nous occuper du public, nous jouions maintenant avec davantage de recueillement qu'au début ; plus le climat du jardin était désinvolte et grossier, plus il nous entourait de sa bruyante indifférence, faisant de nous un îlot délaissé, plus le spleen nous étreignait, et plus nous plongions en nous-mêmes, jouant donc plutôt pour nous que pour les autres, oubliant les autres, la musique étant une enceinte protectrice dans laquelle, parmi les ivrognes tapageurs, nous étions comme dans une cabine de verre suspendue dans les profondeurs des eaux froides.

« Si les montagnes étaient en papier — si l'eau se changeait en encre — et les étoiles en scribes — si tout le vaste monde le voulait rédiger — au bout point n'arriverait — du testament de mon amour », chantait Jaroslav sans décoller le violon de sa poitrine, et moi, j'étais heureux dans ces chansons (dans la cabine de verre de ces chansons) où la tristesse n'est pas légère, le rire n'est pas rictus, l'amour pas risible, la haine pas timide, où les gens aiment corps et âme (oui, Lucie, corps et âme), où le bonheur les fait danser et le désespoir bondir dans le Danube, où, donc, l'amour demeure amour, la douleur douleur, et où les valeurs ne sont pas encore dévastées ; et il m'apparaissait qu'à l'intérieur de ces chansons se trouvait mon issue, ma marque originelle, le *chez-moi* que j'avais trahi mais qui en était *d'autant plus* mon chez-moi (puisque la plainte la plus poignante s'élève du chez-soi trahi) ; mais je comprenais en même temps que ce chez-moi n'était pas

452

de ce monde (mais quel chez-moi est-ce, s'il n'est pas de ce monde ?), que tout ce que nous chantions n'était qu'un souvenir, un monument, la conservation imaginaire de ce qui n'existe plus, et je sentais que le sol de ce chez-moi se dérobait sous mes pieds et que je glissais, clarinette aux lèvres, dans la profondeur des années, des siècles, dans une profondeur sans fond (où amour est amour, douleur est douleur), et je me disais avec étonnement que mon seul chez-moi était justement cette descente, cette chute, chercheuse et avide, et je m'abandonnai à lui et à la volupté de mon vertige.

Et puis j'avais regardé Jaroslav pour vérifier sur son visage si j'étais seul dans mon exaltation ; et j'avais remarqué (une lampe accrochée à la ramure du tilleul éclairait son visage) qu'il était singulièrement pâle ; il ne chantonnait plus en jouant, il avait la bouche serrée ; ses yeux apeurés étaient devenus encore plus craintifs ; il faisait des fausses notes ; sa main qui tenait le manche du violon avait tendance à glisser. Puis il cessa de jouer et s'affaissa sur sa chaise ; je me mis à côté de lui, un genou à terre. « Qu'est-ce que tu as ? » lui demandai-je ; le front en sueur, il tenait empoigné le haut de son bras gauche. « Ça me fait terriblement mal », dit-il. Les autres ne s'étaient pas aperçus du malaise de Jaroslav et s'adonnaient à leur transe musicale, sans premier violon et sans clarinette ; le cymbaliste, profitant du silence de ces deux-ci, faisait merveille sur son instrument, soutenu seulement par le second violon et la contrebasse. Je m'approchai du second violon (que Jaroslav m'avait présenté comme médecin) et l'entraînai vers mon ami. On n'entendait plus que le cymbalum et la basse, tandis que le second violon prenait le poignet gauche de Jaroslav ; et longtemps, très longtemps, il le garda dans sa main ; ensuite il lui souleva les paupières et lui examina les yeux ; puis il toucha son front moite. « Le cœur ? demanda-t-il. — Le bras et le cœur », répondit Jaroslav, et il était vert. Alerté à son tour, le contrebassiste accota son instrument contre le tilleul et vint nous rejoindre, en sorte qu'on n'entendait que le cymbalum, seul, parce que le cymbaliste ne se doutait de rien et jouait, heureux, en solo. « Je téléphone à l'hôpital », dit le second violon. Je l'accrochai : « Qu'est-ce que c'est donc ? — Il a le pouls comme un fil. Il transpire de glace. Sûrement un infarctus. — Zut ! dis-je. — T'en fais pas, il s'en sortira », me consola-t-il avant de se hâter vers le restaurant. Les gens qu'il devait bousculer étaient déjà trop ivres pour s'apercevoir même que notre orchestre s'était tu ; ils étaient occupés uniquement d'eux-mêmes, de leur bière, de balivernes et des injures qui, dans le coin opposé du jardin, venaient de déclencher une bagarre.

Enfin le cymbalum se tut aussi et nous entourâmes Jaroslav qui me regarda et dit que tout ça c'était parce qu'on était restés là, que lui ne voulait pas rester, qu'il voulait qu'on s'en aille dans les champs, surtout que j'étais venu, surtout que j'étais revenu, on aurait pu si bien jouer à la belle étoile. « Ne parle pas tant, lui dis-je, c'est le calme qu'il te faut », et je songeai qu'en effet il se tirerait sans doute de cet infarctus, ainsi que le second violon l'avait prévu, mais que ce serait ensuite une vie changée du tout au tout, une vie sans dévouement passionné, sans jeu acharné dans l'orchestre, la seconde mi-temps, mi-temps après la défaite, et l'idée m'envahit qu'un destin souvent s'achève bien avant la mort, que le moment de la fin ne coïncide pas avec celui de la mort, et que le destin de Jaroslav était arrivé au bout. Accablé d'un terrible regret, je caressai sa tête dégarnie, ses longs cheveux fins qui tentaient tristement de couvrir sa calvitie, et je constatai avec frayeur que ce voyage dans ma ville natale où j'avais voulu atteindre le Zemanek haï m'amenait, pour finir, à porter dans mes bras mon copain terrassé (oui, je me voyais à cet instant, le tenant sur mes bras, le tenant et le portant, immense et lourd, comme si j'avais porté ma propre faute obscure, je me voyais l'emportant à travers une foule, je me voyais en pleurs).

Nous restâmes autour de lui à peu près dix minutes, puis le second violon reparut, nous faisant signe ; nous aidâmes Jaroslav à se mettre debout, et, le soutenant sous les aisselles, nous plongeâmes avec lui dans la rumeur des blancs-becs ivres sur le trottoir, le long duquel attendait, tous feux allumés, une ambulance.

Achevé le 5 décembre 1965.

Dans le couloir de la classe, son œil a suivi, longtemps, la morne voie fougueuse vers Ulm, puis encore une fois
vers celle de la mort, et une légion de forçats ont
prié au bout. Aucune tombe connue n'est de cette
sorte déserte, ses tombes éternels. Ceux qui courent
tranquilles ou courent à sa relève, où il importait aux
forçats que ce voyage, dont une ville entale ou la ville
sourdement à Zeppelin la bombardante soudaine
à vol tombant, même-ce mois champ à travers tout, ce qui
voyait à cet instant, jetaient au plus beau le peuple en
éperon, impasse ardent, courait à leur peuple-
ment pour une tombe-rive, c'est rouvé, empoigné à
nouveau une folie, je me-voyais en route...

Nous rentrerons avant les dix-huit cent quarante
millions, puis le second vivant espérait, nous rentrerons,
alors, nous dîmes à l'aviseur à Saint-Dié déshum, vaste
saurient sous les aiselles, nous pensions faire aux lèvres
dans le concert des blancs-bleus vers sur le vernier, l'en-
tête liquide avec des pluies fleur d'autant, une venue
fuie.

Autres Textes Choisis.

NOTE DE L'AUTEUR

Un jour, en 1961, je suis allé voir des amis dans la région minière où autrefois j'avais vécu. Ils m'ont raconté l'histoire d'une jeune ouvrière arrêtée et écrouée parce qu'elle volait, pour son amant, des fleurs dans les cimetières. Son image ne me quittait pas, et devant mes yeux se dessinait le destin d'une jeune femme pour qui l'amour et la chair étaient mondes séparés, pour qui la sexualité se trouvait à l'opposé de l'amour. Une autre image se joignait en contrepoint à celle de la voleuse de fleurs : un long acte d'amour qui n'était en réalité qu'un superbe acte de haine. Ainsi est née l'idée de mon premier roman, que j'ai achevé en décembre 1965 et intitulé *La plaisanterie*.

Les rédacteurs de la maison d'édition praguoise dirigée par l'Union des écrivains l'aimèrent tout de suite, mais le manuscrit devait être soumis au bureau de la censure. Une année durant, je ne sais combien de fois, j'y fus convoqué. On me demandait de profondes transformations, d'immenses coupures. Je refusais chaque fois de changer quoi que ce soit et, curieusement, les exigences des apparatchiks diminuaient d'un entretien à l'autre. Histoire aujourd'hui à peine croyable : dans les années soixante, par sa force de contagion, la mentalité libérale décomposait le système, culpabilisait le pouvoir, en sorte que même les censeurs ne censuraient plus comme il fallait ; à la grande surprise de tous, le manuscrit fut un jour envoyé à l'imprimerie tel quel.

Une fois édité (c'était au printemps 1967), le roman fut accueilli avec une faveur quasi unanime et l'Union des écrivains tchèques lui décerna son prix de l'année 1968. Auteur jusqu'alors peu connu, j'ai vu, dans un court délai, trois éditions rapidement épuisées et le tirage global atteindre 120 000 exemplaires. Un an après, l'invasion russe bouleversa tout. *La plaisanterie* fut couvert d'injures au cours d'une longue campagne de presse, interdit (ainsi que mes autres livres) et retiré des bibliothèques publiques.

En 1966, alors que le destin du manuscrit stoppé par la censure était encore très incertain, Antonin Liehm, un des intellectuels tchèques les plus cosmopolites, en prit une copie dactylographiée et l'apporta clandestinement en France, à Aragon. Je dois ici rappeler une chose peu connue : Aragon a souvent aidé les artistes de l'autre côté du rideau de fer ; en publiant des articles élogieux sur un spectacle menacé d'interdiction ou sur un écrivain persécuté, son hebdomadaire *Les Lettres françaises* (le seul journal culturel occidental qu'on pouvait acheter dans les pays communistes) leur servait de bouclier. Je me souviens, par exemple, de la préface qu'Aragon a écrite pour la traduction française de *Une nuit avec Hamlet* de Vladimir Holan [1], poète qui à la suite du putsch communiste, en 1948, n'est jamais sorti de son appartement praguois où il s'était retiré ostensiblement comme dans un monastère. Liehm s'adressa donc à Aragon, qui, ne sachant pas résister à son insistance, et sans connaître mon roman (il n'était pas encore traduit), le recommanda à Claude Gallimard avec toute son autorité et promit de donner une préface qu'il se mit à écrire — tel fut le hasard — en août 1968, aux jours de l'invasion de la Tchécoslovaquie. Ainsi est-il né un très beau texte d'un pessimisme lucide (« Je me refuse à croire qu'il va se faire là-bas un Biafra de l'esprit. Je ne vois pourtant aucune clarté au bout de ce chemin de violence. »), un règlement de comptes avec le communisme unique dans son œuvre. Ce texte que pendant seize ans j'ai gardé comme préface de *La plaisanterie* ne dit pas grand-chose sur mon livre mais, avec l'inoubliable article de Ionesco paru dans *Le Figaro*, c'est l'une des rares paroles importantes prononcées en France au sujet de la tragédie praguoise et il mérite de n'être pas oublié.

1. Vladimir Holan : *Une nuit avec Hamlet*, Gallimard, 1968.

Au mois d'octobre 1968, Claude Gallimard m'invita à Paris pour la sortie de mon roman. C'est alors que je vis Aragon pour la première fois, dans son appartement rue de Varenne. Il y avait là un vieux scientifique russe et sa femme. Comme beaucoup de gens des pays communistes, ils voyaient en Aragon un libéral dont l'influence sur les autorités de leur pays pouvait protéger les intellectuels non orthodoxes. « Louis, insistèrent-ils, il ne faut pas rompre avec la Russie. Il faut faire la distinction entre le peuple russe et son gouvernement ! Il faut que vous veniez encore en Russie ! » Aragon, extasié par la fureur que lui avait inspirée l'invasion de la Tchécoslovaquie, tête haute, marchant de long en large dans la pièce, répondit solennellement : « Même si moi je voulais y aller, mes jambes le refuseront ! » Je l'admirais. Quelques années plus tard, ses jambes, tout obéissamment, l'ont emmené à Moscou où il s'est laissé décorer par Brejnev, et, quelques années plus tard encore, lui ont obéi de nouveau et l'ont porté jusqu'à la tribune du congrès du Parti qui applaudissait une autre invasion, celle de l'Afghanistan... Toutefois, sans lui, *La plaisanterie* n'aurait jamais vu le jour en France et mon destin aurait pris un chemin tout à fait différent (et bien moins heureux, sûrement). Au moment où, en Tchécoslovaquie, mon nom était gommé des lettres tchèques (et certainement pour toujours, parce que je « ne vois aucune clarté au bout de ce chemin de violence »), la parution de *La plaisanterie* aux Éditions Gallimard a lancé mon roman dans le monde entier, en sorte qu'à la place des lecteurs tchèques subitement perdus j'ai eu (tout aussi subitement) des lecteurs nouveaux.

Un jour, en 1979, Alain Finkielkraut m'a longuement interviewé pour le *Corriere della sera*. « Votre style, fleuri et baroque dans *La plaisanterie*, est devenu dépouillé et limpide dans vos livres suivants. Pourquoi ce changement ? » Quoi ? Mon style fleuri et baroque ? Ainsi ai-je lu pour la première fois la version française de *La plaisanterie*. (Jusqu'alors je n'avais pas l'habitude de lire et de contrôler mes traductions ;

aujourd'hui, hélas, je consacre à cette activité sisyphesque presque plus de temps qu'à l'écriture elle-même.) Je fus stupéfait. Surtout à partir du deuxième quart, le traducteur (ah non, ce n'était pas François Kérel, qui, lui, s'est occupé de mes livres suivants !) n'a pas traduit le roman ; il l'a réécrit :

1) Il y a introduit une centaine (oui !) de métaphores embellissantes (chez moi : le ciel était bleu ; chez lui : sous un ciel de pervenche octobre hissait son pavois fastueux ; chez moi : les arbres étaient colorés ; chez lui : aux arbres foisonnait une polyphonie de tons ; chez moi : elle commença à battre l'air furieusement autour d'elle ; chez lui : ses poings se déchaînèrent en moulin à vent frénétique ; chez moi : je fus saisi par la tristesse ; chez lui : j'ai été pris au nœud coulant d'une énorme tristesse ; chez moi : Lucie pardonne ; chez lui : elle accorde l'aumône de son pardon ; chez moi : Helena bondissait de joie ; chez lui : elle bondissait dans un sabbat du diable ; etc., etc.).

2) Ludvik, narrateur des deux tiers du roman, s'exprime chez moi dans une langue sobre et précise ; dans la traduction, il devint un cabotin affecté qui mélangeait argot, préciosités et archaïsmes pour rendre à tout prix son discours amusant (chez moi : les femmes sont nues ; dans la traduction : elles portent un costume d'Ève ; chez moi : il la frappa d'une bouteille sur la tête ; dans la traduction : il lui fila un coup de bouteille sur la cafetière ; chez moi, un médecin retourne le corps mort d'Alexej ; dans la traduction, il le retourne comme une crêpe ; chez moi, un harmonium émet une série de sons ; dans la traduction, il émet une série de borborygmes ; chez moi, Helena parle à voix basse ; dans la traduction, elle roucoule ; chez moi, elle dit à Ludvik : « Vous n'êtes pas un phraseur ! » ; dans la traduction : « Les salades, c'est pas votre rayon ! » ; etc., etc.). Par ce discours, le caractère des personnages fut dénaturé : Helena devint caricaturalement bête, Lucie n'était qu'une pauvre fille paumée.

3) Chez moi, toutes les réflexions sont d'une exactitude scrupuleuse ; dans la traduction, elles étaient à peine intelligibles ; à cause de formules alambiquées (« les moments décisifs dans l'évolution de l'amour » devinrent « les nœuds à grimper de l'amour » ; « notre histoire à nous deux » devint « la trame événementielle que nous tissâmes de conserve » ; etc., etc.), mais aussi parce que le traducteur a suivi de façon démesurée la fameuse règle du « beau style » qui interdit la répétition du même mot. J'ai toujours exécré cette règle. La pensée qui se veut exacte ne peut jouer avec des synonymes. En outre, la répétition donne à mon texte un rythme, une mélodie qui, dans la traduction, disparurent complètement. (Seul Claude Roy, dans sa critique pour *Le Nouvel Observateur*, s'est rendu compte alors de cette frappante absence de musique dans *La plaisanterie*.)

Oui, aujourd'hui encore, j'en suis malheureux. Penser que pendant douze ans, dans de nombreuses réimpressions, *La plaisanterie* s'exhibait en France dans cet affublement !...

Deux mois durant, avec Claude Courtot [1], j'ai retravaillé la traduction. La nouvelle version (« entièrement révisée par Claude Courtot et l'auteur ») a paru en 1980. Quatre ans plus tard, j'ai relu cette version révisée. J'ai trouvé parfait tout ce que nous avions changé et corrigé. Mais, hélas, j'ai découvert combien d'affectations, de tournures tarabiscotées, d'inexactitudes, d'obscurités et d'outrances m'avaient échappé ! En effet, à l'époque, ma connaissance du français n'était pas assez subtile et Claude Courtot (qui ne connaît pas le tchèque) n'avait pu redresser le texte qu'aux endroits que je lui avais indiqués. Je viens donc de passer à nouveau quelques mois sur *La plaisanterie*. Mme Claudine Méal, qui aux Éditions Gallimard a la charge de mes livres, m'a apporté une aide inappréciable sans laquelle, sans doute, jamais n'aurait pu voir le jour cette version, enfin définitive, de la

---

1. Claude Courtot, auteur de l'admirable *Bonjour, monsieur Courtot !* (Ellébore, 1984), est de ces écrivains secrets pour lesquels j'ai la plus haute estime.

traduction (« traduction du tchèque par Marcel Aymonin entièrement révisée par Claude Courtot et l'auteur — version définitive »).

L'histoire de *La plaisanterie* entre Prague et Paris s'achève. En 1967, dans l'atmosphère déjà très libérale de l'avant-Printemps de Prague, mon livre n'a pas causé la moindre sensation politique. Pour comprendre la façon dont ce roman a été perçu en Bohême, je cite, de mémoire, quelques titres d'articles consacrés alors à *La plaisanterie* dans des revues tchèques : « L'ironie et la nostalgie » ; « La version antisartrienne du roman existentiel » ; « Le roman de l'existence humaine » ; « La phénoménologie et le roman » ; « La géométrie de *La plaisanterie* ». L'accueil à Paris, l'année d'après, m'a flatté et attristé à la fois : mon roman fut couvert d'éloges mais lu d'une façon unilatéralement politique. La faute en incombait aux circonstances historiques du moment (le roman a paru deux mois après l'invasion), à la préface d'Aragon (qui n'a parlé que de politique), à la prière d'insérer, à la traduction (qui ne pouvait qu'éclipser l'aspect artistique du roman), et aussi à la transformation progressive de la critique littéraire occidentale en commentaire journalistique hâtif, assujetti à la dictature de l'actualité. Or, aujourd'hui, les rumineurs de l'actualité ont depuis longtemps oublié le Printemps de Prague ainsi que l'invasion russe. Grâce à cet oubli, paradoxalement, *La plaisanterie* va pouvoir redevenir enfin ce qu'il a toujours voulu être : roman et rien que roman.

Mai 1985.

ŒUVRES DE MILAN KUNDERA

Aux Éditions Gallimard

LA PLAISANTERIE.

RISIBLES AMOURS.

LA VIE EST AILLEURS.

LA VALSE AUX ADIEUX.

LE LIVRE DU RIRE ET DE L'OUBLI.

L'INSOUTENABLE LÉGÈRETÉ DE L'ÊTRE.

Entre 1985 et 1987 les traductions des ouvrages ci-dessus ont été entièrement revues par l'auteur et, dès lors, ont la même valeur d'authenticité que le texte tchèque.

L'IMMORTALITÉ.

La traduction, entièrement revue par l'auteur, a la même valeur d'authenticité que le texte tchèque.

JACQUES ET SON MAÎTRE, HOMMAGE À DENIS DIDEROT, *théâtre*.

L'ART DU ROMAN, *essai*.

COLLECTION FOLIO